Hermann Brünjes

Mit dem Hahnenschrei

Indienroman

Gewidmet jenen Menschen in Indien,
mit denen ich verbunden bin: Durch den gemeinsamen
Glauben an Jesus Christus, durch den Kampf für
benachteiligte Stammesleute,
durch Glaube, Hoffnung und Liebe.
Vor allem denke ich an den »Ayyagaru«,
der inzwischen verstorben ist.
Paul, wir sind getrennte Wege gegangen, bei aller Liebe.
Aber auch an Philip denke ich, an Esther Rani,
N. Daniel und all die anderen Geschwister.
Ihr habt mir mehr gegeben, als ihr denkt.

Danke.

2. Auflage Oktober 2011
Kontakt: Hermann Brünjes,
Küsterweg 2, 29582 Hanstedt
E Mail: HBruenjes@t-online.de
Druck: Glückstädter Werkstätten, Itzehoe
Layout und Foto: H. Brünjes

Prolog

Wenn Hähne schreien, dann geht es um Macht. Und um Liebe. Wenn Hähne schreien, sterben sie als Verlierer oder leben im Triumph ihres Sieges. Wenn Hähne schreien, wird verraten, geweint und vergeben. Wenn Hähne schreien, wird aus dunkler Nacht ein neuer Morgen.

Um den Fuß mit tödlichen Krallen eine Schnur. Angebunden. Friedlich, solange Futter und Fürsorge stimmen.

Losgelassen, wenn die Zeit gekommen ist. Der Kampfgeist erwacht, plötzlich und ungestüm. Kontrollverlust. Ein zweiter Hahn, jung und stark. Die Krallen gespreizt, den Schnabel vorgestreckt, die Federn zum Kampf geplustert. Den Feind, nur ihn im Blick. Hahnenkampf. Nur einer wird den Platz als Sieger verlassen.

Tödlich, weil Menschen sich dieses Spiel ersonnen haben. Rasiermesserscharfe Klingen werden an die Krallen gebunden. Nicht allein Schmerzen und Qual, nicht Flucht und Ergebung, wenn Hähne schreien. Auch Sterben und Tod. Kein neuer Morgen.

Inhalt

01 Exoten hinter Gittern

Für meinen schnurrbärtigen Wachmann bin ich ein Exot. Seine fast schwarzen Augen sehen mich durch die rechteckige Luke der grauen Stahltür hindurch an, als wolle er sich nun zum vierten Mal überzeugen, ob ich noch da bin. Und ob das, was er sieht, keine überirdische Erscheinung ist. Vorgestern, auf dem Weg in den Essraum, habe ich gesehen, wie ein junger Mann, offenbar Besucher des Blocks, meinem Wächter etwas zugesteckt hat. Dieses Etwas sah aus wie eine flache Flasche. Mit geübtem Griff verschwand sie unter der braungrünen Uniformjacke mit den drei Streifen am Oberarm. Vielleicht traut der Mann, ein einfacher Constabler und zuständig für diesen Block, jetzt deshalb seinen Augen nicht. Weil er nach seinem Whisky einen weißen Gefangenen sieht, der vor seinem Bett kniet und betet. Ja, ich bete hier viel. Zeit genug habe ich. Und Grund genug ebenfalls.

Indien ade! Ich fürchte, dass dies mein letzter Indienaufenthalt wird. Wenn ich hier überhaupt wieder herauskomme. Natürlich ist das alles Unrecht. Man hat mich hintergangen, verraten und verleumdet. Indien ist die größte Demokratie der Welt. Fast eine Milliarde Menschen haben hier Wahlrecht. Es steht ihnen alles zu, was ein moderner Rechtsstaat verspricht. Bei mir jedoch muss sich jemand versprochen haben, als er sagte, es würde alles schnell vorbeigehen. Inzwischen sitze ich vier Tage hier und nichts geschieht. Außer dem, was hier immer geschieht. Früh am Morgen scheppert das Signal zum Aufstehen. Frühstück ist von sechs bis sieben. Es gibt im Prinzip immer dasselbe: Idli und Chattney aus Kokosnuss oder Upma. Wir können tagsüber unsere Zellen verlassen. Anders als in den kleinen, regionalen Gefängnissen hat mir ein anderer Ausländer, ein junger Däne, erzählt, gibt es keine festgelegten Hofgänge. Doch die meisten Insassen halten sich in den Zellen auf, bei geöffneter Tür. Viele sind es in der U-Haft nicht, schon garnicht hier in der B-Klasse. Ja, B-Klasse! Wie im Zug, wie überhaupt in der indischen Gesellschaft. Der Däne, den ich nur einmal auf dem Hof getroffen habe und dann nie wieder, erzählte, dass die A- und B-Klasse gut versorgt würde, man in kleineren Zellen wohne und auch sonst mehr Komfort hätte. Die C-Klasse dagegen solle den einfachen Leuten vorbehalten sein, man wohne dort mit bis zu fünfzig Gefangenen in großen Räumen und habe weder Betten noch Stühle. Immerhin, unsere B-Klasse ist nicht schlecht. Von halb elf bis halb zwölf gibt es Mittagessen, meist Reis mit Gemüse und mehrmals sogar Fleisch, vor allem Lamm. Dann bleibt wieder viel Zeit zum Denken, Reden, Putzen, Karom- oder Kartenspielen und Schlafen. Von vier bis fünf ist Abendessen, welches ebenfalls ganz annehmbar ausfällt. Ob jener Däne, der mir jetzt schon fast wie eine Traumgestalt vorkommt, inzwischen irgendwo im kühlen Norden den Komfort seiner europäischen Wohnung, einen vollen Kühlschrank und ein weiches Bett genießt? Ein Flug bis Kopenhagen dauert wahrscheinlich etwa zehn Stunden. Also, lieber unbekannter Däne, genieße deine Freiheit! Falls sie dich wirklich haben fliegen lassen.

Mr. Appa Rao, ein rundlicher Anwalt, war gestern bei mir aufgetaucht. Er hat mir eröffnet, dass es eine Untersuchung geben würde. Im schlimmsten Fall würde ich bis zum Ablauf meines Visums hier ausharren müssen, um dann nach Deutschland abgeschoben zu werden. Nicht umsonst läge der Knast nahe dem Flughafen. Also noch über fünf Monate in dieser Zelle! Unvorstellbar! »But no problem!« hatte Mr. Appa Rao gesagt und sich dabei mit einem hellblauen Taschentuch den Schweiß von der Stirn gewischt. »You can trust me! I will help you!« Sein Wort in Gottes Ohren! In meinen Ohren klingen alle Sirenen, wenn ich nur jenes beliebte ‚No problem!' höre. Oft fangen die Probleme damit erst an, jedenfalls in diesem Land. ‚No problem!', wenn der Zug über zwei Stunden Verspätung hat. ‚No problem!', wenn die Straßen verstopft sind und trotz aller millimetergenauen Lückennutzung nichts mehr geht. ‚No problem!', wenn niemand weiß, wie es weitergehen soll. Dann schauen dich deine besten Freunde freundlich lächelnd an und versuchen, sich selbst Mut zuzusprechen. No Problem!

Also, ich bin misstrauisch. Ich habe dem Anwalt Telefonnummern meiner indischen und deutschen Freunde gegeben und ihn gebeten, sie zu benachrichtigen. Er hat den Zettel ohne Kommentar in die Hemdtasche gesteckt. Ich hoffe, dass der Mann wenigstens das deutsche Konsulat in Chennai informiert. Mich wundert es ohnehin, dass von dort noch niemand aufgetaucht ist. Wegen einer Visumangelegenheit für indische Besucher habe ich die Vertretung meines Landes vor zwei Jahren aufgesucht. Wir hatten eine Gruppe junger Leute aus dem Stammesgebiet nach Deutschland eingeladen. Den meisten war das Visum verweigert worden. Eine Frau Brinkmann hatte mich empfangen und zunächst einen freundlichen und kompetenten Eindruck gemacht. Dann aber gab es doch erhebliche Reibungspunkte, was die Begründung der damaligen Verweigerung der Visa betraf. »Es kann eben sein, dass bestimmte Gruppen der indischen Bevölkerung gar nicht nach Deutschland einreisen dürfen!« Dieser Satz hatte mich um meine diplomatische Fassung gebracht und ich fand damals, dass die Grenze zum Rassismus überschritten sei und die Argumente mit gesundem Menschenverstand und deutschen Interessen nichts mehr zu tun hätten. Frau Brinkmann hatte mir einige meiner Äußerungen offenbar übel genommen. Wenn wir uns damals auch versöhnlich und zu weiterer Zusammenarbeit bereit verabschiedet hatten, so war bei ihr eine gewisse Verstimmung doch nicht zu übersehen gewesen. Ob es aus diesem Grunde jetzt so lange dauerte, bis sich die Botschaft meldet? Ich kann mir nicht vorstellen, dass Frau Brinkmann als Leiterin der Visaabteilung auch Deutsche betreut, die im Knast sitzen.

Im Moment ist es ruhig in meiner Zelle. Gelegentlich geht draußen einer der Wärter vorbei. Zwei der vier Betten sind nicht belegt. Eben noch hat mein ‚Mitbewohner' im Schlaf gesprochen. Leider habe ich nichts verstanden. Er spricht kein Englisch. Was er ausgefressen hat, weiß ich deshalb nicht, und somit ist offen, ob ich mir mit einem Taschendieb, einem der Korruption überführten Beamten, einem Geldfälscher, Mädchenschänder oder einem Mörder Zelle, Tisch und Toilette teile. Ashok ist ein zarter Bursche mit zurückgekämmten schwarzen Haaren und kleinem Schnautzer. Ich bin mir nicht ganz sicher, ob er Inder ist. Vielleicht ist auch er Ausländer. Er könnte Pakistani sein. Er ist freundlich, aber schweigsam. Bisher sind wir uns nicht ins Gehege gekommen. Er scheint mich zu respektieren und ich lächle ihm gelegentlich aufmunternd zu. Wenn er ein Mörder ist, dann wahrscheinlich ein Giftmörder, denn er macht nicht den Eindruck, körperliche Gewalt ausüben zu können. Doch da kenne ich mich nicht aus und hoffe, dass der Zugang zu Giften ein wenig erschwert wird. Wobei man hier nie weiß. Wenn jemand Geld hat und ein wenig geschickt damit umgeht, kann man hier wahrscheinlich sogar einen indischen Elefanten hereinschmuggeln. Mit dem Whisky für meinen Wärter jedenfalls scheint es kein Problem zu geben.

Ich gehe davon aus, dass Mr. Appa Rao spätestens morgen wiederkommt. Er hat mir versprochen, dass er einige Sachen für mich besorgt. Bei meiner Festnahme hatte ich zwar einen kleinen Koffer mit Hemden, Waschzeug, Unterhosen und anderen Kleinigkeiten dabei, musste ihn jedoch beim ‚Einchecken' abgeben. Behälter jeder Art sind verboten. Trotz mehrfachen Protestes habe ich meine Sachen nicht wiederbekommen, sondern lediglich eine Bescheinigung, dass sie in sicherem Gewahrsam sind, wie ich selbst ja auch. Im Übrigen ist es äusserst schwer für mich, meinen Protest anzubringen, denn nur der Chef hier spricht Englisch. Es soll angeblich Übersetzer geben, die für die ausländischen Gefangenen da sind. Gesehen habe ich noch keinen. Gelegentlich höre ich andere Gefangene sich lauthals in der Landessprache Telugu beschweren. Darauf wird jeweils sofort reagiert, wenn auch manchmal mit lautem Gegengeschrei und klatschenden Geräuschen, die sich ein wenig nach Schlägen anhören.

Meine schlimmsten Vorstellungen von indischen Gefängnissen haben sich zum Glück dennoch nicht erfüllt. Der Polizeiwagen, der mich hierherbrachte, war ein normaler Tata Sumo, jener indische Geländewagen, den wir gerne und oft für unsere Fahrten im Stammesgebiet gemietet haben. Nur, dass dieser Wagen entsprechend lackiert und mit Sirene versehen war. Beim Eintritt durch das große, eiserne Tor in der ebenso hohen und mit Stacheldraht gesicherten Mauer wurde mir dann allerdings doch reichlich mulmig zumute. Viele Fragen beschäftigten mich: Wussten meine Freunde hier in Indien davon, was geschehen war? Würde meine Familie in Deutschland benachrichtigt werden und meine Kollegen? Werde ich mich an das Konsulat wenden können?

Inzwischen weiß ich, dass mir all dies gestattet werden würde. Es dauert allerdings. Jedenfalls ohne entsprechende finanzielle Unterstützung beim Personal dieses vergitterten Gästehauses. Dass es für mich Letzteres sein würde, hoffe ich immer noch. Ich bin in Untersuchungshaft, wenn die auch eine Abteilung im »richtigen« Knast ist. Ich trage meine eigene Kleidung, bekomme halbwegs brauchbares Essen, darf in den Hof, bekomme eine Zeitung, kann schreiben und mindestens zweimal die Woche für eine halbe Stunde Besuch bekommen. Sogar einen Fernseher gibt es in der Gemeinschaftszelle. Leider bestehen meine Mitbewohner darauf, dass sie ihre einheimischen Sender sehen. Bollywood lässt grüßen! Obwohl ich schon so oft und lange in Indien war, noch immer habe ich mir nur wenige Worte in Telugu merken können.

Ja, und ich kann mit meinem Anwalt reden, wann immer ich will. Vorausgesetzt, er kann und will, muss ich leider einschränken. Leider hat er es nicht geschafft, meinen Koffer aus der Verwahrung zu bekommen. Nun hoffe ich also auf seinen zweiten Versuch, meine Sachen zu bekommen. Nach inzwischen vier Tagen in immer gleichen Kleidungsstücken hoffe ich sozusagen sogar mit der Nase.

Ashok spricht wieder. Nachdem er sich dann allerdings auf die Seite gedreht hat, höre ich nur noch seine regelmäßigen Atemzüge. Irgendwo im hinteren Teil des Ganges scheppert Metall auf Metall. Ich gehe nicht davon aus, dass hier jemand ausbrechen will. Die Türen sind bestens gesichert, auf dem Weg bis nach draußen müsste man mindestens drei Sperren überwinden. Wahrscheinlich hat jemand mit seinem Teller an die Tür geschlagen. Oder ein Teller mit Essensresten ist heruntergefallen. So jedenfalls, als sei hier häufig mal etwas heruntergefallen, sieht unser Zellenboden aus, vor allem im Bereich des indischen Klos, einem Loch mit Keramikrand, das hinter einer schulterhohen, weiß gefliesten Keramikmauer verborgen ist und von der etwa fünf mal sechs Meter großen Zelle nicht eingesehen werden kann. Da ich inzwischen diverse Erfahrungen mit den Hygieneverhältnissen im aufstrebenden Indien gesammelt habe, hat mich das hier nicht besonders geschockt. Ich hatte es mir sogar schlimmer vorgestellt. Immerhin gibt man uns Reinigungsmittel und wir können unser Klo selbst putzen. Mit ‚wir' meine ich mich selbst, denn Ashok hat die Flasche mit der weißen Reinigungsflüssigkeit bisher nicht angerührt. Mag sein, dass sie ihn an scine letzte Giftmischung erinnert.

Der Wächter mit den dunklen Augen hat unsere Tür inzwischen verlassen. Mein Gebet war wieder überdeckt von vielen Gedanken über meine Situation. Ich kann nicht sagen, dass ich Angst habe. Eher Respekt. Respekt vor der indischen Realität und Respekt vor staatlicher Ohnmacht und korrupten Beamten. Angst habe ich allerdings, dass ich am Ende womöglich ausgewiesen werde und nicht wieder ins Land darf.

Die Anfänge

02 Bhoomi Pondoga

Über dem Fluss lag Nebel, weiß und weich. Das braune Wasser war aufgewühlt und unruhig. Die starke Strömung riss den Ufersand mit sich. An vielen Stellen wurde die hohe Steilküste unterspült und kostbares Ackerland versank im Fluss. Wo immer das Ufer aufgebrochen war, strömten kleine Bäche oder große Nebenflüsse in die Sabari. Es hat geregnet. Endlich!

Ihr Vater hatte es geahnt. Vor einigen Tagen hat er unter der riesigen Tamariske den Dorfrat zusammengerufen und die für Chatti verantwortlichen Männer und Frauen hatten sich abgesprochen. Dann halfen sie einander, die Ochsengespanne herzurichten. Es mussten einige Seile erneuert oder repariert werden. Die massiven Holzpflüge bedurften einer gründlichen Überprüfung. Auf sie kam es an, wenn die kleinen, zähen Zugtiere den noch ausgetrockneten Boden im Tal der Sabari aufrissen. Und nun endlich war es soweit. Es regnete. Für Adama war der Beginn des Monsuns immer die schönste Zeit im Jahr. Schon als Kind liebte sie, zusammen mit allen anderen Kindern im Dorf, die ersten Regengüsse. Auch wenn diese den lehmigen Boden in eine Rutschbahn und Schlammpiste verwandelten, Adama und ihre Freundinnen sprangen im prasselnden Regen herum, als sei dies die schönste Sache der Welt. War es auch! Nach langen, trockenen Monaten und heißen Tagen und Nächten, blühte das Land einschließlich aller Bewohner endlich auf. Wenn der Regen einmal ausblieb, sank dagegen die Stimmung mit jedem Tag. Die Vorräte waren fast aufgebraucht. Nur einmal am Tag konnte Adama damals als Kind Reis essen und mehr als ein wenig Gemüse und

Sambar oder Rassam gab es dazu nicht. Also war es nun an der Zeit, die Felder zu bestellen. Der jährlich wiederkehrende Monsunregen war nicht nur eine Frage von feuchtem Vergnügen, sondern eine Frage des Überlebens. Und deshalb wurde er gefeiert, wie sonst nur noch die eingebrachte Ernte.

Wie immer vor Bhoomi Ponduga war Adama aufgekratzt. Schon als Kind konnte sie jene Tage des ausgelassenen Feierns kaum erwarten. Und jetzt, als junge Frau, hatte sie es übernommen, die Festvorbereitungen des Dorfes zu koordinieren. Es gab viel zu tun. Die Männer waren gemeinsam und mit ihren Bambusbögen bewaffnet auf die Jagd gegangen. Ohne Erfolg sollten sie sich nicht wieder zurück ins Dorf trauen und unter die Augen ihrer Frauen. Sie hatten einen guten Vorrat an Pfeilen mitgenommen, sowohl jene mit den stumpfen Bambuspfropfen, mit denen sie die größeren Vögel vom Himmel holen konnten, als auch jene mit den gefährlichen Metallspitzen, die selbst die Felle der wilden Schweine durchbohren konnten.

»Du hast es gut!« hatte ihr Vater gestern beim Abschied gesagt. »Du musst dich nur hinter deiner Straßensperre aufstellen und es fliegen dir die Rupien so zu.«

Nun, ganz so war es nicht. Es stimmte, Adama und die anderen Frauen hatten den leichteren Teil der Vorbereitungen zu erledigen. Obwohl sie sich manchmal nicht sicher war. Oft hatte sie den Eindruck, ihr Vater kam reichlich beschwingt aus dem Bergwald zurück, so, als ob es auch dort nicht besonders anstrengend gewesen war. Meistens brachten die Männer nicht viel erlegtes Wild mit, jedenfalls nicht bei den Bhoomi Ponduga Festen der letzten Jahre. Sie mussten weit wandern, bevor die Jagd überhaupt losgehen konnte. In den letzten Jahren waren immer mehr Männer von der Küste aus dem Osten gekommen und hatten sich Teile des Landes genommen. Die Bäume wurden gefällt und das Unterholz verbrannt. Wo einst saftige Wälder waren und sogar Bären und Tiger lebten, gab es jetzt Felder, auf denen Reis und Chili wuchsen. Sicher, sie hatten die Möglichkeit, auf diesen Feldern als Kulis zu arbeiten. Doch ihr Vater war strikt dagegen.

»Das lohnt sich nicht!« hatte er gesagt und viele im Dorf damit überzeugt. »Wenn wir unser Land den Hindus aus dem Osten überlassen, nehmen sie uns alles. Wir arbeiten für Hungerlöhne und am Ende sollen wir noch ihren Göttern dienen!«

Also hatte sich ihre Familie den Fremden verschlossen. Wie die meisten im Dorf. Für Kinder und Jugendliche wie Adama war das nicht leicht gewesen. Kumari, eine Freundin, bekam nach dem Verkauf des Landes von ihren Eltern ein nagelneues Fahrrad. Adama dagegen konnte sich das nicht leisten und war sehr, sehr neidisch. Allerdings dauerte es mit dem Neid nicht sehr lange. Als Adama sich entschloss, zur Schule zu gehen und deshalb zu ihrer Tante zu ziehen, hätte sie das gerne zusammen mit Kumari gemacht. Die aber durfte nicht mit. Sie musste arbeiten. Ihre Eltern hatten offenbar zu viele Schulden bei dem fremden Bauern aus dem Osten. Die mussten erst abgearbeitet werden. Jetzt, da Adama an jene Jahre zurückdachte, wurde sie traurig. Was mag wohl aus Kumari geworden sein? Ob sie inzwischen verheiratet war? Oder immer noch auf den Feldern ihres Landlords arbeiten musste? Adama war ihrem Vater wirklich ähnlich. Nicht nur Trauer, auch Wut stieg in ihr auf bei dem Gedanken, was die Leute aus dem Osten in ihrem Dorf angerichtet hatten. Ob der Vater und die anderen Männer den Toddy auch deshalb so sehr liebten, jenen Brandwein, der aus der stolzen Toddypalme gezapft wurde?

Adama stocherte mit einem dünnen Holzscheit in der Feuerstelle herum. Es war noch früher Morgen. Jetzt, in der Regenzeit, konnte man meistens nur unter einem

Dach aus Palmwedeln kochen. In einer Ecke des kleinen Hofes, direkt am Bambuszaun, war ein großer Stapel Feuerholz aufgeschichtet. Davon holten sie jeweils genug für einen Tag und brachten es zum Trocknen unter das Dach des Kochplatzes. Das Feuer wollte nicht recht brennen, da das Holz trotz aller Sorgfalt feucht war. Immerhin, sie hatten noch die Möglichkeit, das Brennholz im Wald zu sammeln. Bis zur Stärke eines kräftigen Oberarmes war das gesetzlich erlaubt. Wenn das Gesetz auch mehr auf dem Papier denn in der Wirklichkeit lebte. Alle im Dorf holten Holz aus dem Wald. Niemand konnte es sich leisten, sich die Bündel auf dem Markt zu kaufen. Zwei Rupien für einige Äste! Das war doch der blanke Hohn!

Sie erinnerte sich an die wunderschönen Geschichten, die der Vater ihr als Kind erzählt hatte. Wenn er aus dem Wald kam, erzählte er immer von riesigen uralten Bäumen, die ihre Äste so weit, wie die Fläche eines Reisfeldes ausbreiteten und unter deren Wurzeln man sitzen konnte, wie in einer Höhle. Einen einzigen solcher Bäume, direkt an der Steilküste der Sabari, kannte auch Adama und hatte mit Kumari oft unter den Luftwurzeln gesessen und auf den Fluss geschaut. Doch Vater hatte erzählt, dass der Wald voll davon sei. Früher. Früher hatten die Leute im Dorf auch noch regelmäßig gejagt und waren dabei oft mit einem Reh, Hasen oder gar Wildschwein zurückgekommen. Heute war die Jagd eher die Ausnahme, wie jetzt an Bhoomi Ponduga. Früher hatten sie Beeren gesammelt und Früchte der Bäume. Früher aßen sie fast täglich vom Honig wilder Bienen, rodeten kleine Felder zwischen den Bäumen und säten Hirse und Bohnen. Ja, auch heute taten sie das alles noch, jedoch nur gelegentlich. Nur die alte Banu, die sich hervorragend auf Heilkunst verstand, ging noch regelmäßig in den Wald um dort Blätter und Wurzeln für ihre Medizin zu sammeln.

Das Roden des Waldes war inzwischen verboten worden, jedenfalls für normale Leute wie die Einheimischen. Andere, jene mit Beziehungen oder genug Geld für die Beamten, konnten es offenbar trotzdem tun und wurden dabei noch von korrupten Forstbeamten unterstützt. So gab es in unmittelbarer Nähe des Dorfes keinen Wald mehr und die großen Bäume waren in der Papierfabrik oder als Möbel in den Wohnzimmern der Städter gelandet.

Doch Adama hatte jetzt keine Zeit für tiefsinnige Gedanken und schon gar nicht für ihren Zorn. Es hatte geregnet! Die beste Zeit im Jahr war angebrochen! Vor zwei Tagen hatten sie, gleich nach den ersten Tropfen, auf dem bereits gepflügten Feld eine kleine Zeremonie gehabt. Sie alle, das ganze Dorf, hatten ein Gefäß mit Hühnerknochen in der Erde vergraben und dazu einige Handvoll Saatgut gelegt. Der Stammespriester hatte rote und gelbe Farbe auf das Gefäß gerieben und dabei geheimnisvolle Worte gemurmelt. Sie alle hatten dem dann konzentriert und still zugesehen, inzwischen mit klitschnassen und am Körper klebenden Kleidern. Und dann hatten sie ihre Blütenkränze auf die Stelle gelegt und zu singen und tanzen angefangen. Bhoomi Ponduga hatte begonnen.

Sie entschloss sich, das Feuer nicht erneut anzufachen. Die Männer hatten ihren Proviant mitgenommen und für sich selbst brauchte sie jetzt nicht mehr als etwas kalten Reis von gestern, mit Pickles aus dem Glas. Wenn sie jetzt nicht endlich losging, würde es an diesem Bhoomi Ponduga nicht wirklich werden wie immer! Sie wollten sich oben an der Straße treffen, dort, wo ein im Sommer trockenes Flussbett die Straße kreuzt. Als Adama dort ankam, sah sie, dass aus dem kleinen Rinnsaal ein reissender Bach geworden war. Trotzdem war die Straße noch passierbar.

Die meisten der Frauen waren schon dort. Es regnete jetzt nicht mehr.

»Wir nehmen jenen Baumstamm dort!« schlug Adamas Nachbarin vor. Die Frauen packten mit vereinten Kräften zu. Sie waren harte Arbeit gewohnt und hatten den Stamm schnell über die Straße gelegt.

»Nun können sie kommen!«

Die Nachbarin rieb sich vor Freude die Hände. Die Frauen warteten.

»Manchmal denke ich«, sagte Adama, »wir wohnen doch recht einsam, denn hier kommt ja kaum jemand durch!«

»Das wird schon!« ermutigte sie die Nachbarin und alle kicherten. Und dann endlich kam jemand. Es war ein alter Mann aus dem Nachbardorf, der sein Büffelkalb zum Markt nach Chintur bringen wollte. Die Frauen stoppten ihn. Und er wusste natürlich Bescheid. Grinsend gab er ihnen zwei Rupien:

»Na, dann viel Glück in diesem Jahr!«

Als er gezahlt hatte, schoben sie den Baumstamm ein wenig zur Seite und er und sein Kalb konnten passieren.

»Hoffentlich geht es nicht so mager weiter!« sagte Amsi, Adamas Cousine. »Dann wird es nichts mit dem Festessen!«

Zum Glück ging es nicht so weiter. Einer der schweren Lastwagen, die in Indien auch entlegenste Dörfer versorgten, kam vorbei. Er war bunt bemalt und hatte auf die Heckklappe »King of the raod« und »Please sound Horn!« geschrieben. Der LKW transportierte Holz aus den Wäldern der hohen Berge zwischen Küste und Sabari und war auf dem Weg in die Papierfabrik der Kreisstadt. Adama war wütend, weil der Fahrer so aggressiv hupte, so unter dem Motto: »Platz da, jetzt komme ich, der King of the Road!« Am liebsten hätte sie dem Mann einen Hunderter abgefordert, zumal sie wusste, dass er dazu beitrug, dass ihre Heimat immer mehr der Säge und den Holz fressenden Maschinen der Papierindustrie zum Opfer fiel. Aber sie wusste auch, dass der Fahrer nichts dafür konnte. Sie kannte ihn. Er war aus einem der Nachbardörfer und hatte einen der Regierungsjobs bekommen, auf die nur die Stammesleute, die Adivasi, Anspruch hatten. Solche Job-Quoten sollten die Koya und andere Stämme davor schützen, von den Zuwanderern aus dem, wie die Städter es nannten, ‚zivilisierten Indien' ausgenutzt zu werden. Welch eine Ironie! Dieser Fahrer wurde geschützt und musste nun dazu beitragen, die Lebensgrundlage seines Volkes, den Wald, zu vernichten.

Inzwischen stand die Sonne hoch am Himmel. Durch die hohe Luftfeuchtigkeit lief der Schweiß in Strömen über die Haut. Nicht anstrengend!?

Welch ein Hohn, dachte Adama, während ihr Vater wahrscheinlich mit den anderen, meist jüngeren Männern, irgendwo unter einem der letzten großen Bäume lag und Toddy trank, statt zu jagen, hielten sie es hier in der schwülen Hitze aus und betätigten sich als Wegelagerer.

Sie machte eine Bemerkung darüber. Sofort amüsierten sich die Frauen köstlich, denn sie kannten ihre Männer und malten die Szene unter dem Baum noch ein wenig aus.

»Srina tanzt bestimmt und wedelt dabei mit den Armen, als wolle er Moskitos fangen!« sagte Ramanna.

»Oder er liegt bereits betrunken in den Büschen!«

Alle machten fröhlich ihre Witze.

Es gab wieder etwas zu tun. Geld sammeln war angesagt, nicht Witze über die eigenen Brüder, Nachbarn und Ehemänner machen. Diesmal kamen zwei junge Männer auf einem Motorrad, einer Enfield. Sie trugen schicke dunkle Hosen und helle Hemden. Der Fahrer gab zehn Rupien und lachte.

»Na, ihr seid ja gut drauf! Wenn mir so viele so hübsche Mädels den Weg versperren, habe ich nichts dagegen!«

Als er das sagte, sah er Adama an. Sofort schoss ihr das Blut in den Kopf. Ja, sie wusste, dass sie hübsch war. Zwar klein und zierlich, aber hübsch, eine richtige Schönheit. Als Jugendliche hatte sie das nicht wahrhaben wollen. Aber immer wieder hatten die Jungs sie umschwärmt und angehimmelt. Blöde Jungs! Inzwischen wusste sie um ihre Ausstrahlung. Aber sie hatte bisher immer ‚Nein!' gesagt. Nein zu jenem Cousin, mit dem ihre Eltern sie bereits am Ende der Kindheit verkuppeln wollten. Nein zu jenem Kaufmann, der sie gerne zur Ladenbesitzerin gemacht hätte. Nein zu jenem Nachbarn, der ihr seine Liebe mit Kreide auf den Boden vor das Haus gemalt hatte. Und einem Cousin, der sich hatte scheiden lassen und dann sie heiraten wollte, hatte sie, während andere Mädchen eher verschämt weggeschaut hätten, eine schallende Ohrfeige versetzt. Jetzt, über zwanzig, hatte sie ihrem Vater endlich die Flusen ausgetrieben, dass er einen Mann für sie suchen müsse. Das würde sie schon selbst machen. Zum Glück waren sie Koyas – und die konnten sich ihre Partner selbst wählen und mussten nicht wie die Hindus ihre Ehen von den Eltern arrangieren lassen.

Nun saß da plötzlich dieser Mann vor ihr auf seinem Motorrad. Er war wirklich attraktiv. Und offenbar ja auch humorvoll und gebildet. Nicht wie jene Dorfjungs, mit denen sie aufgewachsen war und die nur selten lesen und schreiben konnten. Heute hatte sich das ja zum Glück geändert und die meisten Kinder gingen im größeren Nachbardorf Chintur in die staatliche Schule. Doch in ihrem Jahrgang war es noch eher die Ausnahme, wenn jemand zur Schule durfte. Sobald möglich, mussten die Kinder zum Lebensunterhalt der Familie beitragen und zum Teil hart arbeiten. Nur weil ihre Mutter, als diese noch lebte, dafür gesorgt hatte, dass Adama zur Schule ging, ihre Familie nicht auf jede Paisa angewiesen war und Adama deshalb einige Jahre im Dorf ihrer Tante leben konnte, bekam sie die Chance auf Bildung. Wie das frisch gepflügte und trockene Land jetzt den Regen gierig aufnahm, so sog Adama damals alles auf, was sie lernen konnte. Bis heute war es ihr Traum, einmal wenigstens ein wenig über ihr Dorf und dessen eingeschränkte Welt hinauszukommen und mehr von der Welt kennenzulernen. Jungen spielten da eigentlich keine besondere Rolle. Anders als viele Mädchen in ihrem Alter kam es Adama vor allem darauf an, etwas zu lernen und etwas aus ihrem Leben zu machen. Sie wollte nicht schon mit vierzehn Jahren Mutter und mit achtundzwanzig Großmutter werden. Sie wollte mehr vom Leben.

Jetzt also stand, oder besser saß auf seinem Motorrad, dieser junge Mann vor ihr. Und der gefiel ihr. Er hatte ein offenes Gesicht, trug ein kleines, aber nicht zu aufdringliches Oberlippenbärtchen, hatte eine sportliche Figur und eine Ausstrahlung, die Adama in ihren Bann zog. Doch wer war er? Woher kam er und wo lebte er? Auf dem Tank der Enfield sah Adama einen Aufkleber. Sie erkannte einen Fisch. Ob das ein religiöser Aufkleber war? Oder eine Werbung? War dieser Mann Moslem? Dann war es sicher schwer, in Kontakt mit ihm zu kommen. Hindu war er wahrscheinlich nicht, denn da hätte er sich wahrscheinlich einen Ganesha- oder Shiva-Aufkleber auf den Tank geklebt. Oder Christ? Als ihr Vater jung war, gab es diese Religionen noch nicht im erreichbaren Umkreis ihres Dorfes. Sie alle übten die alten Bräuche aus, die sie von ihren Vorfahren übernommen hatten und lebten vor allem mit der Natur in Einklang, wenn auch oft in großer Angst vor deren Macht und Gewalt. Jetzt jedoch war alles anders. Immer mehr Fremde kamen und brachten auch ihre Götter, Überzeugungen und Symbole mit. Ein Fisch, was mochte der bedeuten? Und was sagte er über diesen jungen Mann aus? Adama wagte kaum, ihr Gegenüber anzusehen, so aufgeregt war sie. Ihr Puls schlug merklich schneller. Was war denn bloß mit ihr los? Solche Gefühle hatte sie selten gespürt.

Dann aber, Adama erschien die Zeit gerade still zu stehen, war plötzlich alles vorbei. Die Frauen räumten den Baumstamm zur Seite und die beiden auf dem Motorrad fuhren davon. Hatte sich der Fahrer noch einmal nach ihr umgedreht? Oder hatte sie es sich nur eingebildet? Adama konnte sich nun kaum mehr auf die anstehenden Aufgaben konzentrieren. Immerzu dachte sie an diesen Mann. Dieses Bhoomi Ponduga war also doch etwas Besonderes geworden. Auch wenn es an diesem und in den nächsten Tagen ablaufen würde wie in jedem Jahr: Die Frauen würden mit dem Geld zum Markt gehen und für das Fest einkaufen. Sie würden dann Chickencurry kochen und das würde manchem Huhn das Leben kosten. Es würde Fisch geben... schon wieder dachte sie an den Mann und fragte sich, was das Symbol des kleinen Fisches auf dem Motorrad bedeutete. Gemüse, Reis und Saucen würden gekocht werden. Das frische Lammfleisch würde ein ebenso köstliches Curry abgeben. Und das große Stück Büffelfleisch würde gebraten vor allem den Männern gefallen, die in Kürze zurück aus dem Dschungel kommen würden. Dann würden sie ihr Fest feiern und tanzen, singen, essen und trinken. Und was dann kam, wusste Adama jetzt schon, da sie es verabscheute. Die Männer würden zu viel trinken, sich womöglich streiten, prügeln oder zumindest reichlich laut werden. Und dann würden sie am nächsten Morgen ihren Rausch ausschlafen.

Adama überlegte, ob Moslems eigentlich Alkohol trinken. Wahrscheinlich nicht, dachte sie erleichtert. Und ob sie Rindfleisch essen dürfen? Den Hindus ist das nicht erlaubt. Die Christen aßen es, soviel sie wusste – so wie die Leute in ihrem Koyadorf. Sie selbst allerdings konnte auch darauf verzichten und sich gut ganz und gar vegetarisch ernähren und Toddy trank sie sowieso nicht. Und Fisch? Den aßen wahrscheinlich alle. Oder?

»Träumst du?!« Ramanna stieß sie mit dem Ellenbogen in die Seite, so dass es richtig schmerzte. Adama schreckte auf. Schon wieder waren ihre Gedanken auf jenem Motorrad gewesen, von dem sie nicht einmal wusste, wohin es fuhr.

»Randi! Komm, Adama, wir müssen uns jetzt beeilen, wenn wir noch vor den Regenschauern am Abend vom Markt zurück sein wollen!«

03 Schwarze Schafe

Meine Sachen sind tatsächlich wieder aufgetaucht. Nur der Rasierapparat fehlt. Den Koffer allerdings hat man mir nicht gegeben, da Behältnisse jeder Art verboten sind. Also habe ich meine Hosen, Hemden und Wäsche an einen Wandhaken gehängt. Als ich wegen des Rasierers nachfragte, zuckte der ziemlich desinteressiert dreinblickende Beamte nur mit den Achseln. Entweder er verstand nichts von dem, was ich auf Englisch sagte, oder er stellte sich taub. Von dem Dänen, der sich offenbar in Knastangelegenheiten gut auskannte, wusste ich, dass die Wärter eine Polizeiausbildung (APP) von sechs Monaten genossen hatten und dann drei weitere Monate für die Abteilung der APJ (Andhra Pradesh Jail) dranhängen mussten, um einen komfortablen Arbeitsplatz im Gefängnis zu bekommen. Ich kann also nicht davon ausgehen, dass diese Leute besonders qualifiziert sind. Also ließ ich es erst einmal dabei bewenden. Man hatte mir erlaubt, mich zu duschen und umzuziehen. Wahrscheinlich kann ich nach diesem Sonderurlaub im Knast als Pantomime auftreten. Jedenfalls habe ich hier ständig keine andere Chance, als mit Händen, Füßen, Mienenspiel und Körperhaltung zu kommunizieren.

Am Nachmittag kommt mein Anwalt Mr. Appa Rao. Er bringt gute Nachricht. Schon morgen, also am fünften Tag, will jemand vom deutschen Konsulat in Chennai kommen. Immerhin, nur fünf Tage Verspätung. In Indien ist das wahrscheinlich üblich, wenn jemand im Gefängnis landet.

»Ich habe meine Sachen zurück«, informiere ich Appara, wie ich ihn sozusagen intern nenne, »allerdings fehlt der elektrische Rasierapparat!«.

Das will er zunächst nicht glauben.

»Unsere Beamten sind aber sehr korrekt!« erwidert er und schaut mich dabei kritisch an. »Dass hier alle nur korrupt sind, ist nichts als schlechte Propaganda und schadet unserem Image!«

»Aber ich weiß, was ich sage!« erwidere ich ein wenig aggressiv. »Irgendwer muss den Apparat herausgenommen haben!«

»Das ist kaum möglich. Die Vorschriften sagen eindeutig, dass bei den Sachen der Gefangenen mindestens jeweils zwei Beamte Dienst tun. So soll ein Übergriff durch einzelne schwarze Schafe vermieden werden.«

»Dann waren eben mindestens zwei schwarze Schafe in der Herde«, antworte ich und lasse nicht locker, »und die waren sich einig!«

Appara versucht, mich zu beruhigen.

»Okay, ich werde also beim Subinspektor noch einmal nachfragen und mich beschweren.«

Wenn er in diesem gelangweilten Tonfall zum immerhin zweisternestarken Subinspektor geht, wird mit Sicherheit gar nichts geschehen. Also mache ich erneut Druck.

»Wenn Sie das nicht hinkriegen, werde ich morgen mein Konsulat einschalten. Das würde ich nicht so gerne, wirft es doch ein schlechtes Licht auf diese Einrichtung. So könnte sich das Vorurteil möglicherweise sogar bestätigen und das wäre doch schade.«

Jetzt habe ich ihn, wo ich ihn haben wollte.

»Nein, nein! Sie können sicher sein, ich werde den Apparat wiederfinden, wenn er verloren gegangen ist.«

Ich belasse es zunächst dabei. Wieder finden – dass ich nicht lache! So etwas hatte ich schon einmal. Damals hatte der Fahrer meines Mietautos meine Digitalkamera geklaut. Wir hatten den Jeep mehrfach durchsucht, jedes Mal ohne Erfolg. Dann hatte ich ihn unter Druck gesetzt:

»Also, ich werde das der Polizei melden und deine Nummer und die des Autos angeben. Wenn du die Kamera hast, wirst du sie niemals benutzen können. Und wenn du sie verkaufst, fliegst du sofort auf!« Der Fahrer hatte mich beschimpft, wie ich ihn dermaßen verdächtigen könne! Doch zwanzig Minuten später rief er mich. Er bat mich, noch einmal zu suchen und half dabei. Und plötzlich hielt er die Kamera in der Hand. Er hatte sie zufällig an einem Ort, wo alle schon mehrfach gesucht hatten, wieder gefunden.

Nun, jedenfalls wird Appara jetzt wohl sein Bestes tun, was allerdings nicht allzu viel bedeutet. Er wischt sich wieder über die Stirn und steckt das mit Löchern und Flecken übersäte Taschentuch umständlich in seine weite Hosentasche. Wir reden noch kurz über den morgigen Besuch. Er meint, wenn ich dem Mitarbeiter des Konsulats die Wahrheit sagen würde, könnte der vielleicht eine Überstellung nach Deutschland erreichen, jedenfalls, solange es um die Missionsversuche ging. Die Spionagevorwürfe wären jedoch dabei dann ausgesprochen hinderlich.

»Also glauben Sie nicht, dass ich schnell frei komme?!« Ich fühle mich nicht gerade aufgemuntert und meine Freude über den Konsulatsbesuch bekommt einen kräftigen Dämpfer.

»Ehrlich gesagt jedenfalls nicht schon morgen oder übermorgen«, informiert mich mein Fürsprecher vor indischen Instanzen.

04 Göttlicher Fluss

Die Sonne war hinter dicken Wolken nicht zu sehen, müsste aber jetzt aufgehen. Der Himmel im Osten wurde heller und heller. Das Flusstal lag offen und weit vor und unter ihr. Sie saß gerne hier, vor allem am frühen Morgen und am Abend, wenn die Sonne unterging und das Wasser des Flusses rot färbte. Ein riesiger Baum wölbte sein Blätterdach über ihren Kopf. »Groß, wie ein Reisfeld«, die Worte ihre Vaters klangen noch in ihren Ohren. Offensichtlich spielten diese großen Urwaldriesen, die wie Botschafter aus einer vergangenen Zeit gelegentlich die tief abfallende Steilküste der Godavari säumten, in ihrem Leben eine ganz spezielle Rolle. Dieser hier war besonders gewaltig. Vor allem die Wurzeln faszinierten alle, die hier vorbeikamen oder auf ihrer Bootsreise anhielten. Zwischen ihnen wirkten nicht nur die kleine Frau, sondern auch große Männer wie Winzlinge. Adama saß auf einer der vom Abbruch der Küste freigelegten Wurzeln, umgeben von weiteren langen Wurzeln, also wie in einer Höhle. Wie einst als Kind. Sie sog in sich auf, was sie sah.

»Hier an der göttlichen Godavari und an ihrem königlichen Nebenfluss, der Sabari, ist mein Zu Hause!« dachte sie. »Hier gehöre ich hin! Und wenn man mir einen Sack voll Gold gäbe, ich würde um kein Geld der Welt meine Heimat verlassen und diese beiden Flüsse aufgeben oder jene waldreichen Berge an ihren Ufern, oder die Hüttendörfer meiner Stammesgenossen, oder die fruchtbaren Seitentäler und Uferregionen, in denen sie ihre Felder angelegt hatten, nachdem der Wald so brutal abgeholzt wurde.«

Eines der typischen Schiffe, eine Launche, tuckerte die Godavari flussaufwärts. Es war das Linienschiff, das einmal wöchentlich von Rajamundhri nach Kunavaram fuhr und zurück. Regelmäßig und recht zügig näherte sie sich der Anlegestelle und fuhr einen Bogen, um Sandbänken auszuweichen. Mehr als die Hälfte des Flussbettes bestand aus einer graugelben Sandbank. Die Ränder zum Wasser glichen den Wänden eines Canyon in Kleinformat und fielen einen halben bis einen Meter ab. Das Schiff legte an. Eine Planke wurde auf den Sand geschoben. Einige Leute, die an einer gegen Regen und Sonne aufgestellte Plane gewartet hatten, gingen zum Schiff, andere Passagiere stiegen aus und stapften durch den Sand auf die hier etwa fünfzehn Meter hohe Steilküste zu. Vier Männer und zwei Frauen erklommen mühsam den Pfad zum Tempel. An ihrer Kleidung erkannte Adama sofort, dass es sich um Pilger handelte. Als sie direkt neben ihr waren, fragte einer der Männer: »Namaste! Sind wir hier wirklich richtig? Wir wollen den Ashram von Perentapalli besuchen und den Bhal Ashoka Swamigi kennenlernen.«

Ja, sie waren richtig. Adama konnte ihnen sehr wohl den Weg zeigen, denn inzwischen war sie Teil dieses Ashrams geworden und Bhal Ashoka Swamigi war ihr Lehrer und wie ein zweiter Vater ans Herz gfewachsen.

»Ihr geht einfach den Pfad hinauf und haltet euch an den schmalen Bach, der in kleinen Wasserfällen aus den Bergen kommt. Dort oben seht ihr die riesigen Bäume. Darunter liegen der Ashram und der Tempel. Ihr könnt euch gar nicht verlaufen!«

»Danke!« die Pilger waren sichtlich erleichtert, dass sie den Tempel gefunden hatten.

»Zum Glück kennen die Bootsführer diese Gegend und den Fluss wie ihre Westentasche«, sagte der Mann, »wir hätten diesen Ort niemals vom Fluss aus gefunden.«

»Das ist ja der Sinn!« sagte Adama lachend. »Dies hier ist ja vor allem ein Ashram, gedacht zur Meditation und dem Studium göttlicher Weisheit und kein Ausflugslokal!«

Adama war froh, wieder ungestört ihren Gedanken und ihren Augen folgen zu können. Was sie sah, machte sie froh und dankbar: Das weite Flusstal mit der sich im sandigen Bett schlängelnden Godavari, die Steilküste, durchbrochen von Trampelpfaden und von Wassermassen ausgespülten und eingekerbten kleinen Schluchten; Sandbänke, die sich gleich Walrücken weit hinauf aufs Land schoben; bewaldete Berge auf allen Seiten. Es war wieder still. Ein großer Vogel flog mit lautem Geschrei über den Fluss und zerstörte die Stille.

»Vielleicht schreit er die Not dieser Natur hinaus, die soviel Unrecht erleiden musste«, dachte Adama. »Der Wald wird abgeholzt und nun haben sie im Westen eine Papierfabrik aufgebaut, die ihr giftiges Wasser direkt in den Fluss leitet!«

Ein Mann kam die Küste hinauf und trug an einem Draht hängend vier oder fünf Fische. Unten am Ufer lagen drei schmale Holzboote und Fischer sortierten ihre Netze. Sie allein waren berechtigt, hier zu fischen und zogen dazu den Fluss hinauf und hinunter. Gutes Essen im Ashram war für heute jedenfalls gesichert. Der Fischer würde seinen Fang an die beiden Brahmanen und deren Schüler verkaufen und die Frauen würden ihn dann zu einem leckeren Curry verarbeiten. Unten im Wasser badeten Kinder. Sie sangen und jubelten manchmal, freuten sich des Lebens. Eine Frau kam aus einer vor dem Ashram gelegenen Hütte und holte sich Zweige von einem buschigen Baum, dem Kanuga. Die kleinen Äste dieses Baumes benutzte auch Adama zum Putzen ihrer Zähne. Wenn man darauf kaute, entstand ein medizinischer und reinigender Saft, der die Zähne leuchtend weiß werden ließ. Die Frau summte eine Melodie. Auch sie war hier zu Hause und niemals würde sie freiwillig woanders hin gehen. Etwas später kletterte ein kleiner Junge auf den Baum und brach sich seine Zahnbürsten aus der Baumkrone.

Von der anderen Seite, oben am gerade erst entstehenden Weg, rief ein Mann herüber. Wie auch diesseits des Flusses lagen dort in den Tälern viele Dörfer, alle vergleichbar mit jenem, aus dem Adama kam und das sie jetzt für zwei Jahre und sechs Monate verlassen hatte, um sich in Perentapalli zu Stammespriesterin ausbilden zu lassen.

Eines der schmalen Holzboote überquerte den Fluss. Der Schiffer hinten stakte mit einer langen Bambusstange und wo es zu tief war, ließ er das Boot von der Strömung treiben. Man hörte klatschende Geräusche. Frauen schlugen ihre Wäsche auf flache Steine, zum Reinigen und Schleudern zugleich. Eine Mitschülerin von Adama kam vom Fluss und trug einen großen Krug auf dem Kopf. Sie war für heute zum Waschdienst eingeteilt und musste nun nicht nur sich selbst, sondern auch einen riesigen Berg Wäsche die steile Küste hinauf schleppen. Ein Mann, Gehilfe des Swami, musste dasselbe mit zwei vollen Wasserkrügen schaffen, die er an einer Bambuslatte über der Schulter trug. Um die durch das Gewicht entstehenden Schwingungen auszugleichen, ging er mit wiegendem Schritt.

Ein blaues Boot, das unten am Ufer gelegen hatte, warf seinen Motor an und tuckerte flussabwärts, einen Keil von Wellen hinter sich bildend. Mit der Strömung kam es gut voran. Viele der Mitfahrer saßen oben auf Deck und genossen den Fahrtwind. Sie riefen den Leuten in den Dörfern etwas zu, wenn sie vorbeifuhren. Wohin dieses Boot wohl unterwegs war? Ob es bis zum Delta des Flusses fuhr?

»Theoretisch«, dachte Adama, »könnte auch jener tolle Mann mit dem Fisch auf seinem Motorrad dort unten vorbeifahren!«

Sie erschrak über sich selbst. Obwohl sie damals erst knapp zwanzig und nun bereits zweiundzwanzig war, dieser Mann ging ihr nicht aus dem Kopf. Sie musste ihren Swami unbedingt fragen, was das Fisch-Symbol bedeutete.

Ein wenig kam jetzt die Sonne durch die Wolken. Sogar ein freies Stück vom Himmel konnte man sehen. Sofort wurde es wärmer. Der Morgen musste dem Tag weichen.

05 Extremisten unter Verdacht

Es schabt an der Stahltür. Die Luke wird geöffnet. Die dunklen Augen meines Lieblingswärters mit dem Flachmann schauen zu uns hinein. Kontrollgang? Nein, der Schlüssel wird ins Schloss geschoben und die Tür öffnet sich.

»Das wird der Delegierte vom Konsulat sein«, denke ich.

Doch vor mir steht außer ‚meinem' und einem weiteren Wachmann ein Inder, schlank, mit dunkler Hose und dünn gestreiftem, hellem Hemd bekleidet und mit einem auffälligen goldenen Ring an der rechten Hand. Sein Alter ist schwer zu schätzen, vielleicht um die vierzig. Er trägt wie die meisten seiner Landsleute einen dezenten Schnurrbart. Sofort fallen mir seine wachsamen Augen auf.

Der Wachmann sagt irgendetwas.

»Du bekommst Besuch, heißt das!« der schlanke Mann spricht zwar gebrochen aber doch gut verstehbar Englisch. Er grinst. »Allerdings wahrscheinlich Dauerbesuch.«

Der Wächter schiebt den Mann in unsere Zelle und deutet auf eines der leeren Betten. Der Neue legt einen Stoffbeutel mit Holzgriff aufs Bett. Er kann offensichtlich einige seiner Sachen behalten. Der Wächter geht, die Tür schlägt zu. Der Mann wechselt ein paar Worte mit Ashok. Der zuckt mit den Schultern und zeigt offenbar Zustimmung. Dann wendet sich der neue Mitbewohner dieses Etablissements an mich:

»Ich bin Rama Krishna Rao«, stellt er sich vor. »Ich habe gehört, dass du Deutscher bist. Das freut mich!«

Ich bin überrascht. Er reicht mir die Hand, ganz unüblich für Indien, wo man sich eigentlich die mit den Handflächen zusammen gelegten Hände zum Gruß zeigt.

Sein Englisch ist viel besser als meines und klngt, als habe er lange in England gelebt.

»Hast du etwas dagegen, wenn ich dieses Bett hier nehme?«

Er zeigt auf eines der zwei leerstehenden oberen Betten. Natürlich habe ich nichts dagegen. So bleibt mir ein Doppelbett und die beiden Landsleute schlafen im anderen. Rama Krishna macht sein Bett und breitet die vom Gefängnis gestellten Laken aus. Dann spricht er mich wieder an.

»Ich bin überrascht, hier einen Ausländer zu sehen!«

Ich wundere mich, hat er doch schon gewusst, dass ich Deutscher bin. Offenbar redet man hier im Gefängnis über meine Anwesenheit. Allerdings, Rama Krishna Rao ist gerade erst angekommen und kann den Gefängnistratsch noch garnicht kennen. Im Übrigen hatte mir der Däne erzählt, dass von den vier Zentralgefängnissen des Bundesstaates Andhra Pradesh Ausländer nur hier in Hyderabad untergebracht werden, eben wegen der Nähe zum Flughafen. Es ist also nicht weiter verwunderlich, dass hier auch Ausländer einsitzen. Ich werde misstrauisch und vorsichtig.

»Es ist gut«, sage ich, »dass jemand hier ist, der Englisch spricht. Du kannst mich gelegentlich übersetzen. Wo hast du es denn so gut gelernt?«

»Danke für das Kompliment«, antwortet der Inder höflich. »Ich bin zwölf Jahre zur englischsprachigen Schule gegangen und habe dann in England, genau gesagt in Bristol, studiert.«

Wir kommen ins Gespräch. Ich finde heraus, das Krishna, wie ich ihn kurz nennen soll, aus einem größeren Dorf an der Godavari kommt, aus Kukunuru. Ich kenne das Dorf. Es ist nicht ganz unbeteiligt daran, dass ich die indische Gastfreundschaft in diesem Knast genieße. Aber Krishna sage ich nichts davon, noch nicht.

Wir schweigen erst einmal. Krishna sortiert seine Sachen. Da schrillt das Signal zum Essen. Also haben wir jetzt nicht die Zeit für tiefere Gespräche. Wir gehen in die »Kantine«, die eigentlich nichts ist als ein geschmackloser Raum mit abwaschbaren Steintischen und Hockern davor. Immerhin müssen wir nicht auf dem blanken Boden sitzen wie jene Gefangenen in der C-Klasse. Wir essen, ebenfalls ohne ein nennenswertes Gespräch. Krishna wundert sich lediglich, dass ich mich nicht über das scharfe indische Essen beschwere und ohne Probleme mit den Fingern essen kann. Er macht eine lobende Bemerkung darüber und ich sage, dass ich schon öfter in Indien war.

Nach dem Essen gehen wir zurück in die Zelle. Ich frage mich, wo der Konsulatsbesuch wohl bleibt. Auch mein Superanwalt lässt nichts von sich hören. Rama Krishna Rao dafür umso mehr. Am Nachmittag fragt er mich, ob ich Max Hoyer oder Tobias Grunert kenne, beide aus Hamburg. Er habe die beiden jungen Männer bei seinem letzten Indienaufenthalt kennengelernt. Auf seine Einladung hin hatten sie einen Abstecher in seine Heimat gemacht. Allerdings habe er sie dann wieder aus den Augen verloren, da er Indien ziemlich überstürzt hatte verlassen müssen. Ich kenne die beiden nicht.

Krishna beginnt nun zu erzählen, vielleicht ein wenig zu bereitwillig. Ich schweige zunächst, stelle nur einige Fragen und höre zu.

»Ich bin Sohn eines reichen Bauern«, sagt er.

»Aber ich habe mich mit meinem Vater überworfen. Er konnte zwar nichts dafür, dass das Land, von dem er lebte, im Grunde gestohlen war, machte aber trotzdem weiter, als wäre dies völlig normal. Meine Eltern schickten mich nach England auf's Kollege. Und dort sind mir die Augen aufgegangen. Eigentlich haben wir uns in den Geschichtsvorlesungen mit der Kolonialzeit beschäftigt, doch ich habe meine eigenen Schlüsse gezogen. So wie England und die anderen Kolonialmächte ihre Kolonien schamlos ausgebeutet hatten, so wurden die einheimischen Bewohner meiner Heimat auch ausgebeutet. Doch während sie unter der englischen Herrschaft in Indien noch relativ große Freiheiten hatten und in Bastar, also im Länderdreieck Andhra Pradesh, Orissa und Chhattisgarh, sogar bis 1967 einen eigenen Fürsten hatten, waren sie den Indern aus den großen Städten, die nach 1960 ins Land kamen, hilflos ausgeliefert. Mein Großvater hatte sich damals, wie viele andere auch, das Land einfach genommen. Die Stammesleute wurden irgendwie übers Ohr gehauen und das Ergebnis war, dass sie auf ihrem ehemals eigenen Land nun als billige Arbeitskräfte bis hin zur Leibeigenschaft schuften mussten. Das hat mich derart ernüchtert, dass ich wusste: Da muss etwas geschehen.«

Krishna macht eine Pause, vielleicht um die Wirkung seiner Worte auf mich zu erfassen. Was er aber wohl nicht ahnt: Ich weiß genau, wovon er redet, denn seine Heimat ist mir abgesehen von meiner eigenen, inzwischen näher als sonst ein Fleckchen Erde dieser Welt.

»Na, da bin ich aber nun gespannt, was du gemacht hast!«

Ich ermuntere Krishna, weiter zu erzählen. Er tut es sichtlich gerne.

»Ich habe mich politisch betätigt«, fährt er fort.

»Zunächst war ich in der CPI, der kommunistischen Partei Indiens. Ich wollte, dass die Ressourcen wirklich gerecht aufgeteilt wurden. Aber in dieser Partei wurde immer nur geredet und nichts bewegt. Die Führer dort waren genauso korrupt wie in der Congress Partei der Gandhi Dynastie oder die radikalen Hinduparteien. Sie alle passten sich den drei allgemeinen Trends an. Und die hießen: Money, money, money. Alles wurde schön mit dem Stichwort ‚Entwicklung' verpackt und ‚Wirtschaftswachstum' und ‚Demokratie'. Doch nichts davon stimmte. Es ging nur um Geld, Macht und Positionen. Mich hat das angewidert. Damals war ich 28 und hatte genug von der Welt gesehen, um zu spüren, dass man so nicht weiterkam. Also wurde ich immer radikaler. Und dann bin ich nach einem kurzen Abstecher in die CPM bei der CPIML gelandet.«

Ich stelle mich unwissend, weiß jedoch, was die Abkürzungen bedeuten. Mein Zellengenosse war zu den Maoisten gegangen, um bald darauf in deren gerade noch rechtsstaatlich akzeptierten Zweig der Befreiungsbewegung zu wechseln. Zusammen mit anderen Parteien, etwa der TRS, der Telangana Rasta Samithi, kämpft die CPIML für einen eigenen Bundesstaat in Bastar. Da ich ihn offenbar ein wenig fragend ansehe, erklärt mir Krishna die Zusammenhänge ein wenig umständlicher als ich es gemacht hätte. Was er dann allerdings erzählt, hat es in sich.

»Jetzt war jener Schritt getan, der mich am Ende in diesen Knast und diese Abteilung gebracht hat.«

Ich wundere mich, dass er die Abteilung gesondert erwähnt. Also bin ich gespannt.

»Bei der CPIML, den extremsten Maoisten also, ging es nicht gerade zimperlich zu. Wir hatten überaus engagierte Parteiführer. Da wurde nicht nur geredet. Wir organisierten große Demonstrationen in den Minenprojekten Orissas, etwa gegen den Abbau von Uran im Stammesgebiet oder gegen die Bauxitminen. Wir machten Eingaben zur Sicherung des Landes der Adivasi. Wir blockierten die Zufahrten und Bahnverbindungen zu Bergwerken. Wir ketteten uns an Bäume in Wäldern, die abgeholzt werden sollten.«

Ich muss sofort an Gorleben in Deutschland denken. Da ich nicht weit davon lebe und arbeite, sind mir solche Aktionen bekannt und, wenn man so will als ‚altem Grünen', auch durchaus sympathisch. Allerdings fallen mir auch sofort die massiven Polizeiaufgebote ein, die Straßenschlachten und die Sabotageakte auf die Bahnlinien gegen den Castor. Ich bin gespannt, wie Krishnas Einsatz sich weiter gestaltete. Und er erzählt auch schon weiter.

»Weißt du, was die Naxaliten sind? Hast du schon einmal von ihnen gehört?«

Ja, habe ich. Aber das verrate ich ihm nicht. Allerdings bin ich jetzt äußerst gespannt auf das, was kommt. Langsam dämmert mir, warum Krishna hier ist – oder angeblich hier ist. Er fährt auch schon fort, so als sei es nur eine rethorische Frage gewesen.

»Die Naxaliten sind eine maoistische Widerstandsbewegung in der Bastar Region, also im Länderdreieck von Andhra Pradesh, Orissa und Chhattisgarh. Auch sie kämpfen für einen separaten Telangana- Staat, sind dabei jedoch nicht so zimperlich wie ihr sozusagen demokratisch rechtlicher Flügel, die CPIML. Mit Demos ist es diesen Kämpfern nicht getan. Sie sprengen Gebäude der Regierung und beschmieren sie nicht mit Parolen. Sie fordern Schutzgelder von reichen Landlords und lassen sich nicht von ihnen kaufen. Naxalisten kämpfen gegen Polizisten als Vertreter eines Unrechtsstaates und geben sich nicht der Illusion hin, dass diese die Bevölkerung schützen. Unterstützung bekommen sie dabei von weiten Teilen der Bevölkerung und das macht die Naxaliten letztlich zu berechtigten Vertretern der Menschen hier, vor allem der Adivasis, der Stammesangehörigen! Deshalb nennen sie sich auch gerne ‚The peoples war group'.«

Es ist ganz eindeutig, Krishna sympathisiert mit den von der Regierung als Terroristen eingestuften Naxaliten. Oder zumindest will er den Eindruck erwecken. Immer mehr nämlich habe ich das Gefühl, hier stimmt etwas nicht. Dieser Mann ist glatt wie ein Aal. Einerseits gebildet und kultiviert, andererseits verbunden mit einer Untergrundarmee, die sich in Wäldern versteckt, Schutzgelder erpresst, Polizeistationen überfällt und gelegentlich Staatsbeamte und Polizisten ermordet. Das bekomme ich nicht zusammen, jedenfalls noch nicht. Deshalb frage ich nun direkt:

»Du klingst so, als findest du diese Naxaliten gut und bist selbst einer.«

»Mag sein«, sagte Krishna, nun seinerseits etwas vorsichtiger, »jedenfalls bin ich kein Freund der Regierung und Polizei. Aber keine Angst, ich habe noch niemanden erschossen! Ich wurde trotzdem als Hintermann und einer der Köpfe einiger der autonom operierenden Gruppen verdächtigt. Deshalb bin ich, nachdem ich in Indien Probleme bekam, wieder nach Bristol gegangen. Nun aber, direkt am Flughafen von Chennai, hat man mich festgenommen.«

Das wiederum kann ich mir gut vorstellen. Man muss lange anstehen, bis man an einem der Einreiseschalter seinen Pass und ein schon im Flugzeug ausgefülltes Formular zur Einreise abgeben darf. Der Beamte checkt alles und dann kann man zur Gepäckausgabe gehen – wenn man ‚sauber' ist. Und das war Krishna wahrscheinlich nicht. Doch wie konnte er so naiv sein, nicht damit zu rechnen, dass seine Daten gespeichert wurden?

»Jedenfalls hat man mir vorgeworfen, in meinem Geburtsort Kukunuru einen Überfall auf die Polizeistation organisiert zu haben. Dabei ist ein Polizeiinspektor getötet worden. Ich soll zu den Hintermännern gehören. Und einen Bombenanschlag in einem anderen Dorf wollen sie mir nun auch noch anhängen. Na ja und sie werfen mir auch vor, ein Attentat auf unseren Chief Minister geplant zu haben. Erst in letzter Minute wurde dies dann verhindert, weil zwei Ausländer die Informationen darüber hatten. Tja, und nun bin ich in der Abteilung für Politische hier im Knast gelandet. Und treffe dich!«

Ich frage nicht: Und, gehörst du zu den Hintermännern? Aber es liegt mir auf der Zunge. Beide Gebäude kenne ich, sowohl die Polizeistation als auch den Trümmerhaufen in Gullavai. Letzterer entstand durch einen Bombenanschlag auf eine Mustersiedlung für die Umsiedlung jener Stammesleute, die dem Großstaudammprojekt bei Polavaram weichen sollen. War dabei nicht auch ein Wachmann ermordet worden? Von einem Attentatsversuch auf den CM, den Ministerpräsidenten, habe ich allerdings bisher nichts gehört.

Ich spüre, dass Krishna sich nicht weiter äußern will, sondern nun erwartet, dass ich von mir erzähle, genauso ‚offen' wie er es getan hat. Doch ich bin skeptisch. Wer weiß, was dahinter steckt.

Ich bin also in der politischen Abteilung gelandet, ein Politischer! Nicht einmal mein netter Anwalt hat mir das gesagt. Appa Rao hat so getan, als sei ich in einem ganz normalen Gefängnis. Ich habe mich ohnehin schon gewundert, dass die Zellen hier so klein sind und nur vier Betten haben. Na ja, immerhin ist ja mein schweigsamer Mitbewohner Ashok dann doch kein Giftmörder, jedenfalls kein unpolitischer. Warum mag der wohl in dieser Abteilung sein?

Zum Glück steht plötzlich mein Flachmann-Wärter vor der geöffneten Zellentür und ich muss mir keine Ausreden einfallen lassen, wieso ich zumindest jetzt nichts von mir erzählen will. Krishna weiß entweder, wessen ich beschuldigt bin – und dann will er mich ausspionieren und versucht mit seiner Geschichte Vertrauen aufzubauen. Oder er ahnt nicht im Geringsten, wie sehr sich die Anschuldigungen gegen uns zwei zumindest in einigen Belangen gleichen – und dann wäre es sowohl für ihn als auch für mich schlecht, wenn man uns miteinander in Verbindung brächte.

Unser Wächter öffnet die Tür.

»Mr. Oliver! Sie haben Besuch.«

Na, das wird dann ja wohl endlich jemand vom Konsulat sein, denke ich und stehe von meinem Bett, auf dem ich halb gesessen, halb gelegen habe, auf. Ich nehme mein Notizbuch vom Regal neben dem Bett und gehe durch die Tür. Nun, so hoffe ich, werde ich bald ein letztes Mal durch diese Tür gehen, in Richtung Freiheit. Hoffentlich.

06 Fisch zur Hochzeit

»Endlich hast du dich entschieden!«

Chinnamma umarmte sie heftig und freute sich riesig.

»Ich dachte schon, du wolltest erneut weglaufen!«

Adama hatte sich wirklich entschieden. Sie wollte ihrer Tante nun zuverlässig zur Seite stehen. Chinnamma war Stammespriesterin des Dorfes Arukuru und dem Lord Shiva verpflichtet. Da Adama inzwischen ihre Ausbildung beendet hatte, konnte sie das Gelernte gut in die Praxis umsetzen. Zusätzlich war sie noch zwei Jahre weiter zur Schule gegangen, hatte also insgesamt immerhin sieben Jahre die Schulbank gedrückt. Lange genug hatte sie ja dazu gebraucht, doch für ein Mädchen aus einem Koyadorf war das enorm viel. Adama kannte sonst niemanden, die das geschafft hatte. Selbst Jungen gab es nur sehr wenige.

Es stimmte, was die Tante, von ihr »Mutter« genannt, da sie so etwas wie ein Ersatz der früh verstorbenen eigenen Mutter war, sagte: Adama hatte vor ihrer Zeit in Perentapalli schon bei ihr gewohnt, war jedoch immer wieder weggelaufen. Sie hatten sich oft gestritten. Die eher ruhige Tante kam mit der wilden Jugendlichen nicht zurecht und Adama fühlte sich oft bevormundet und übergangen. Das konnte sie generell nicht ab, auch nicht bei völlig Fremden. Einmal zum Beispiel saß sie im Bus. Ihr Gegenüber rauchte eine furchtbar stinkende Zigarre und blies ihr den Qualm ins Gesicht. Das hätte er nicht tun sollen. Adama schlug ihm die Zigarre aus dem Mund und ohrfeigte ihn vor allen Leuten. Ähnlich war es mit einem Bauern gewesen, der den Zaun an ihrem Grundstück mit seinem Bullenwagen gestreift und beschädigt hatte. Sie war hinausgestürmt und hatte mehrmals mit einem Stock zugeschlagen. Ja, so war sie, temperamentvoll, spontan und direkt. Und manchmal rechthaberisch und kompromisslos. Dass ihre Tante damit nicht recht umgehen konnte, machte Adama ihr jetzt nicht mehr zu Vorwurf. Irgendwie verstand sie Chinnamma sogar. Wenn sich Adama hätte selbst erziehen müssen, hätte sie wohl auch Probleme mit sich gehabt.

Die Aufgaben in Arukuru machten ihr Spaß. Auch das Dorf der Tante lag, wie Chatti, an der Sabari, allerdings weiter südlich, kurz bevor sie sich mit ihrer großen Schwester, der Godavari vereinigte. Die Sabari, nach ihrer Vereinigung mit dem Gebirgsfluß Sileru, führte der inzwischen von der Papierfabrik sehr belasteten Godavari frisches süßes Wasser aus den nördlichen Bergen zu. Von hier aus konnte Adama zudem auch leicht ihren älteren Bruder besuchen und ihn nach dem Tod ihres Vaters zumindest seelisch bei der Führung des Hofes unterstützen. Einen Teil des Landes hatte Adama geerbt und auch von ihrer Tante würde sie wohl das Land bekommen, wenn diese starb. Besonders gut war das Land leider nicht, denn es fehlte an Wasser zur Bewässerung. Andere Erben gab es nicht. Der Verkauf des Landes an Außenstehende, womöglich an reiche Bauern aus dem Osten, wurde inzwischen auch in der regionalen Zeitung heftig diskutiert. Es war, hatte sie von ihrem Kaufmann an der Ecke gehört, ein Gesetz in Arbeit, das den Adivasis ihr Land sichern und sie vor Ausbeutung schützen sollte. Wie gut, das sie lesen konnte, wenn auch immer noch stockend. Alles in allem: Adama war soweit, sich in Arukuru niederzulassen. Und wie gesagt, die Arbeit gefiel ihr.

Die Tante hatte ihr Land zum größten Teil verpachtet und bekam dafür regelmäßig Geld. Nur gelegentlich musste Adama bei der Feldarbeit helfen. Sie säuberte vielmehr an jedem Morgen den Tempel, brachte Lord Shiva frische Blumen und sprach ihr Morgengebet. An jedem Montag bekam Lord Shiva eine besondere Verehrung. Kokosnüsse wurden geopfert. Ursprünglich hatte die Priesterin nur an Steinen und einem Baum ihre Opfer gebracht, ganz wie es die Koyas von ihren Ahnen übernommen hatten. Irgendwann jedoch hatte sie eine Shivafigur gefunden und diese in ihren Tempel mitgebracht.

Der Tempel war in einer ganz normalen Hütte mit Palmendach untergebracht und stand am Rand des unteren Dorfes in der Nähe des Flusses. Lord Shiva wurde durch einen Lingum, ein Penissymbol aus schwarzem Stein, dargestellt. Auf der Spitze war so etwas wie ein Regenschirm angebracht. Darüber wurde Wasser geleitet, das dann über den Shiva Lingum lief. Die Gläubigen tranken es als heiliges Wasser.

Vor dem Lingum stand ein steinerner Stier, das Reittier des Lord Shiva. Wenn Leute kamen, was nicht so oft, aber immer wieder vorkam, bekamen sie einen Segen und Tulasi Tiertham. Tulasi Tiertham, das war ein spezieller und sehr süßer Saft, der aus dem Tulasi Baum und Sandalholz gemacht wurde. Davon bekamen dann die Leute einige Tropfen auf die Hand, leckten diese ab und rieben sich den Rest ins Haar.

Natürlich waren Adama und ihre Tante bei den Festen besonders eingespannt. Ein wenig ärgerte Adama sich, dass vor allem Hindus zum Tempel kamen. Wenn etwa Shivaratri gefeiert wurde, dann blieben die Leute die ganze Nacht. Sie glaubten, dass solche Übernachtung im Tempel besonderen Segen brachte. Adama konnte das nicht nachvollziehen. Die Hindus übertrieben manchmal. Und sie taten so, als hätten sie die Religion erfunden. Dabei hatten die Hindus viele Bräuche der Ureinwohner Indiens übernommen. Vor vielen, vielen Generationen waren Stämme aus dem Norden gekommen und hatten im Tal der Indus einheimische Religionen vorgefunden. Diese hatten sie mit ihren heiligen Schriften in Verbindung gebracht und daraus sozusagen eine neue Religion geformt. Also waren die Stammesleute sogar Mitbegründer des heutigen Hinduismus. Ihr Swami in Perentapalli hatte es ihr beigebracht. Sie hatte dort wirklich viel gelernt, bis hin zu großer Toleranz gegenüber anderen Religionen. Der Swami hatte an den Turm des Tempels die Symbole aller Weltreligionen gemalt:

Das Hakenkreuz der Hindus, die Mondsichel des Islam, das Kreuz der Christen, die Flamme des Buddhismus.

Ein Fisch war nicht dabei. Ob es doch eine Werbung war, damals auf jenem Motorrad? Sie hatte damals doch ihren Swami fragen sollen...

Vor allem, wenn Adama zu einer Hochzeit eingeladen war, musste sie an das freundliche Gesicht des jungen Mannes denken, das sie niemals wieder vergessen würde. Und gerade jetzt hatte sie eine solche Einladung bekommen. Es war die Einladung zu einer typischen Koyahochzeit in ihrem Heimatdorf. Der Bräutigam war ein junger, dynamischer Mann namens Prasad und er kam aus einem Nachbardorf, die Braut war die hübsche Bhanu. Beide kannte Adama kaum, denn sie waren jünger als sie selbst und als sie sich hätten kennen lernen können, hatte Adama schon ihr Elternhaus verlassen.

Bei ihrem letzten Besuch in ihrem Elternhaus hatte Adama jedoch schon von der Neuigkeit gehört.

»Bald wird es eine Hochzeit geben!« hatte ihr Bruder sie informiert. »Prasad hat der hübschen Bhanu die Ehe versprochen und das ganze Dorf hat es mitbekommen.«

Adama konnte sich das lebhaft vorstellen. Wenn ein Junge seine Hand in die eines Mädchens legte und laut rief, er wolle sie heiraten, galt das in ihrer Kultur als Verlobung. Damit war es dann nicht mehr nur Sache des Paares, sondern das ganze Dorf war beteiligt. Früher, zur Zeit ihrer Großeltern, konnten Mädchen sogar ohne ihre Zustimmung geheiratet werden. Wenn sie das ablehnten, gab es schlimme Strafen, hatte Adamas Oma einmal erzählt. So hat man die Mädchen an die riesigen Räder der Bullenwagen angebunden und gequält. Nachdem einige deshalb gestorben waren, wurde diese Unsitte zum Glück abgeschafft und solange Adama denken konnte, wurden die Mädchen jetzt immer gefragt und konnten sich sogar selbst ihre Partner aussuchen. Bei den Koyas waren Männer und Frauen eben gleich berechtigt!

»Und, was haben die Ältesten gesagt?« fragte Adama. »Da du mir die Hochzeit ankündigst, waren sie ja wohl einverstanden!«

»Allerdings!« antwortete der Bruder und schüttelte sich vor Lachen. »Das war vor einigen Wochen unter der riesigen Tamerinte, direkt vor unserem Haus. Die Beiden sind vor unserem Gemeinderat angetreten, so wie es üblich ist und man hat ihnen auch die beiden Krüge Wasser über den Kopf gegossen. Ich war sogar dabei, weil ich gerade eine Wagenladung Reisstroh ins Haus bringen wollte. Das war ein Spaß! Prasad ist vor Schreck ausgerutscht und hat sich mit dem Hintern in ein Schlammloch gesetzt. Sogar meine beiden Bullen haben sich erschrocken, als er einen lauten Schrei ausstieß. Und ein pitschnasses Brautpaar ist dann zurück in die Hütten ihrer Eltern gegangen!«

Adama kannte ihren Bruder. Der hatte sich dabei sicherlich vor allem Bhanu in ihren durchnässten Kleidern genau angesehen.

Die Hochzeit war kurz nach dem Kolupolufest, bei dem die heiligen Steine der Dorfgemeinschaft geehrt wurden und manche der Dorfbewohner dann während der ausgelassenen Feiern, in ekstatischem Tanz diese Welt verlassend, sogar Kontakt zu den Geistern der Ahnen aufnahmen. Adama hatte sich mit ihrer Tante abgesprochen und die war einverstanden, sie für drei oder vier Tage gehen zu lassen.

Auch wenn Adama wusste, dass sie wieder traurig darüber sein würde, dass sie selbst bisher niemanden gefunden hatte, freute sie sich auf die Hochzeit und darauf, auch einige Bekannte von früher wiederzusehen. Im Gegensatz zu den Hinduhochzeiten waren die ihres Stammes ein Genuss. Nicht nur das Essen, auch die Zeremonie gefiel Adama, vor allem, weil sie so schlicht war. Prasad würde seiner Braut eine Posupukomuh Wurzel in den Nacken legen und damit wurde dann die Ehe geschlossen. Natürlich würden vorher der Dorfälteste und der Vater der Braut es sich nicht nehmen lassen, eine Ansprache zu halten. Das ganze Dorf würde vertreten sein und die Gelegenheit, etwas zur Lage zu sagen, würde vor allem der von der Dorfgemeinschaft gewählte Älteste nutzen. Der Priester würde die kleine Zeremonie leiten und zelebrieren. Und dann würde natürlich gefeiert werden.

Adama war gespannt, welches Hochzeitsgeschenk der Bräutigam der Dorfgemeinschaft machen würde. Üblich war, dass er oder seine Familie eine Kuh schlachteten und für die Feier zubereiteten, oder Früchte verteilten und manchmal auch den Toddy, den Palmenwein, lieferten. Auch das war anders als bei den Hindus. Nicht die Braut oder deren Eltern, sondern der Bräutigam musste die Hochzeit ausrichten. Und einen Brautpreis, durch den sich so manche Hindufamilie für viele, viele Jahre verschuldete und der sogar das Todesurteil für neu geborene Mädchen sein konnte, gab es bei den Stämmen dieser Region nicht. Wenn der Bräutigam arm war, sprang das Dorf ein, denn sie hatten ohnehin alles gemeinsam.

Adama war, als sie in den Linienbus von Arukuru nach Chatti stieg, bereits sehr aufgeregt. Im Haus ihres Bruders, also dem ehemaligen Vaterhaus, zog sie sich gleich um. In dem kleinen Raum auf der linken Seite des großen Flurs lag immer noch ein Stapel ihrer persönlichen Sachen von früher. Folglich fühlte sie sich immer sofort zu Hause. Im Kofferradio auf dem Regal in der Ecke dudelte irgendeine religiöse Musik. Adama hörte nicht hin. Sie dachte an die Hochzeit. Am Abend sollte die Zeremonie beginnen und sie wollte von Anfang an dabei sein. Wenn dann an den nächsten zwei Tagen gefeiert würde, müsste sie dagegen nicht unbedingt alles mitmachen. Da war für ihren Geschmack zuviel Alkohol im Spiel.

Sie legte ihren gelben Sari an und steckte sich Blumen ins Haar. Das tat sie nicht, um jungen Männern zu gefallen, wie viele der jungen Mädchen mit ihren Pundjabi, sondern ihr selbst gefiel es so. Schon in Perentapalli hatte sie beschlossen, nun einen Sari zu tragen, obwohl das sonst nur die verheirateten Frauen taten.

Als sie fertig war und noch einen Blick in den etwas ramponierten Spiegel geworfen hatte, wollte sie gehen. Sie war schon fast im geräumigen Wohnraum angekommen und spürte die kalten, schwarzen und rautenförmigen Fliesen unter den nackten Füßen. Da geschah es.

Die Musik im Radio war vorbei und eine Männerstimme sprach eindringlich vom Willen Gottes. Welcher Gott gemeint war, hatte Adama nicht mitbekommen. Aber plötzlich war sie wie elektrisiert:

»Ich will euch zu Menschenfischern machen!« sagte die Stimme im Radio und zitierte offenbar einen anderen. Und plötzlich sprach der Mann im Radio nur zu Adama, so schien es ihr jedenfalls:

»Nicht umsonst ist der Fisch eines der wichtigsten Symbole unseres Herrn!«

Adama erstarrte. Sie drehte das Radio lauter.

»Wie Petrus Fische fing, so sollte er jetzt Menschen für den Glauben gewinnen! Der Fisch ist also ein Symbol für ein missionarisches Leben.«

Adama stand unbeweglich da. Mission? Das war ihr nur von einer Religion bekannt, von den Christen. Zwar missionierten auch die Hindus gewissermaßen, aber die meinten, sie müssten die Adivasis zurück zur indischen Religion bewegen, für die sie den Hinduismus hielten. War er also Christ?

»Und der Fisch ist ein Symbol für ein erfülltes Leben!« sagte der Sprecher weiter und seine Stimme bekam den Ton der Begeisterung.

»Die Netze waren so voll, dass sie fast rissen. Während Petrus die ganze Nacht nichts gefangen hatte, bekam er nun, durch Jesus, Fische im Überfluss!«

Adama hörte zwar noch hin, war mit den Gedanken jedoch schon einen Schritt weiter. Dann war er also Christ und der Fisch auf dem Tank war sein Bekenntnis zu Jesus Christus.

»Aber mehr«, fuhr die Radiostimme fort, »der Fisch ist ein Symbol für Jesus selbst. ICHTYS, die Buchstaben des griechischen Wortes für ‚Fisch' ergeben das Bekenntnis der ersten Christen und bedeuten einzeln: Jesus Christus, Gottes Sohn und unser Retter. Die damals im römischen Reich überall verfolgten Christen hatten sich den Fisch als Geheimzeichen gegeben und sich daran gegenseitig erkannt.«

Adama hatte jetzt doch genau hingehört. Also war es ein Erkennungszeichen. Aber wurden die Christen in Indien verfolgt? Eine Minderheit waren sie, das war ohne Zweifel so und Adama kannte bisher in ihrer Region keinen Einzigen. Nur in ihrer letzten Klasse waren zwei Mädchen, die diesem Glauben angehörten. Adama erinnerte sich an Gerüchte, dass christliche Kirchen aus Amerika in Indien missionierten und viel Geld dabei im Spiel sei. Aber andererseits hatte sie von den Christen auch viel Gutes gehört. Sie hatten angeblich die besten Schulen und viele Krankenhäuser und soziale Projekte. So etwas hatten die Hindus jedenfalls nicht. Bei ihnen war ja ohnehin alles vorgegeben. Man musste in seiner Kaste bleiben, das Leben nehmen wie es kam und wenn es sein musste eben dumm sterben. Und die Adivasis? Die hatten ihre Naturmedizin und weder Wissen noch Geld, um Schulen und Krankenhäuser zu unterhalten.

Adama war irritiert. Die Radiostimme war einer flotten Musik gewichen. Immer wieder wurde, in der typischen Musik des modernen Indiens, von Lob Gottes und Dank gesungen. Wenn der Gott der Christen einen Fisch zum Symbol hatte, dann war also der Mann auf dem Motorrad Christ. Oder er hatte das Motorrad samt Aufkleber am Tank gebraucht gekauft.

Adama glaubte nicht an Zufälle. Sie hatte mehrfach Träume gehabt und genauso war es gekommen. Auch hatte sie der Swami gelehrt, auf ihre Träume und Gefühle zu achten. Es bestand immer die Möglichkeit, dass sie etwas zu bedeuten hatten.

Und nun waren da überaus starke Gefühle, wenn auch im Moment keine Träume. Und diese Gefühle richteten sich merkwürdiger weise nicht nur auf jenen Mann, in den sie sich vor Jahren verliebt hatte. Plötzlich war es der Fisch, der sie in Bann zog. Man könnte fast meinen, der Mann hatte sie zum Fisch gebracht und der Fisch... wohin würde der sie bringen, wenn sie seinem Geheimnis weiter nachging? ICHTYS. Adama merkte sich die Einstellung des Radios, sah auf die Uhr und merkte sich auch die Zeit.

»Wer weiß, vielleicht bringt dieser Sender wieder etwas über den kleinen Fisch«, dachte sie. »Der Sprecher macht einen ganz guten Eindruck und wenn er Christ ist, will ich mal hören, was er zu sagen hat.«

Als die Zeremonie der Hochzeit lief, hatte Adama dann doch wieder vergessen, was der Sprecher im Einzelnen gesagt hatte. Erst nachher, als der Fisch serviert wurde, fiel ihr wieder ein, dass ‚Fisch' auf griechisch ‚ICHTYS' hieß und deshalb ein Erkennungszeichen der Christen war.

07 Power für Jesus

Auf dem Dach seines Geburtshauses wurden die Weichen für das gestellt, was sein Leben in ungeahnte Turbulenzen bringen würde. Er hatte eine gute Schulausbildung genossen und die zwölfte Klasse mit Erfolg beendet. Dann hatte er eine Lehre zum Bürokaufmann gemacht. Doch jetzt, hier oben auf dem Dach, war er sofort bereit, das alles hinzuschmeißen. Er wollte es seinem Vater gleichtun. In irgendeinem muffigen Büro hinter einem überfüllten Schreibtisch zu versauern, war ganz und gar nicht seine Absicht. Also ließ er sich sofort auf das Angebot ein. »Power für Jesus!« Um nichts anderes sollte es in seinem Leben gehen.

Schon als kleiner Junge hatte er unglaublich gerne an den Knöpfen der uralten Verstärkeranlage herumgespielt.
Damals liebte er vor allem die Sonntage. Wenn sie schon am frühen morgen die private Anlage des Vaters aus dem Wohnzimmerregal ausbauten und sie samt Kabel und Doppelstecker in die kleine Kirche gegenüber schleppten, blühte er regelmäßig auf. Später dann, als die Gemeinde gewachsen war und deshalb auch die sonntäglichen Kollekten und Mitgliedsbeiträge, hatte sein Vater, Gründer und Pastor der Gemeinde, eine eigene Anlage angeschafft, mit noch mehr Power. Zwei Lautsprecher im Altarraum und zwei riesige Megaphone an Stangen auf dem Dach des flachen Gebäudes, dazu ein 1000 Watt Verstärker, zwei Mikrophone mit Ständern und noch etwas später sogar ein Kassettenrecorder. Diese Anlage hatte es in sich! Jacob war schnell zum Tontechniker aufgestiegen, konnte er doch bestens mit den Geräten umgehen. Seine Familie hatte die meisten und immer die neuesten Tonkassetten mit christlichem Lobpreis und Anbetungsliedern auf Telugu, der Sprache seines indischen Bundesstaates und damit seiner Muttersprache. Welche Freude, wenn die ersten schrillen Töne die Lautsprecher verließen. Wenn Jacob heute an dieses Pfeifen, Kratzen und Schrillen dachte, musste er lachen. Wie gut, dass die Technik sich deutlich weiterentwickelt hat! Heute kamen die Töne klar und ungestört über Lautsprecher zu den Nachbarn und man hörte laut und deutlich, worum es an dem jeweiligen Sonntag ging.

Das einzige Problem, aber darauf hat ihn später erst ein Freund aus Deutschland aufmerksam gemacht und erst da war es ihm so richtig aufgefallen: Nicht nur eine, sondern alle Gemeinden machten Power für Jesus. Allein in Jacobs Stadtviertel gab es mindestens sechs kleine, unabhängige Kirchen. Jede von ihnen spielte lange vor den Veranstaltungen ihre christliche Popmusik ab und lud zu Gottesdienst und Gebet ein. Predigten wurde übertragen, Abkündigungen und Ansagen schallten über den Ort und Bibeltexte und Gebete über Häuser und Menschen. Es hatte schon Anzeigen wegen der Dauerbeschallung gegeben und die Polizei hatte die Zeiten für derartige ‚Öffentlichkeitsarbeit' begrenzt. Dabei würde es noch gehen, wenn es nur die Christen wären, die Power machten und den Ort beschallten. Auch die Tempel beschallten ihre Gläubigen – und das sind immerhin achtzig Prozent der Bevölkerung. Jeden Morgen und jeden Abend für jeweils eine Stunde wurden die vedischen Schriften rezitiert oder auch moderne Tempelmusik abgespielt. Und auch die Moslems, von denen es in Indien immerhin mehr gibt als in jedem arabischen Land, lassen sich nicht in eine tonlose Ecke drängen. Der Mujizim rief zum Gebet. Laut und deutlich, über Lautsprecher!

»Wir müssten uns mal eine andere Methode überlegen«, hatte Jacob einmal zu seinem Vater gesagt, als selbst ihm der musikalisch verbale religiöse Konkurrenzkampf auf die Nerven ging. Sein deutscher Freund hatte ihm geraten, die Musik auf eine halbe Stunde vor dem Gottesdienst zu begrenzen. Dann hätte sie die Funktion von Glocken, die die Leute in die Kirche riefen, sagte der. Man könnte dann parallel zu dem Powerprogramm der anderen Hausbesuche machen und die Leute mit Handzetteln zu den kirchlichen Veranstaltungen einladen. Wahrscheinlich würden die Leute sich darüber freuen, wenn eine der religiösen Gruppen endlich Ruhe geben würde. Jacob hatte seinen Freund zwar verstanden, musste aber innerlich grinsen. Typisch deutsch.

Sich einigen, diskutieren, Argumente vortragen, bescheidene Zeichen setzen. In Indien lief das nicht. Power für Jesus war angesagt. Hier ging es nicht darum, ob es einen Gott gäbe und darüber konnte man ja mal reden – hier gab es hundert, ja tausend Gottheiten. Es ging darum, welche davon sich durchsetzt und wer die meiste Power hatte. Und da durften doch die Christen den anderen in nichts nachstehen.

Auf dem Dach des Hauses saßen drei Männer. Einer von ihnen war Jacob, jetzt etwas älter als zwanzig, nicht sehr groß, mit schmalem Bart, freundlichem Gesicht und aufgeschlossenen Augen. Er war hier Zu Hause, noch. Der zweite Mann war ebenfalls jung. Jacob schätzte ihn auf knapp über dreißig und wusste noch nicht, dass sie später eine gute Freundschaft verbinden würde. Der Mann war schlank, groß, hatte braune Locken, ebenso braune Augen und eine weiße Haut. Auf den ersten Blick war also deutlich, dass dieser Besucher Ausländer war. Den Namen hatte Jacob zuerst nicht verstanden, jedoch dass er aus Germany, aus Deutschland kam. Er war zwar nicht der erste Ausländer, den Jacob sah, jedoch der erste, dem er so nahe kam.

Der dritte Mann war ein Inder. Er war der älteste der drei. Von seinem Vater wusste Jacob, dass er Samuel hieß, irgendwo oberhalb des Flusslaufes in den noch unerschlossenen Gegenden eine Gemeinde gegründet hatte und Mitte vierzig war. Der Mann hatte breite, kräftige Schultern, war groß, dunkel und schon auf den ersten Blick war klar: Um diesen Mann würde sich alles drehen.

So war es dann auch. Samuel lenkte das Gespräch. Gelegentlich stellte sein deutscher Begleiter, mit dem zusammen er Jacob besucht hatte, eine Frage. Samuel wusste immer eine Antwort und schien für jedes Problem eine Lösung zu haben. Jacob selbst nickte meistens nur.

Doch die erste, wirklich entscheidende Frage stellte Samuel. Und sie traf Jacob mitten ins Herz hinein.

»Kannst du dir vorstellen, bei mir als Pastor zu arbeiten?« Samuel hatte eine sanfte aber eindeutige Stimme. Er hatte Ausstrahlung und ihn umgab eine Aura von Perspektive, Abenteuer, Zukunft. Jacob spürte schon bei seiner ersten Begegnung mit diesem Mann, als der vor einigen Monaten seinen Vater besucht hatte, dass er hier einem besonderen Menschen und Mann Gottes gegenüber stand. Jacob nickte.

»Ja!«. Leise unterstrich er das gleitende Nicken seines Kopfes mit dieser klar ausgesprochenen Bestätigung.

»Dann werde ich dich ausbilden!«

Samuel begann zu schwärmen. Man spürte sofort, dass hier ein Mann mit Visionen und Vorstellungskraft saß.

»Du wirst mich begleiten, wie seine Jünger Jesus begleitet haben. Du wirst von mir lernen. Dann schicke ich dich in ein theologisches Kollege und dann werden wir zusammen meine Kirche aufbauen!«

Jacob wagte es kaum zu glauben. Er und dieser begnadete Mann, welche Chance!

»Ich werde dich Stück für Stück aufbauen. Du wirst mit mir nach Europa reisen und irgendwann Deutschland sehen. Du wirst mit den wichtigsten Kirchenführern Indiens zusammen kommen. Und du wirst den Segen Gottes hautnah erleben.«

Jacob war begeistert. Welch eine Vision für sein Leben. Vor allem das Letzte wollte er: Ganz für Jesus da sein. Er wollte sein Leben für Jesus Christus einsetzen und an der Seite dieses charismatischen Führers musste dies eine einzige Freude werden.

Inzwischen war die Sonne hinter den Kokospalmen, die den breiten Fluss säumten, untergegangen. Auf dem Dachboden war es dämmrig geworden. Von der Straße tönten Hupen herüber, Geschirr an einer Kochstelle schepperte, ein Hahn krähte. Der Himmel leuchtete orange. Ein einsames, silbernes Flugzeug in großer Höhe zog einen weißen Schweif durch den leuchtenden Himmel.

»Wie ein Pfeil«, dachte Jacob, »direkt mit göttlichem Bogen geschossen.«

Er war ins Herz getroffen.

»Du wirst dich allerdings entscheiden müssen«, erklärte Samuel weiter. »Ich habe eine Arbeit unter Tribals begonnen. Es sind Stammesgemeinschaften aus dem Stamm der Koyas. Die haben bis vor kurzem noch in den Wäldern gehaust und lernen erst ganz langsam die Zivilisation kennen. Und durch mich und bald durch dich lernen sie Jesus als ihren Befreier kennen.«

Der deutsche Gast, der mit auf dem Dach in der Dämmerung saß und von dem Jacob inzwischen wusste, dass er Oliver hieß, bat Samuel zu erzählen, wie er ins Stammesgebiet gekommen war.

»Vielleicht solltest du noch einmal erzählen, wie alles angefangen hatte«, sagte er in gebrochenem Englisch. Olivers Englisch klang holprig und er sprach einen starken Akzent. »Ich habe deine Geschichte zwar schon einmal gehört, würde sie aber gerne noch einmal hören und vielleicht ist das für Jacob hilfreich, bevor er sich wirklich entschließt, mitzukommen.«

Oliver hatte Recht. Jacob wusste zwar, dass Samuel diese Gemeinde gegründet hatte, nicht jedoch, wie es dazu kam und worum es dabei ging. Also hörte er gespannt zu, als Samuel erzählte.

»Ich mache es jetzt aber kurz, wir sollten nicht zu spät schlafen gehen, da morgen ein anstrengender Tag vor uns liegt«, begann Samuel.

»Anfang der Siebziger bin ich zum Glauben an Jesus Christus gekommen. Meine erste Erfahrung war die mit einem Gebet. Ich war krank, hatte einen derart geschwollenen Hals, dass er dicker als mein Kopf war. Die

Ärzte wussten nicht weiter. Ein Freund empfahl mir, zu einem amerikanischen Prediger zu gehen, der in unserer Stadt mit seinen Veranstaltungen riesige Menschenmassen mobilisierte. Ich tat es. Eigentlich hatte ich mit den Christen nichts gemein. Ich war Brahmane, gehörte also einer der höheren Kasten im Hinduismus an und hatte an einem College über die Schriften der Hindus unterrichtet. Die Christen waren mir überaus suspekt. Sie hatten vor allem mit den Unberührbaren, den Parias Kontakt. Und mit denen wollte und durfte ich nichts zu tun haben. Trotzdem, nun ging es im wahrsten Worte um meinen eigenen Hals.

Also meldete ich mich bei diesem Amerikaner an. Ich will diesen Teil kurz machen: Er hat zweimal für mich gebetet und dann ging plötzlich die Schwellung zurück. Ich war total überrascht. Offenbar hatte der Gott der Christen, Jesus, eine enorme Power.

Trotzdem überzeugte mich das nicht. Auch bei uns im Hinduismus gab es gelegentlich Heilungen und es konnte ja auch Zufall gewesen sein und ich wäre auch ohne Gebet genesen. Genau das sagte ich dem Prediger.

Er hat mich dann provoziert und an meine Ehre als religiöser Schriftenexperte appelliert. Er meinte, wenn ich die Bibel lesen würde, würde ich die Wahrheit schon erkennen. Ich kannte mich mit der Interpretation von Texten aus, da ich ja Lehrer für Hinduliteratur war. Also las ich die Bibel. Nichts passierte. Keine Power. Ich ging zu dem Prediger und sagte ein wenig triumphierend, aber auch enttäuscht, dass es alles nichts nützt. Jesus mag ja ein guter Mensch gewesen sein und im Hinduismus verehren wir ihn ja auch als Guru und Lehrer, aber mehr auch nicht! Der Amerikaner blieb ruhig.

‚Lies noch mal, aber auf Knien!' verlangte er von mir. Ich ging kopfschüttelnd davon. Doch dieser Rat ließ mich nicht los. Also begann ich noch einmal, die Bibel von vorne zu lesen. Und diesmal kniete ich dabei. Und begann zu verstehen.

Was beim ersten Mal noch fremd und nichtssagend war, einfach nur Literatur, das ging mir plötzlich zu Herzen. Und im Neuen Testament, als ich von Jesus las, da weinte ich und vergoss Tränen der Reue und der Freude. Und konnte glauben, dass Jesus mich liebt und alle Macht der Welt in seinen Händen hält.«

Jacob hatte Samuel sehr aufmerksam zugehört. Der konnte wirklich faszinierend erzählen. Jetzt tat er das, um Olivers Willen, auf Englisch. Und das war schon spannend. Wenn er jedoch Telugu sprach, bekam seine Stimme einen singenden Klang. Jacob würde später viel von Samuel lernen, vor allem, was das Predigen angeht. Jetzt spürte er, dass hier ein Lehrer saß, wie er sich einen besseren nicht wünschen konnte. Dass manches von dem Erzählten übertrieben war oder gar gezielt falsch, wäre damals weder Jacob, noch Oliver in den Sinn gekommen.

»Ich habe mich dann bald taufen lassen«, erzählte Samuel weiter. »Das gab großen Ärger in meiner Familie. Als meine Mutter es hörte, warf sie mir vor, ich hätte Kontakt zu Unberührbaren. Sie nahm mir den Teller mit Reis weg. Welch ein Schmerz! Die eigene Mutter nimmt dem Sohn das Essen weg. Ich musste also auf die Taufe verzichten oder war allein auf mich gestellt, ohne Familie. Für indische Verhältnisse war das undenkbar.

Trotzdem riskierte ich es und erlebte, dass Gott für mich sorgte. Ich bekam eine neue Familie, neue Brüder und Schwestern, nämlich die Gemeinde.«

Eine Frau, die Schwester von Jacobs Vater, brachte frische Papaya auf's Dach. Die süße Frucht war in Scheiben geschnitten und schmeckte köstlich. Dazu gab es einen Tee, serviert in kleinen Metallbechern, die unglaublich heiß wurden. Jacob schlürfte vorsichtig, den Becher nur mit zwei Fingern am oberen Rand haltend. Sein Leben war vergleichsweise ruhig verlaufen, dachte er. Er war in einem christlichen Elternhaus aufgewachsen. Auch seine Eltern waren schon in zweiter Generation Christen. Sie gehörten zu jener Minderheit der indischen Bevölkerung, die doch in Zahlen ausgedrückt so riesig war: 20 Millionen Menschen. Jacob hatte gelesen, dass es in Südindien sogar manchmal über zehn und nicht nur zwei Prozent der Bevölkerung waren, die dem christlichen Glauben angehörte. Viele von den Christen hatten ihren Religionswechsel jedoch nicht bei den Behörden registrieren lassen. Sie wollten Nachteile vermeiden.

Jacob selbst hatte nie den Konflikt aushalten müssen, der bei Hindus, vor allem höherer Kasten entstand, wenn sie Christ wurden. Er bewunderte Samuel. Welche Kraft! Welcher Einsatz für Jesus!

»Nach einigen Monaten bin ich dann wieder zu dem amerikanischen Freund gegangen. Ja, nun hatten wir uns angefreundet.

Ich habe ihn gefragt, was ich denn nun machen solle? Hast du eine Aufgabe für mich? Wo ist mein Platz? Mein Freund meinte, ich solle doch eine Gemeinde gründen und meinen Glauben an andere weitergeben. Genau das hatte ich vor. Ich sah mich berufen, den Menschen, die noch nie etwas von Jesus gehört hatten, von ihm zu erzählen.

In den folgenden Wochen überlegte ich, wohin ich gehen sollte. Ich stellte fest, dass dereits überall Christen waren. TELC, AELC, SALC, CSI... unzählige Abkürzungen bezeichnen unzählige Kirchen und Konfessionen. Je mehr ich mich umsah, desto irritierter nahm ich wahr, dass ich mein Leben lang von unglaublich vielen Christen umgeben war, ohne es vorher gemerkt zu haben. Freie Gemeinden, Großkirchen mit vielen Gemeinden, Pfingstkirchen, kleine Hauskirchen, katholische und evangelische Kirchen – es gibt in Indien alles, was es auch sonst auf der Welt gibt und manchmal habe ich den Eindruck, noch mehr. Überall, wo ich hinkam, waren andere Christen schon da. Das passte mir nicht, das entsprach nicht dem, was ich mir vorstellte. Also zog es mich in den Norden von Tamil Nadu. Ich versuchte es mit einer Region und tat mich mit anderen Pastoren zusammen. Es lief nicht rund und die Zusammenarbeit klappte nicht.«

Jacob konnte das gut nachvollziehen. Sein Vater hatte auch einmal mit einer anderen Gemeinde eng kooperieren wollen. Es hatte nicht geklappt. Und dass neben diesem starken Mann, neben Samuel, jeder andere Probleme bekommen würde, das konnte er sich gut vorstellen. Zwei Hähne auf einem Hof, das gab immer Streit.

»Ich fand, was ich suchte, beim Besuch eines Verwandten«, erzählte Samuel. »Er war Forstbeamter in einer sehr abgelegenen Gebirgsregion, weitab aller Zivilisation. Keine Kirche, kaum ein Tempel, nichts gab es dort. Auch kaum Straßen und Städte. Wollte man den großen Fluss überqueren, ging das nur bei der Kreisstadt. Dort war eine lange Brücke, die zwei Regionen miteinander verband, die vor allem gemeinsam hatten, dass sie einsam waren, fast unerschlossen und von Stammesleuten bewohnt.«

Und dann berichtete er von den Adivasis und deren Leben. Jacob hatte darüber gelesen. Obwohl die Region, von der Samuel sprach, nur hundert Kilometer von ihm entfernt lag, hinter den hohen Bergen, war es für Jacob eine völlig andere Welt. Er bewunderte Samuel, der offenbar in eben diese Welt eingetaucht war und im Stamm der Koyas gefunden hatte, was er suchte. Gespannt lauschte er der Erzählung dieses beeindruckenden Mannes.

»Als ich in ihre Dörfer kam, predigte ich auf die Weise von Jesus, wie ich es gelernt hatte: Ich nahm ein Megaphon, machte es an und pustete hinein, um zu prüfen, ob es funktionierte. Dieses Geräusch hatte eine Wirkung, mit der ich allerdings nicht gerechnet hatte. Die Männer gingen hinter einem Baumstamm oder Zaun in Deckung, die Frauen liefen in die Häuser und die Kinder liefen davon oder kletterten auf Bäume. Noch nie hatten sie ein solches Geräusch gehört. Auch Kleidung kannten sie nicht, jedenfalls nicht solche, wie ich trug. Manche Frauen trugen zwar schon eine Art Sari, doch sehr spärlich und viele hatten nur ein Tuch um Hüften geschlungen. Die Männer waren halb nackt, nur mit einem Schurz bekleidet, von einer Schnur um die Hüfte gehalten. Die Kinder hatten nur diese Schnur, sonst nichts. Also, sie liefen davon. Das war der Beginn meiner Mission.«

Jacob sah zu Oliver hinüber. Auch der schien von Samuels Bericht gefesselt zu sein. Er stellte im Moment keine seiner Fragen. Er hörte nur zu. Die Dämmerung war inzwischen dem Dunkel gewichen. Wieder war Satya, die Schwester seines Vaters gekommen. Diesmal brachte sie eine flackernde Öllampe. Einige Moskitos waren aufgetaucht. Oliver griff in seine Umhängetasche und kramte nach einem Spray. Ob er Angst vor Malaria hatte? In Jacobs Region gab es die nicht so häufig.

»Ich habe Unterschlupf bei einem großen Bauern gefunden«, fuhr Samuel fort. »Von dort aus ging ich in die Dörfer, predigte und versuchte, die Sprache der Leute zu lernen. Das gelang mehr schlecht als recht. Leider hatte ich mit der Gründung einer Gemeinde am Anfang wenig Erfolg. Das wurde erst anders, als ich für einen todkranken jungen Mann betete. Der hatte Lepra und niemand traute sich in sein Haus. Ich allerdings wusste genau, dass seine Krankheit in diesem Stadium der Heilung keine Ansteckungsgefahr mehr mit sich brachte. Der Mann starb trotz meiner Gebete und ich dachte schon, dass nun niemand mehr an die Power Jesu glauben würde.«

Jacob konnte das nachvollziehen. Auch in der Gemeinde seines Vaters wurde oft für Kranke gebetet.

Wenn sie dann gesund wurden, hieß es, Gott habe Macht und die Leute glaubten an ihn. Und oft wurden sie gesund und so war die Gemeinde gewachsen. Wenn es aber nicht funktionierte, fragte kein Mensch nach Gott. Immer ging es den Leuten um Power: Hat dein Gott die Macht, etwas zu bewegen? Das war die Grundfrage in der vom Hinduismus geprägten Gesellschaft. Gottheiten gab es ja genug. Die standen sozusagen im Konkurrenzkampf miteinander. Und da musste Jesus mindestens mithalten. Und dann solch eine Niederlage! Trotz der Gebete stirbt der Mann! Das musste damals für Samuel ein ganz schöner Rückschlag gewesen sein.

»Ich habe mich getäuscht!« sagte Samuel. »Die Leute kamen zur Beerdigung des Leprakranken und dann in meine Abendmeetings. Sie meinten später, dass ein Gott, dessen Anhänger sich immer wieder um einen solchen hoffnungslosen Fall mühen, etwas ganz besonderes sein müsse. Meine erste kleine Gemeinde war entstanden. Nicht wegen großer Reden, auch nicht wegen wunderbarer Heilungen, sondern wegen schlichter Hausbesuche bei jemandem, den alle aufgegeben hatten.«

Power für Jesus. Da war sie wirklich. Nicht in den Lautsprechern, nicht in spektakulären Meetings mit viel Geschrei und Bekehrungsaufrufen, sondern in der Hingabe für die Menschen und für Christus. Jacob spürte in dieser Nacht, dass dies sein Weg war. Und er war bereit, alles einzusetzen.

08 Im Netz des Fisches

Chinnamma starb. Von der tödlichen Krankheit, Krebs wurde sie genannt, hatte Adama gehört, jedoch nicht gewusst, dass es so schnell ging. Nur knapp drei Wochen nach den ersten Symptomen vermisste Adama am Morgen das Rufen der Tante mit der Bitte um einen

Tee und fand sie tot im Bett. Zum Glück hatten sie sich noch einmal richtig aussprechen können. Ihre Adoptivmutter bat Adama in einem dieser Gespräche um Verzeihung.

»Adama, vielleicht habe ich versagt!« hatte sie mit schwacher Stimme eingestanden. »Ich habe keinen Mann für dich gefunden. Doch du wolltest ja immer selbst für dich sorgen! Aber auch du hast keinen Mann gefunden. Trotzdem, ich bin sicher, Gott wird dir helfen!«

Adama bereute später, was sie der Tante in ihrem trotzigsten Tonfall entgegnet hatte:

»Ist das derselbe Gott, der dir dabei geholfen hat, allein zu leben?«

In diesem Moment war sie wirklich frustriert gewesen. Nichts, gar nichts hatte der Gott der Beiden für seine einsamen Dienerinnen getan, um ihnen einen Mann und eine Familie zu verschaffen. Wahrscheinlich würde Adama enden wie ihre Tante, ohne Erben für ihr Land, ohne Söhne und

Töchter, die sie verwöhnen könnte und die im Alter für sie sorgen würden, ohne Familie um sich herum. Lord Shiva wurde traditionell durch einen Lingum, einen schwarzen Penis, abgebildet - als Hochzeitsvermittler hatte er total versagt!

Immer häufiger saß Adama am Nachmittag vor dem Radio. Als ob der Fisch sie gefangen hätte, nicht umgekehrt. Jenen Sender, den sie sich damals am Tag der Hochzeit von Prasad und Bhanu, gemerkt hatte, hörte sie etwa eine Woche danach erstmals wieder.

Sie hatte an jenem Nachmittag neben einer kleinen Statue des Shiva in ihrem Haus am Boden gesessen und Zwiebeln für die Doshai geschnitten, die sie sich für den Abend backen wollte. Es war oft trist, alleine zu leben und auch alleine essen zu müssen. Doshai war eher ein Frühstück, doch bei ihr war inzwischen so manches durcheinander gekommen. Mit den Füßen hielt sie das an einem Holzstück angebrachte und nach oben stehende Messer. Mit den Händen zerschnitt sie die geschälten Zwiebeln in kleine Stückchen.

Viele Gedanken gingen ihr durch den Kopf. Ob diese Figuren wirklich die Kraft der Götter enthielten? In Perentapalli hatte sie unterscheiden gelernt: Nicht die Figuren aus Holz oder Stein sind es, die Kräfte besäßen, sondern Brahma, der Göttliche, der in allem, ob Mensch, Tier, Stein oder Pflanze lebt. Und Lord Shiva war nichts anderes als die Erscheinung dieses Brahma. Auch alle anderen Gottheiten und somit auch deren Darstellungen bildeten im Grunde nur einen Aspekt des Brahma ab, hatte der Swami gelehrt.

Adama war damals davon fasziniert gewesen. Brahma, Gott in allem! Sie hatte ihre eigene Religion in neuem Licht gesehen. Die Koyas verehrten ihre Ahnen, die Sonne, die Sterne, heilige Bäume und Steine. Götterfiguren wie die Hindus hatten sie, jedenfalls ursprünglich, nicht. Eher rechneten sie mit Geistern und suchten die Bösen zu beschwichtigen und die Guten zu motivieren, sich für sie einzusetzen. Die Natur war ihr ein und Alles. Auch ihre Religion war davon bestimmt. Vor allem bei den Festen wurde das deutlich: Bhoomi ponduga, jenes Fest nach dem ersten Regen. Kolupolu, das vor allem von Frauen gefeierte Fest zur Verehrung der Heiligen Steine. Und Kothala ponduga, das rauschende Fest nach der Ernte der ersten Früchte.

Ihr war seit langem klar, dass Naturreligion und Hinduismus nicht mehr zu trennen waren. Die Götter hatten Einzug gehalten, in jedes Dorf, in jede Familie, in jedes Haus. Ganesha, Krishna, Shiva, Wishnu und selbst Sai Baba, der eigentlich ein heiliger Mann war, jedoch wie ein Gott verehrt wurde, schmückten Hausaltäre, Kalender, Armaturenbretter, Postkarten, Türrahmen, Lastwagen, Toreinfahrten und natürlich die Tempel.

Adama fragte sich, ob das wirklich alles so stimmte, wie sie es machten. Die Figuren und Bilder wurden behandelt, als seien sie es, die etwas bewegen könnten, als hätten sie eigene Kräfte. Aber stimmte das wirklich? Oder hatte der Swami Recht? Oder gab es noch eine ganz andere Wahrheit?

»Wie soll ich das wissen?!«

Sie erwischte sich dabei, wie sie mit sich selbst sprach. Mit wem auch sonst? Mit der Shivafigur neben sich? Sie versuchte, die irritierenden Gedanken wegzuwischen wie den Zwiebelsaft von ihren Händen. Doch es ging nicht. Im Gegenteil, Zweifel und Fragen brannten in ihrem Herzen wie der Saft einer Zwiebel im Auge.

Warum genau, wusste sie später nicht mehr, jedenfalls hatte sie damals beim Zwiebelschneiden das Radio angemacht und den Sender gesucht. Und da war sie wieder, die christliche Popmusik, sofort erkennbar an typisch christlichen Begriffen wie ‚Stoterem devodu, lobet Gott!'

Diesmal war ein anderer Sprecher dran, ein Prediger mit tamilischem Akzent, also aus dem südlichen Nachbarstaat. Doch das Telugu des Redners war gut zu verstehen.

»Ihr sollt Gott im Geist und in der Wahrheit anbeten!«

Was redete der da? In welchem Geist? In welcher Wahrheit? Es gibt viele davon, viele Geister und viele Wahrheiten! Adama hörte genau hin und unterbrach ihre Arbeit. Hier ging es ja genau um das, was ihr gerade durch den Kopf gegangen war. Zufall? Wie schon gesagt, an Zufälle glaubte Adama nicht. Alles hatte seinen Grund.

Und da war es, als ob der Mann nicht im Radio sprach, sondern ihr direkt gegenüber saß und sie mit ihrem Lord Shiva vor Augen hatte. Adama fühlte sich ertappt.

»Idole sollt ihr nicht anbeten, ob sie nun aus Holz, Stein oder Gold sind. Das sind nur Skulpturen, nichts anderes! Und auch Bäume sind nicht heilig oder Steine!«

Adama war wieder wie elektrisiert.

»Der einzige Gott, den ihr anbeten sollt«, sagte die Stimme weiter, »ist Gott, euer Vater im Himmel. Dieser Gott hat euch gemacht und alles andere um euch herum auch. Auch die Sonne, der Mond und die Sterne sind seine Geschöpfe. Und nichts, nichts in dieser Welt kann deshalb sich selbst zum Gott machen.«

Adama fühlte sogar körperlich, dass sie erschüttert war. Wenn das stimmte, hatte sie beinahe dreißig Jahre für tote Götzenbilder investiert. Ihr wurde ein wenig übel. Sie wusste nicht, ob es an den Zwiebeln oder an den neuen Gedanken lag. Doch was war denn eigentlich geschehen? Eine Stimme im Radio, mehr nicht. Oder war da noch eine andere Stimme, die zu ihr sprach?

»Jesus ist der Schlüssel!« sagte der Mann im Radio nun.

»Er ist unser Zugang zu Gott, denn in ihm ist Gott Mensch geworden.«

Adamas Gedanken überschlugen sich. Also wieder dieser Jesus. Geheimzeichen Fisch. Volle Netze. Erfülltes Leben. Adama konnte in dieser Nacht nicht einschlafen - und das lag nicht an der Zwiebel-Doshai.

Der nächste Tag begann wie immer zu dieser Jahreszeit. Über dem Fluss, den Feldern davor und den Büschen lag dichter Nebel. Noch in der Dämmerung versorgte Adama die zwei Büffelkühe, die ihre Tante ihr hinterlassen hatte, fegte den Hof ihres Hauses und den Bereich vor der Tempelhütte, ging mit einem großen Krug mehrmals zum Brunnen und goss das Wasser dann in den Betontank vor ihrem Haus. Danach legte sie frische Blumen an den Shiva Lingum, opferte eine Kokosnuss und malte frische Farbe auf die Stirn des Stieres. Gebückt zeichnete sie vor der Tempelhütte

Ornamente auf den befeuchteten und mit Lehm und Kuhdung bedeckten Boden. Die pulverisierte weiße Farbe rann in feinem Strahl gleichmäßig durch ihre Finger auf den Boden und zauberte prachtvolle Blumen, Vögel und Blätter auf den braunen Untergrund. Bald würde wieder das Pongalfest gefeiert werden. Dann würde sie sich noch mehr Mühe geben. Adama spürte, dass alle Handgriffe mechanisch abliefen, tausend und abertausendmal dieselben Bewegungen. Ob sich das je ändern würde?

Sie sah auf. Plötzlich standen drei Männer vor ihr. Alle drei waren sie weiß gekleidet, trugen die traditionellen Dhoties, also lange, weite Beinkleider, und dazu ein weißes Oberhemd. Alle drei hatten einen Stoffbeutel über der Schulter hängen. Einer trug eine Mandoline oder eine in ein Tuch eingeschlagene kleine Sitar in der Hand.

»Wandanalu!« sagte einer der Männer mit freundlichem Lächeln. Er hatte auffallend große Ohren. Welch merkwürdiger Gruß. »Gott zum Gruße!« Das hatte Adama noch nie gehört.

»Namaste«, antwortete sie und richtete sich auf.

»Du kannst tolle Ornamente malen«, machte ihr der Mann ein Kompliment.

»Danke, ich mache das jeden Tag!« Sie spürte, dass ihr das Blut in den Kopf stieg. Wann hatte ihr jemand zuletzt ein Kompliment gemacht? Das war lange her.

»Wohnst du hier?« der mit den Ohren schien sich für sie zu interessieren.

»Ja, ich bin die Priesterin des Dorfes.«

»Und dies ist dein Tempel?«

»Ja, Lord Shiva wird hier verehrt.«

»Lord Shiva? Ich sehe nur eine Steinfigur mit einem Lingum und davor die Skulptur eines Stieres.«

Adama war irritiert. Wieso mischte sich dieser Mann in ihre Angelegenheit ein? Was wollten die drei? Warum waren sie gekommen?

Der mit den Ohren entfernte sein Tuch von seinem Instrument. Es war tatsächlich eine Art Sitar, aber mit nur drei Saiten und sehr, sehr alt und abgegriffen.

»Dürfen wir dir etwas vorsingen?«

Auch das war Jahre her, dass ihr jemand etwas vorgesungen hatte. Überhaupt, dachte Adama, gesungen wurde in ihrer Umgebung schon lange nicht mehr, einmal abgesehen von jenem monotonen Tempelsingsang, den sie während der Shivaverehrung sang.

»Ja, gerne!« hörte sie sich sagen.

Die drei stellten sich auf. In der Mitte der mit der Sitar, links und rechts die anderen beiden. Und dann ging es los.

Was Adama zu hören bekam, war eine Art Sprechgesang. So wie es auch manche Wandermönche machten, erzählten die drei Geschichten, indem sie teilweise sangen, teilweise erzählten.

»Aha!« kam dann immer wieder die Unterstützung der zwei anderen, wenn der Erzähler etwas Wichtiges gesagt hatte. Oder »Oh!« oder »Ja, ja!«

Die Geschichten der drei hatte Adama noch nie gehört. Da war von einem Gott die Rede, der die Welt in sieben Tagen gemacht hatte. Und dann von einem Volk, das durch die Wüste zog und vorher in einem Land namens Ägypten in der Skaverei gelebt hatte. Der Gott dieses Volkes hatte es befreit und musste offenbar ein starker Gott sein. Dann war die Rede davon, dass aus dem Volk dieses Gottes ein Erlöser hervorgehen solle. Einer, der alle Tränen abwischen wird und durch den Friede möglich wird.

Schön wär´s ja! Adama musste an jene Lieder denken, die sie früher zusammen mit den Mädchen und Frauen sang, als sie sich noch trafen, um zu reden, zu singen und zu tanzen. In einem der neueren Texte hieß es:

»Wer erlöst uns? Bevor der geliebte Wald weg ist, bevor dies eine Wüste der Zivilisation wird... ist da irgendwer, der uns ins Licht führen kann? Wer kann uns in die

Freiheit führen und wer führt uns, uns selbst zu befreien? Wenn wir jemanden finden, wie wir ihn suchen, werden wir ihm alles geben, und alle Schönheit dieser Frauen wäre sein.«

Und nun kamen diese Männer und sprachen von Erlösung. Ob der Gott dieser Leute das wirklich konnte? Ihre Wälder retten? Und ihnen Zukunft geben?

Adama fand die Geschichten und den musikalisch aufgelockerten Vortrag der drei richtig spannend. Noch nie hatte sie von diesem Gott gehört. War es Brahma? Abudas nannte ihn Jachweh, Herr oder Vater. Dennoch war offenbar immer die Rede von nur einem Gott, nicht von mehreren verschiedenen Göttern. Noch nie war sie so gefesselt von Menschen gewesen, die von ihrem Glauben so begeistert waren, abgesehen vielleicht von ihrem Swami.

»Mögt ihr etwas trinken?«

Adama und holte Wasser aus einem Topf, den sie in der Tempelhütte deponiert hatte.

»Gerne!« die drei nahmen einen kräftigen Schluck und ließen sich das köstliche Nass ohne den Krug zu berühren in die Kehle laufen. Und dann ging es auch schon weiter.

»Wir kommen jetzt zum wichtigeren Teil!« sagte der größte der drei, ein schlaksiger Mann mit einer langen schwarzen Haarlocke über der Stirn.

»Jetzt geht es um Jesus!«

Das saß.

Um Jesus? Adama musste sich fast setzen vor Schreck. Dann waren die drei also Christen! Die hatte sie sich nun doch anders vorgestellt: Männer in westlicher Kleidung, die mit einem Megaphon auftreten und womöglich sogar im Tata Sumo vorfahren. Männer, die so ähnlich predigten wie der Mann im Radio und über Lautsprecher ihre christliche Popmusik abspielten. Und nun standen hier drei Gestalten vor ihr, die eher wie indische Sänger aussahen, jene Musiker, Erzähler und manchmal auch Komiker, die durch die Dörfer zogen und von dem lebten, was die Menschen ihnen für ihre Vorführungen gaben. Der mit der Haarlocke schien auf jeden Fall ein Komiker zu sein, denn er hatte viel Witz, selbst dann noch, wenn es sich um ernste Texte handelte. Jesus-Leute! So hatte sie sich die nicht vorgestellt.

Die drei stimmten neue Lieder und Texte an. Adama hörte zu. Die Geschichten in diesem ‚wichtigsten Teil' der Darbietung waren nicht minder aufregend als jene von dem Volk, das Gott durch die Wüste geführt hatte. Jesus war offenbar unter äußerst ärmlichen Bedingungen in einem Stall geboren. Dann musste er fliehen und seine Heimat verlassen. Er hatte ein Handwerk gelernt, Zimmermann. Adama fand auffallend viele Parallelen zu ihrer Welt in den Liedern und Geschichten, die sie nun hörte. Armut und Vertreibung, das kannten die Koyas nur zu gut.

Dann aber war es vorbei mit den Parallelen. Jesus sollte auf dem Wasser gegangen sein, hatte angeblich Kranke gesund gemacht und sogar einen Toten auferweckt. Mit wenigen Broten und Fischen soll er Tausende satt gemacht haben. Tolle Geschichten! Wenn nur ein Teil davon stimmte, war dieser Jesus mächtiger als alle ihre Götter zusammen.

Inzwischen war es fast Mittag.

»Wollt ihr bleiben?!« fragte Adama die drei.

»Ich kann schnell einige Zwiebel-Doshai machen und Reis habe ich auch noch genug.«

Die drei blieben. Sie blieben bis zum Abend. Den ganzen Nachmittag über erzählten sie Geschichten von Jesus. Nun verzichteten sie auf die musikalische Begleitung. Sie erzählten und nahmen ein dickes Buch zu Hilfe, aus dem sie teilweise vorlasen. Bibel nannten sie das Buch.

Adama hatte davon gehört, dass die Christen ein solches Buch hatten, auf das sie sich beriefen. Gesehen hatte sie es noch nicht. Der mit den Ohren, Abudas, hieß er, konnte zwar besser singen und die Sitar spielen als die zwei anderen, jedoch wahrscheinlich nicht lesen. Eine Bibel hatte er trotzdem. Jesudos las am häufigsten aus dem schwarzen Buch vor. Er kannte sich gut darin aus und auf vielen Seiten war etwas angestrichen und vermerkt. Merkwürdig, plötzlich sehnte sich Adama danach, auch ein solches Buch in den Händen zu halten.

09 Rufe im Dunkel

Sie waren zu viert unterwegs. Schweigsam gingen sie auf einem schmalen Trampelpfad hintereinander, sorgfältig jeden Schritt prüfend. Es dämmerte bereits. Der Pfad führte durch lichten Dschungel. Zwischen Büschen und zum Teil dornigem Gestrüpp standen Bäume verschiedener Art und Größe. Die meisten Blätter waren braun und bei jedem Schritt zerbröckelten mit leisem Knirschen trockene Blätter unter ihren Sandalen. Sie durchquerten einen kleinen Flusslauf, in dem jetzt nur noch einige Pfützen standen. Plötzlich blieb der Erste der vier stehen und gab ein Handzeichen. Stopp! Vorsichtig bückte er sich und ergriff einen trockenen Ast. Jetzt sah Jacob, warum. Auf einem Felsen im Flussbett, nur zwei Meter vor ihnen, lag eine zusammengerollte Schlange, eine Kobra. Jetzt hatte das Tier sie bemerkt – oder zumindest den Knüppel, der sich ihm in der Hand von Abudas langsam näherte. Die Kobra richtete sich auf, zischte. Ein prächtiges Tier! Und gefährlich. Wären sie nicht aufmerksam genug gewesen und einer von ihnen gebissen worden, hätten sie innerhalb von vier Stunden im Krankenhaus der Kreisstadt Bhadrachalam sein müssen. Vielleicht hätte ein Extrakt aus bestimmten Blättern die Zeit noch ein wenig verlängert – aber ohne das entsprechende Serum wäre der Tod mit großer Sicherheit bald eingetreten. Vorsichtig näherte sich Abudas dem Reptil, bis die Spitze des Stockes direkt unter dem wie ein Fächer ausgebreiteten Kopf der zischenden Schlange ankam. Das Tier wich zurück. Mann und Tier schienen sich mit den Augen zu messen. Die Kobra zischte aggressiv, wich jedoch weiter zurück. Und dann, plötzlich, ließ sie sich auf den flachen Stein nieder, zischte noch einmal und glitt davon.

»Ihr müsst aufpassen!« sagte Abudas jetzt. »Davon gibt es hier viele. Und dabei sind die noch harmlos! Hier gibt es Schlangen, deren Biss in weniger als zwei Stunden mit Sicherheit tötet.«

»Wie weit ist es denn noch?« fragte Jacob. »Es wird immer dunkler und das mit dem Aufpassen ist leicht gesagt! Man sieht ja kaum noch etwas.«

»Lasst mich vorne gehen. Ich kenne mich hier aus und habe gute Augen.«

Jacob war das Angebot von Abudas nur recht.

»Dieses Angebot solltet ihr annehmen«, Samuel grinste wissend. »Einen besseren Schlangenbändiger als Abudas gibt es nicht!«

Samuel nahm auf dem weiteren Weg den zweiten Platz hinter Abudas ein. Jacob war klar, dass dies nicht Feigheit oder Angst war, sondern Respekt vor jenen Kenntnissen, die man in keiner Schule, sondern nur durch das Leben im Dschungel lernte.

Tatsächlich wurde es immer dunkler. Die dichten Bäume waren einer mit Büschen bewachsenen Steppenlandschaft gewichen. Dazwischen gab es einige auf Schulterhöhe abgeschnittene Baumstümpfe. Oder gingen sie doch über von den Tribals abgeerntete Hirsefelder? Der Städter Jacob kannte sich darin wenig aus und fühlte sich, je dunkler es wurde, wie ein Blinder zwischen lauter Gefahren. Als ob die anderen seine Unsicherheit spürten, nahmen sie ihn in ihre Mitte. Die Schlusshut bildete der große Baburatnam, dessen edle Gesichtszüge Jacob an einen bekannten Filmschauspieler erinnerten.

»Hier irgendwo müsste es doch sein!«

Samuel wurde ungeduldig.

»Wir sind bereits fast zwei Stunden unterwegs!«

»Halleluja! Halleluja!«

Abudas schien Samuels Frage zu ignorieren. Er brüllte ins Dunkel hinein, als ginge es um sein Leben. Jacob war irritiert. ‚Halleluja!' im Gottesdienst oder beim Gebetstreffen – okay! Aber jetzt, mitten in der Wildnis? Wozu? Wollte sich sein Gefährte selbst Mut machen? Oder ihnen?

Etwa eine Viertelstunde nach vielen vergeblichen Halleluja Rufen wusste Jacob, was in Abudas gefahren war. Es ging tatsächlich, wenn nicht um ihr Leben, so doch um ihre Sicherheit für die Nacht.

»Halleluja!« dieses Mal kam der Ruf nicht über die Lippen des ‚singenden Evangelisten', wie Jacob Abudas inzwischen nannte. Es kam leise und entfernt von irgendwo aus dem Dunkel. Nur die Richtung war inetwa auszumachen, nicht jedoch die Entfernung. Jacob war überrascht. Hier wurde sozusagen telefoniert. Irgendwo dort draußen im Dunkel gab es Menschen, die das Wort Halleluja zumindest kannten. Abudas rief erneut und lauschte, woher die Antwort käme. Jacob schmunzelte heimlich über das, was er gerade dachte: Vielleicht hatte Abudas seine wirklich auffällig riesigen Ohren von Gott extra fürs ‚Halleluja'-Lauschen bekommen.

»Halleluja!« schon ein wenig lauter hörten sie den Ruf aus östlicher Richtung. Der jetzt entstehende Dialog mit nur diesem einen Wort, das man mit ‚Preiset den Herrn!' übersetzen kann, erinnerte Jacob an das Krähen der Hähne am frühen Morgen. Auch die schienen mit nur einem Wort miteinander zu kommunizieren. Ob deren Krähen auch mit ‚Preiset den Herrn!' übersetzt werden könnte?

»Wir müssen dort lang!« Abudas ließ keine Widerrede zu. Also gingen sie jetzt im Gänsemarsch auf einem schmalen Trampelpfad Richtung Osten weiter. Und tatsächlich, nach kurzer Zeit führte der Pfad auf einen kleinen Damm, die Begrenzung eines Reisfeldes. Sie waren wieder unter Menschen. Dann sahen sie einen Feuerschein, nicht weit entfernt.

Ein Mann lief auf sie zu:

»Halleluja!«

»Ein Glück«, sagte Baburatnam, »ich dachte schon, wir müssten im Wald übernachten.«

»Wir haben doch unseren Abudas!«, meinte Samuel und schmunzelte. »Und der lässt sich immer etwas einfallen!«

Der Mann aus dem Dorf führte sie unter das Vordach einer Hütte, wo eine Öllampe ihr spärliches Licht verbreitete.

»Gut, dass ihr endlich da seid!«, sagte er. »Die Gemeinde hat schon lange auf Euch gewartet, ist aber dann doch wieder zurück in ihre Häuser gegangen.«

»No problem!« antwortete Samuel. »Dann sollen sie eben noch mal wiederkommen, wenn wir uns ein wenig ausgeruht haben und einen Tee hatten!«

Samuel war immer sehr davon überzeugt, dass die Leute um seinetwillen viel investieren würden. Er ließ sie warten, kommandierte sie herum und verlangte ungeteilte Aufmerksamkeit. Aber er liebte sie und hatte eine Vision für ihre Zukunft – und deshalb schienen die meisten Gemeindeglieder mit seiner bestimmenden Art gut umgehen zu können.

Seit nun fast zwei Jahren war Jacob mit Samuel in den Dörfern auf Missionstour. Der hatte ihn sozusagen als Schüler und Assistenten aufgenommen. Und nach wie vor bewunderte Jacob seinen Lehrer. Wo immer Samuel hinkam, bestimmte er den Fortgang der Dinge. Er leitete das Gespräch, er gab die Impulse, er traf die Entscheidungen, er bestimmte die Inhalte. Seinen Meister umgab eine Aura, die Jacob sonst noch bei niemandem gespürt hatte. Bei ihm war man eindeutig auf der Seite des Siegers. Man fühlte sich sicher. Manchmal konnte Jacob fast körperlich spüren, wie Samuels Auftreten und Worte alle Widerstände klein und bedeutungslos werden ließ. Dann fühlte er sich stark und unbesiegbar. Wo anders sollte diese Kraft herkommen, die Samuel umgab, wenn nicht vom Geist Gottes!

Der Tee war süß wie immer. Danach fühlte sich Jacob wieder frisch, zumal er sich Füße und Arme mit kaltem Brunnenwasser gewaschen und einige große Schlucke davon getrunken hatte. Der Gastgeber fragte nach Wünschen fürs Abendessen. Samuels Antwort wusste Jacob schon vorher, kannte er ihn doch inzwischen recht gut. »Chicken!« sagte Samuel und den anderen war es recht - wenn sie auch nicht gefragt wurden. Kurz darauf hörte Jacob auf der anderen Seite des Hofes ein aufgeregtes Gackern, das in einem plötzlich abgeschnittenen Krächzen sein jähes Ende fand. Chicken, überaus frisch! Sie würden noch warten müssen, bis das Huhn in ein köstliches, scharfes Curry verwandelt war, also konnten sie das Gebetstreffen auch gut vor dem Essen halten.

Der Gastgeber schickte seinen Sohn in eines der Nachbarhäuser. Dort sollte das Treffen stattfinden. Immerhin gab es in diesem kleinen Dorf schon acht christliche Familien.

»Seid ihr die ersten Christen in diesem Dorf?« fragte Jacob den Gastgeber, der jetzt einige geröstete Erdnüsse auf einem Teller reichte.

»Ja, wir sind hierher gezogen, weil ein Verwandter uns Land vererbt hatte. Und dann haben wir mit den Gebetstreffen begonnen und andere Familien sind dazu gekommen.«

»Und woher kommt ihr?«

Jacob wunderte sich, denn bisher war er in den Stammesdörfern nur Christen begegnet, die durch die Missionsarbeit von Samuel Raj oder durch Abudas Christen geworden waren. Samuel hatte erzählt, dass er Abudas vor zwei Jahren erstmals kennengelernt und der sich ihm angeschlossen hatte. Nicht erzählt hatte Samuel, dass Abudas schon viele Jahre als eifriger Missionar in den Dörfern südlich der Godavari gearbeitet und viele Menschen dort für den christlichen Glauben gewonnen hatte. Es waren Gemeinden und Familienzentren entstanden, die Abudas regelmäßig besuchte und die sich inzwischen gemeinsam mit ihrem Gründer dem visionären Mann aus Bhadrachalam angeschlossen hatten. Und nun gab es offenbar, ausser jenen von Samuel und Abudas gegründeten Gemeinden, noch weitere Dörfer im Stammesgebiet, wo es bereits Christen gab.

»Wir kommen von der anderen Seite jener Berge dort«, dabei zeigte der Hausherr auf die jetzt im Dunkeln nicht sichtbare Gebirgskette im Osten.

Als sie vorhin über einen Kahlschlag mitten im Dschungel gingen und sich den Weg zwischen toten Ästen und Baumstümpfen suchen mussten, hatte Jacob die Berge gesehen und noch gedacht, ob dort wohl auch Menschen lebten und ob sie denen wohl auch noch vom christlichen Glauben erzählen würden.

»Auf der anderen Seite dieser Berge liegt ein wunderschöner Fluss, die Sabari. Ihr Wasser ist süß und klar und sie führt das ganze Jahr über genug davon, um viele, viele Dörfer damit zu versorgen.«

Jacob kannte vor allem die mächtige Godavari. Sie hatte er bei sich zu Hause, also nahe ihrem Delta, wo sie sich kilometerweit ausdehnte, oft vor Augen. Und er kannte den Fluss bei Bhadrachalam, wo er aus dem Norden kommend einen Knick nach Osten machte, ziemlich breit war, jedoch meistens nur sehr wenig Wasser führte. Bhadrachalam war der einzige Ort, wo man den mächtigen Strom mit Fahrzeugen überqueren konnte. Es führte eine lange Brücke über den Fluss. Überall sonst konnte man das andere Ufer nur mit einem der schmalen Fährboote erreichen. Darin konnte man bestenfalls außer den Passagieren ein Motorrad oder Fahrräder transportieren. Dass ein Fluss namens Sabari in die Godavari floss, hatte Jacob auf einer alten, ungenauen Karte des Bundesstaates gesehen, eine genauere Beschreibung hatte er noch nicht bekommen.

Im Moment interessierte ihn vor allem, wie diese Leute hier mitten im Busch vom christlichen Glauben erfahren hatten.

»Und wieso seid ihr Christen geworden? Ihr habt doch sicher auch eure Koyatraditionen gepflegt und die Götter eurer Ahnen verehrt – oder?«

Der Mann lachte.

»Klar, unsere Tradition pflegen wir immer noch! Aber wir singen unsere alten Lieder jetzt mit christlichen Texten und wenn wir trommeln, dann Gott zur Ehre und nicht um uns in Trance zu bringen, böse Geister zu vertreiben oder Kontakt mit unseren Ahnen aufzunehmen.«

Während Jacob mit dem Gastgeber sprach, hörte er leise Schnarchgeräusche. Einige Meter weiter lag Samuel auf einer jener mit Rattan geflochtenen Pritsche und schlief. Das tat er oft und gerne, vor allem nach anstrengenden Wanderungen. Seine Füße hingen in der Luft, denn die Pritsche war, wie meistens, zu kurz für einen großen Mann wie Samuel es war.

»Also«, sagte der Mann weiter, »wir sind durch unsere Priesterin zum christlichen Glauben gekommen.«

Nun verstand Jacob gar nichts mehr. Durch die Priesterin? Das war mehr als seltsam. Davon musste er mehr hören.

»Durch eure Priesterin? Aber nur die Hindus haben doch...«

Leider wurden sie jetzt unterbrochen.

10 Der Hai vom Geheimdienst

Nun also hat dieser Spuk bald ein Ende!

Ich trotte dem Wärter hinterher den Gang hinunter. Eine Gittertür wird von einem anderen Wärter aufgeschlossen. Er trägt zwei Sterne an der Schulterklappe und mein Flachmann Freund salutiert flüchtig, indem er die Hand hebt. Dabei sagt er etwas zu seinem ranghöheren Kollegen. Ich verstehe nur »German«, also schließe ich, dass er mich meint.

Der Zweisternige übernimmt mich und gibt mir einen Wink, ihm zu folgen. Wir kommen über den Hof mit seinen schmucklosen Steinbänken und der einzigen halb vertrockneten und müde aussehenden Kokospalme.

»Wie elend sie sich fühlen muss«, denke ich, »wenn sie ihre Geschwister in Freiheit sehen könnte, wie aufrecht, grün und fruchtbar sie das Bild ganzer Regionen bestimmen, sie würde weinen vor Selbstmitleid und ausbrechen, wenn sie könnte.«

Wir betreten ein Gebäude direkt neben dem Gefängnistor. Hier ist die Verwaltung des Knastes untergebracht. Ich werde in ein kleines Büro gebracht. Der Zweisternige bleibt an der Tür stehen und zeigt auf einen Plastikstuhl. Ich setze mich. Und warte.

Warten können ist eine Tugend, die man in Indien unbedingt erlernen muss. Ohne sie verzweifelt man.

»Wer nach Indien kommt, muss Geduld mitbringen«, hat mein Kollege Helmut einmal gesagt, »und wer Geduld mitbringt, verliert sie in Indien mit Sicherheit!« Recht hat er. Es ist zum Verzweifeln. Überall musst du warten. Auf den Zug und das Taxi. Auf den Freund, mit dem du verabredet bist und auf den Feind, mit dem du dich versöhnen willst. Auf das Essen, das deine Gastgeber erst zubereiten, wenn du angekommen bist und auf Handtücher und Klopapier im Hotel, die erst ausgegeben werden, wenn die Gäste sich beschweren. Du wartest auf den angekündigten Anruf, wartest auf den Driver, der noch Essen muss und dann darauf, nachdem man gerade losgefahren ist, dass er endlich mit dem Tanken fertig wird. Du wartest auf den Tee am Morgen, auf den Schneider, den Frisör, die Wäschefrau, den Stempel bei der Einreise. Du wartest am Fahrkartenschalter und an der Bushaltestelle. Du wartest beim Überqueren der Straße auf eine wenigstens klitzekleine Lücke im Verkehr und in mancher Nacht auf einer Pritsche im Dorf, dass endlich die Hähne krähen und ein neuer Tag beginnt.

Ich muss an Helmut und Johannes denken. Helmut, etwa zehn Jahre älter als ich, hat Ende der Siebziger den Kontakt nach Indien hergestellt. Wenn er einmal Feuer gefangen hat, dann strahlt er eine große Begeisterung aus und steckt andere an. Das war ihm auch mit der Idee gelungen, die Partnerschaft nach Indien aufzubauen. Helmut ist nicht nur leidenschaftlicher Prediger, sondern auch Visonär. Dass sich die Geschichte mit unseren Partnern allerdings einmal so entwickeln würde, dass ich nun in diesem Gefängnis sitze und mich in Geduld übe, hatten weder er noch ich für möglich gehalten. Selbst Johannes, ein ehemals selbstständiger Kaufmann, der es sich leisten konnte, früh in Rente zu gehen und der immer einen Spaß macht und witzige Bemerkungen liebt, hat die Entwicklung in Indien manche Sorgenfalte ins Gesicht geschrieben. Er und seine Frau waren auf einer unserer Studienreisen vor allem von den Kindern tief berührt worden und setzen sich seitdem sehr für die Projekte ein, die wir unterstützen. Meine Gedanken schweifen ab. Vielleicht wird das Warten so erträglicher.

Es gehört leider wirklich noch immer nicht zu meinen Fähigkeiten, obwohl ich es in Indien ausgiebig trainiere. Also rutsche ich ungeduldig auf meinem Stuhl hin und her. Dann stehe ich auf. Sofort nimmt mein Sternenwächter eine Habachthaltung ein.

Er deutet mir mit der flach nach unten gerichteten Handfläche an, mich wieder zu setzen. Also setze ich mich. Mich zu beschweren, macht keinen Sinn. Er versteht doch nichts. Aber, und das nehme ich mir fest vor, dem Konsulatsbeamten will ich, wenn er kommt, deutlich meine Meinung sagen. Ich überlege mir sogar die Sätze und Worte, die ich gleich sagen werde. »Das lasse ich mit mir nicht machen!« werde ich protestieren. »Erst lassen Sie mich hier fünf Tage lang sitzen und nun kommen Sie nicht einmal pünktlich!« Wie immer ich es dann auch formuliere, ich werde mich jedenfalls sehr deutlich beschweren!

Nichts passiert. Nicht einmal eine Uhr die tickt, vertreibt die Zeit. Zu sehen gibt es auch nichts. Das Fenster ist durch einen dicken Vorhang verhängt und außer dem Schreibtisch, drei Stühlen und einem dieser bunten und kitschigen Ganeshabilder an der Wand ist in diesem Raum nichts vorhanden. Außer dem Wächter. Der, ein rundlicher Mann mit buschigem Schnauzbart, scheint die Kunst des Wartens bestens zu beherrschen. Gelegentlich verlagert er sein beträchtliches Gewicht auf das andere Bein, sonst rührt er sich kaum. Er blickt gelangweilt auf Ganesha. Und der lässt seinen Rüssel gemütlich und dickfällig hängen und scheint die Inkarnation der Warte-Tugend zu sein.

Ich habe meine Uhr in der Tasche meiner Ersatzhose vergessen – und die hängt nun am Haken in meiner Zelle. Also weiß ich nicht, wie spät es ist und wie lange ich schon warte. Jedenfalls vergeht die Zeit so gut wie gar nicht.

Ich stehe wieder auf.

Der Wächter will gerade sein Setz-dich-Zeichen geben, da geht die Tür auf. Ich stehe schon, also kann ich nicht höflich aufstehen.

»Bitte setzen Sie sich!«

Der Mann, der hereinkommt, spricht gut englisch, besser als ich. Und er ist es gewohnt, zu kommandieren. Ich setze mich.

»Mein Name ist Sri Ramulu Raj«, stellt sich der Mann mit kräftiger Stimme vor. »Wir werden uns jetzt ein wenig unterhalten.«

»Sind Sie von der Botschaft?« frage ich.

»Von welcher Botschaft? Ach ja, vom Deutschen Konsulat meinen Sie! Nein, tut mir leid, bin ich leider nicht.« Als er das sagt, sieht er nicht so aus, als täte es ihm leid. Er lächelt. Irgendwie erinnert mich dieses Lächeln an das Grinsen eines Haies kurz bevor er zupackt. So ähnlich sieht sein Gesicht auch aus. Er hat einen breiten Mund, der weit über das flache Kinn hinaus ragt. Immerhin ist er ein höflicher Hai.

»Ich weiß, Sie warten auf jemanden von Ihrer Vertretung. Aber verstehen Sie doch, das Konsulat ist in Chennai. Da dauert es eben...«

Ich fürchte, es wird eine unangenehme Begegnung, die vor mir liegt. Ein Flug von Chennai nach Hyderabad dauert mal gerade etwas mehr als eine Stunde! Der Mann will mich hinhalten. Wahrscheinlich hat er mich bewusst warten lassen. Warten macht mürbe.

»Wer sind Sie?« Ich gehe es jetzt direkt an und will das Gespräch mitgestalten.

»Wie gesagt«, sagt der Hai und lächelt weiter, »ich heiße Sri Ramulu Raj und ich bin Beamter der Zentralregierung aus New Dehli. Zuständig bin ich für innere Angelegenheiten unseres Landes. Meine Abteilung ist das Ministry of Home Affairs.«

Man könnte also auch sagen: Er ist vom Geheimdienst oder einer ähnlichen Abteilung, die für die innere Sicherheit Indiens zuständig ist. Ich muss schlucken.

»Mr. Oliver, es werden schwere Anschuldigungen gegen Sie erhoben!«

Ich schlucke noch mehr.

»Sie wissen wahrscheinlich von jener Anzeige, um derentwillen Sie hier sind.«

Ja, ich weiß um die Anzeige. Mein Freund Jacob aus Kovvur hat meinem Kollegen Helmut eine Kopie davon geschickt. Irgendein Verwandter von Jacob arbeitet bei der Zentralregierung in New Delhi. Der hat von der Anzeige Wind bekommen und es fertig gebracht, sie zu kopieren. Helmut, allen voran als Anstifter angeschwärzt, aber auch Johannes und ich, sind auf zwei eng beschriebenen Seiten böse diffamiert worden. Der Brief ist an den leitenden Beamten der Auslandsabteilung im Ministerium für innere Angelegenheiten gegangen, mit Kopie an den Innenminister des Bundesstaates Andhra Pradesh, den Geheim- bzw. Nachrichtendienst in Hyderabad und an dessen Abteilung im Khammam Distrikt.

Wir hatten gehofft, dass der Brief ohne Folgen bleiben würde, uns allerdings getäuscht. Zwar hatte es fast zwei Jahre gedauert, bis die Behörden reagierten und inzwischen war ich bereits schon zweimal in Indien und Helmut sogar dreimal, aber nun hatten sie sich offenbar doch entschlossen, der Anzeige nachzugehen und die Anschuldigungen zu prüfen. Da unsere Passnummern in dem Brief standen, war es ein Leichtes, uns bei der nächsten Einreise nach Indien am Flughafen aufzuspüren. Allerdings hatten sich die zuständigen Geheimdienstler wohl erst in den letzten Wochen überlegt, dass ich eine Gefahr sei, denn sie hatten mich nicht am Flughafen, sondern erst drei Wochen später, bei meinem Freund in Kovvur, einer Stadt nahe dem Delta der Godavari, verhaftet. Entweder hatten sie meine ‚Spur' bis dorthin verfolgt, was nicht schwer ist, da man in Hotels immer angeben muss, woher man kommt und wohin man geht - oder sie hatten Jacob in der Hoffnung überwacht, dass wir ihn besuchen.

Jedenfalls standen plötzlich zwei Männer vor der Tür und fragten, ob Besuch aus Deutschland da sei. Jacob selbst war nicht im Haus. Und seine Frau musste keine Antwort mehr geben, denn ich saß bei einem Tee unter dem Vorbau vor der Tür des großen Wohnzimmers. Die Männer zeigten einen Ausweis, baten mich, meine Tasche zu holen, setzten mich in einen Polizeijeep und brachten mich in das kleine Sub-Gefängnis von Kovvur. Dort saß ich dann einen Tag und eine Nacht in einer der vier unmöblierten Zellen, zusammen mir vier jungen Männern, die den ganzen Tag Carom spielten. Mit ihren Gittertüren erinnerte mich diese Zelle sehr an jene aus Wildwestfilmen. Nur, dass hier wohl niemand kam, der mich mit rauchenden Colts befreite. Ein Constabler arbeitete hier, der zu Jacobs Gemeinde gehörte. Ich glaube, er hieß Nagesh. Der kümmerte sich rührend um mich und versuchte, mir den Aufenthalt möglichst zu erleichtern. Er brachte mir Mineralwasser und Bananen. Die Nacht konnte er mir leider nicht ersparen.

Mit Grausen denke ich an jene endlosen Stunden zurück, in denen ich auf dem glatten und harten Betonfußboden zu schlafen versuchte. Meine Mitgefangenen schnarchten die Töne sämtlicher Stimmbänder in Hals und Rachen und ich spürte dafür sämtliche Knochen im Leib. Geschlafen habe ich dann auf der Rückbank des Tata Sumo, der mich in acht Stunden nach Hyderabad und dort in dieses nette Gästehaus brachte. Immerhin gibt es hier eine B-Klasse mit Betten und einer geschlossenen Tür, die wenigstens etwas Privatsphäre zulässt und neugierige Blicke von außen verhindert. Trotzdem, bleiben will ich hier nicht länger. Ich muss mich also jetzt so geschickt wie möglich präsentieren. Wenn der Mann vor mir nur nicht so ist (oder »isst«), wie er aussieht. Wie heißt er noch mal? Mr. Hai? Nein, Mr Raj, genauer Sri Ramulu Raj. Das Raj gefällt mir gar nicht. Ein Raj hat mich ins Gefängnis gebracht, wenn auch durch Mittelsmänner. Mit einem Raj hatte alles angefangen und derselbe Raj hat alles zerstört.

Ich weiß natürlich, dass Raj ein ganz normaler Name in Indien ist. Er bedeutet »Herrscher« oder »Herr« und weist oft auf eine gehobene Abstammung hin. Was nichts bedeutet.

»Ja, ich weiß von der Anzeige! Aber ich kann nicht glauben, dass irgend jemand glaubt, was dort behauptet wird!«

Ich antworte erst nach einer kleinen Pause und dann auch gespielt nachdenklich und überrascht.

Und jetzt beginnt das Verhör, denn um nichts anderes geht es hier. Zwar wird nicht mitgeschnitten, was ich sage, aber Mr.Raj macht sich Notizen. Plötzlich hält er meinen Pass in der Hand und blättert darin herum.

»Sie reisen also mit einem Touristenvisum.«, stellt er vermeintlich banal fest.

Er hat die Visa der letzten acht Jahre vor Augen. Der Pass ist fast voll mit aufgeklebten Visa und Stempeln der Ein- und Ausreise nach Indien. Mir ist sofort klar, dass schon die erste Frage eine Falle darstellt. Touristen dürfen weder predigen, noch segnen, noch christliche Gemeinden beraten. Genau das machen wir allerdings auf Bitte unserer indischen Partner immer wieder. Touristen dürfen auch nicht arbeiten, weder in sozialen noch in bildenden Bereichen. Und auch das tun wir. Touristen dürfen nach Goa fahren und unter Palmen am Strand liegen und nach Agra, wo sie am Taj Mahal von Tausend und einer Nacht träumen können. Aber das machen wir eben nicht. Ich war bisher weder in Goa noch in Agra. Und wenn ich von Indien träume, hat das mit Palästen und Elefanten nun gar nichts zu tun. Ich muss jetzt also aufpassen.

»Ja«, antworte ich dem Hai. »Ich habe ein Touristenvisum vom indischen Generalkonsulat in Hamburg. Sie haben das ja sicher in meinem Pass gesehen.«

»Sie wissen, dass Sie als Tourist keiner anderen Tätigkeit nachkommen dürfen als eben der des Tourismus?«

»Das weiß ich«, sage ich. »Ihre Regierung gibt jedoch nur fünf Arten von Visa aus: Für längere Aufenthalte mit Arbeitserlaubnis, für Studenten, für Geschäftsleute, für die Durchreise und eben Touristenvisa. Und für das, was ich hier mache, kommt nur das für sechs Monate gültige Touristenvisum in Frage.«

»Was machen Sie denn?«

Der Hai öffnet sein Maul, bereit für den ersten Bissen.

»Ich besuche Freunde, ich mache Ferien, ich sehe mir Ihre faszinierenden Kulturdenkmäler an und ich besuche Projekte, die unsere Kirche hier unterstützt.«

»Aha, also machen Sie doch etwas anderes als ein Tourist?!«

»Nur, wenn Sie ein Klischee von einem Touristen meinen. Auf jeden Fall mache ich nicht das, was die anderen Arten Ihrer Visa betrifft. Ich arbeite nicht, ich verdiene hier kein Geld, ich mache keine Geschäfte, ich studiere nicht und ich bin auch nicht auf der Durchreise.«

»Aber Sie predigen und reden vor Gruppen!« der Mann wird im Tonfall schärfer. »Und wir nennen das Missionieren!«

Nun bin ich wieder auf der Hut. Früher musste man sogar ausdrücklich unterschreiben, dass man nicht ‚missioniert', wollte man als kirchlicher Angestellter ein Visum bekommen. Heute ist das zwar nicht mehr erforderlich, man unterschreibt jedoch, dass man zu keinem anderen Zweck nach Indien reist, als auf dem Visumantrag angegeben.

»Richtig, gelegentlich rede ich auch vor Gruppen.«

Ich merke, dass der Mann gut unterrichtet ist und weiß, was wir in Indien machen. Also muss ich begründen wieso, wie und bei wem wir das tun.

»Doch das ist keine Mission. Das ist sozusagen Reden mit Freunden. Ich rede in der christlichen Gemeinde und nicht irgendwo auf der Straße zu Nichtchristen.«

»Aber Sie reden über den christlichen Glauben und das Christentum.«

»Auch das, aber darin geht es um Themen wie Menschlichkeit und Nächstenliebe, um soziales Engagement und Themen wie Frieden, Liebe und Achtung vor der Natur.«

Ich scheue mich nicht, einige andere Themen, um die es auch und oft geht, hier nicht zu erwähnen: Gott und Jesus, die Einladung zum Glauben, der Aufbau einer lebendigen Gemeindearbeit, geistliches Leben. Ich kann mir nicht vorstellen, dass der Geheimdienst schon Mitarbeiter in die Veranstaltungen geschickt hat, wo ich selbst oder einer meiner Kollegen geredet haben - oder gar über informelle Mitarbeiter in kirchlichen Kreisen verfügt. Indien ist nicht die DDR, hoffe ich.

»Wechseln wir das Thema«, der Hai startet einen neuen Angriff und wird sich jetzt einen Schwachpunkt seines Opfers auswählen. »Wieviel Geld haben Sie getauscht, nachdem Sie in Indien ankamen?«

Aha, jetzt will er der absurden und doch in dem Brief mehrfach wiederholten Anschuldigung, einen »huge amount«, also sehr großen Betrag illegalen Geldes gesetzeswidrig umgetauscht und eingesetzt zu haben, nachgehen.

»Ich weiß«, sage ich, »dass ich bis zu 10.000 € in bar mitnehmen und ausgeben darf. Aber ich kann Sie beruhigen. Das habe ich noch nie gemacht. Nur wenn ich eine Studienreise geleitet habe, ging die Summe mal über 5.000 €. Und diesmal waren es lediglich 1.000 €, die ich umgetauscht habe. Das reicht mal gerade für die Inlandsflüge, die Automiete und die Kosten für Unterkunft und Verpflegung.«

Ich verschweige dem Mann, dass wir früher durchaus mehr Geld mitgenommen haben. Geld, das unser Partner, der Raj dem wir vertrauten, damals angeblich dringend brauchte.

Das Verhör geht noch weiter. Der Hai umkreist mich, hoffend, dass ich ihm irgendeine Blöße gebe. Doch Sri Ramulu Raj hofft vergebens. Vielleicht spielt er auch nur mit mir und weiß doch mehr, als er zugibt. Oder er ist am Ende gar nicht der Hai, für den ich ihn halte, sondern ein lieber, freundlicher Karpfen, der Leute wie mich gar nicht auf der Speisekarte hat. Ich werde nicht schlau aus ihm. Er wechselt schnell die Themen. Zwischendurch fragt er nach meiner Familie, dann will er wissen, was ich in Deutschland arbeite, wo ich in Indien bereits war, was ich von seinem Land halte... Er ist klug. So klug, dass ich nicht weiß, woran ich mit ihm bin.

11 Gott spricht durchs Radio

»Willst du auch mal?« als Jesudos ihr das große, schwarze Buch in die geöffneten Hände legte, durchfuhr Adama ein merkwürdiges Kribbeln. So, als sei dieses Buch lebendig.

»Da steht alles über Gott und seinen Sohn Jesus drin!« sagte Jesudos.

»Und deshalb ist die Bibel das wichtigste Buch aller Zeiten!« ergänzte Abudas. Dabei tat er, als lese er in seiner aufgeschlagenen Bibel, die allerdings falsch herum auf seinem Schoß lag. Adama schmunzelte. Nun war es klar: Abudas war, wie die meisten Menschen seines Alters und in dieser dieser Region Indiens, Analphabet. Nicht klar war Adama, was es für sie bedeutete, was hier geschah.

Was war bloß mit ihr los? Sie war doch Shiva-Priesterin! Und nun hielt sie das heilige Buch einer fremden Religion in der Hand. Oder war es doch so, wie ihr Swami es gesagt hatte: Jede Religion sei letztlich nur ein anderer Ausdruck des Brahma. Mal zeigt es sich in Shiva, mal in Krishna, mal in Jesus... sie war total irritiert.

Als die drei gegangen waren, setzte sie sich unter die große Tamarinte neben die Tempelhütte. Sie schaute auf den flachen, hochkant an den Stamm gelehnten Stein. Der war mit heiliger Farbe bemalt. Davor lagen einige Blüten und Schalen einer Kokosnuss, Spuren der letzten kleinen Opferzeremonie.

»Wieso nur ist dieser Stein für mich heilig? Warum nur habe ich mein ganzes Leben für ihn und für Lord Shiva eingesetzt?«

Adama kam sich plötzlich so naiv und dumm vor. War das nicht nur ein Stein? Und ein Baumstamm? Und in jener Hütte, war das nicht bloß eine Skulptur? Gemacht aus Menschenhand? Sie wusste, dass sie diese Gedanken nicht aus sich selbst, sondern von den drei Männern hatte. Die hatten ihr einige Passagen aus der Bibel vorgelesen.

»Du sollst dir kein Bildnis machen!« hatte Jesudos aus den ersten Seiten des Buches zitiert und vorher über die vielen Götterbilder und Skulpturen in den Tempeln des Landes in einer Weise geredet, die Adama beeindruckt hatte. Jesudos war gegen die Götterbilder, das war klar. Er lehnte jede Vergötterung von Skulpturen und Bildern ab. Aber er hatte die Menschen, die sie anbeteten und verehrten nicht schlecht gemacht.

»Wir Menschen suchen Gott!« hatte er gesagt.

»Wir brauchen jemanden, auf den wir hören können und der sich um uns kümmert. Wir können ohne Gott nicht sein. Wir suchen.«

Einige Sadhus, hinduistische Wandermönche, die kurz nach der letzten Regenzeit plötzlich in ihrem kleinen Tempel aufgetaucht waren, hatten sich über militante Christen im Bundesstaat Tamil Nadu aufgeregt.

»Die machen dort riesige Veranstaltungen«, hatte einer von ihnen mit hochrotem Kopf geschimpft, »geben den Leuten warme Mahlzeiten und massenhaft religiöse Schriften und predigen sie geradezu in Grund und Boden. Da steckt unglaublich viel Geld dahinter, wahrscheinlich aus Amerika!«

Adama wusste nicht genau, wo Amerika lag, hatte aber davon gehört. Dort sollten die Menschen unglaublich reich und die Autos unglaublich groß sein. Wollte man dem Sadhu glauben, waren die Amerikaner auch überaus spendabel, wenn es darum ging, den Leuten in Indien das Christentum zu verkaufen. Und wenn man, statt selbst zu zahlen, Geld, Reis oder irgendwelche Vorteile bekam, kauften viele ihrer Volksgenossen geradezu alles... egal ob es von Priestern, Predigern oder Politikern angeboten wurde.

Doch diese drei waren anders. Sie hatten sich Zeit für sie genommen. Sie hatten nachgefragt und sich für sie interessiert. Sie hatten ihr weder Geld angeboten noch andere wirtschaftliche Vorteile. Das Einzige, das sie versprochen hatten war, dass die Wahrheit Gottes in jenem Buch zu finden sei, das sie Bibel nannten.

Adama gestand sich ein, dass sie beeindruckt war. Hier waren ihr Menschen begegnet, die für ihren Glauben brannten und dabei eine tiefe Gewissheit ausstrahlten, dass ihr Gott mit ihnen geht. Jesudos, Abudas und Johann, wie der Dritte im Bunde hieß, schienen felsenfest davon überzeugt zu sein, dass der Geist ihres Gottes sogar jemanden wie Adama erreichen konnte. Dabei war sie doch ausgebildete und praktizierende Priesterin des Lord Shiva!

Zurück in ihrer Hütte machte sie sich daran, die Hirse aus dem Wasser, wo sie seit Stunden eingeweicht war, zu schöpfen und sie in den Mörser aus Granit zu füllen. Mechanisch und ohne über einzelne Handgriffe nachzudenken, nahm sie den Stampfer und begann, die Körner mit kurzen, heftigen Bewegungen zu zerstampfen. Warum sie plötzlich aufstand und ihr kleines Kofferradio einschaltete, wusste sie später nicht mehr. Vielleicht wollte sie sich von den um dieses fremde Buch kreisenden Gedanken ablenken, vielleicht auch einfach nur mit etwas Musik entspannen. Jedenfalls stampfte sie irgendwann mit Musik weiter, im Takt. Sie hockte vor dem Mörser, die Fußflächen auf dem Boden und gleichzeitig fast sitzend. Sie war fast wie in Trance. Bis die Stimme im Radio ihr plötzlich bekannt vorkam.

War das nicht wieder jene Stimme, die sie damals vor der Hochzeit gehört hatte?

Adama sprang auf, drehte das Radio lauter. Ja, das war die Stimme! Das war derselbe Sprecher im selben Sender und Adama kam es fast vor, als begegne sie einem alten Bekannten, einem Freund.

»Die Gott anbeten, sollen ihn im Geist und in der Wahrheit anbeten!«

Was war das? Im Geist und in der Wahrheit?! Nicht in einer Hütte und vor einem Stier oder Lingum? Adama war es, als kämen Jesudos und seine Freunde nun durchs Radio zurück. Dabei hatten sie doch zum Abschied gesagt, dass sie erst in zwei bis drei Tagen wieder durch Arukuru kommen würden. Doch auch dieser Christ sagte, man solle Steine, Bäume und Götzenbilder nicht anbeten! Warum nur hörte sie diese Kritik an ihrem Shiva-Gottesdienst jetzt erneut? Warum überhaupt wurde sie in letzter Zeit immer wieder mit christlichen Botschaften konfrontiert? Adama hockte sich wieder hin und zermalmte die Hirse. Fast kam es ihr vor, als ob sie selbst in einem Mörser steckte. Und eine unsichtbare Hand führte den Mörser und Stück für Stück wurde sie verändert. Sie schreckte auf. Jetzt war die Zwischenmusik zu Ende.

»Du solltest dich taufen lassen!«

Wer hatte das gesagt? Der Sprecher? Oder war es eine Stimme in ihrem Inneren. Oder von außen? Was hatte sie gehört? ‚Sich taufen lassen?' was war denn damit gemeint?

»Du kannst es an dir geschehen lassen!« sagte jetzt der Sprecher im Radio. »Geh zu einem Pastoren irgendwo in deiner Nähe und lasse dich taufen!«

Adama hatte den Eindruck, dass diese Aufforderung ihr galt. Doch sie kannte keinen, wie hießen diese Leute – ‚Pastoren'? Wahrscheinlich war das ein christlicher Priester. Sie kannte nur die Drei. Und jenen jungen Mann auf dem Motorrad.

Obwohl die kurze Begegnung nun bereits viele Jahre zurücklag, war sie doch aktueller denn je. Nur, dass es jetzt nicht mehr die auf einer Enfield davongebrauste verlorene Liebe war, um die es ging, sondern die Botschaft des Fisches. Adama wusste, dass ihr nichts blieb, als zu warten. Auf die Drei. Wann wollten sie noch mal wiederkommen? In zwei oder in drei Tagen!

12 Waffen contra beten

Der Sohn des Gastgebers kam aus der Nachbarschaft zurück und meldete, dass jetzt alles bereit sei. Baburatnam und Abudas stritten noch darüber, ob man Samuel wecken solle. Er konnte sehr unangenehm werden, wenn man ihn weckte. Nach einigem Hin und Her jedoch entschloss sich Jacob, es zu wagen. Vorsichtig sprach er Samuel an:

»Ayyagaru«, als sich der als ‚ehrenwerter Herr oder Meister' angeredete Samuel nicht rührte, wurde Jacob lauter und tippte seinen Lehrer an die Schulter:

»Ayyagaru, die Leute warten!«

Nun rührte sich der Schlafende. Unvermittelt sprang er auf:

»Äh, was ist los! Jacob, warum sitzen wir hier noch?! Das Treffen sollte längst begonnen haben!«

Wie immer, dachte Jacob, die anderen beschuldigen und selbst ohne Schuld dastehen. Immerhin hatte er und nicht wir verschlafen! Laut jedoch sagte er:

»Na ja, es geht ja noch. Nun aber müssten die Leute da sein.«

Sie gingen einige Häuser weiter, geleitet von dem kleinen Jungen, den sein Vater einfach Babu nannte. Er ging vor ihnen her und trug eine Öllampe, damit sie sahen, wohin sie traten. Elektrisches Licht gab es in diesem Dorf nicht. Wie in allen anderen Dörfern ging man deshalb schon früh schlafen, stand jedoch auch sehr früh auf. Mit dem Hahnenschrei.

Strom gab es nur in Bhadrachalam und in zwei oder drei der großen Dörfer wie Kunavaram oder Kukunuru.

Als sie den kleinen Hof des Hauses betraten, wo das Treffen stattfinden sollte, wurden sie aufgehalten. Eine Frau, bekleidet mit einem grünen Sari, und ein Mann im traditionellen aber sehr, sehr alten Dhoti , kamen auf Samuel zu und legten ihm eine Blumengirlande um den Hals. Die beiden strahlten. Samuel lachte und freute sich.

»Wandanalu«, der spezielle Gruß der Christen wurde ausgetauscht, Hände geschüttelt. Dann bat das Ehepaar Samuel, sich auf eine kleine hölzerne Fußbank zu stellen. Sie wuschen ihm die Füße mit kaltem Brunnenwasser. Auch das genoss Samuel sichtbar.

»Ich habe ihnen das beigebracht!« hatte er seinem Schüler Jacob gleich zu Beginn der gemeinsamen Zeit erklärt.

»So wie Jesus seinen Jüngern die Füße gewaschen hat, zum Zeichen einer Gesellschaft ohne Unterschiede, so sollen sich die Christen untereinander die Füße waschen.«

Jacob war damals wie heute fasziniert. Welch eine Vision in der vom Kastensystem des Hinduismus geprägten Gesellschaft. Alle sind gleich, alle einander Diener und niemandes anderen Herr! Es gibt keine ‚Untouchables' mehr, keine Unberührbaren! Selbst mit Dreck und Staub bedeckte Füße konnten berührt werden.

Jacob war zwar in einer christlichen Familie aufgewachsen, dennoch war er vom Kastensystem der indischen Gesellschaft geprägt.

»Du kannst Dich nicht gegen deine Kultur wenden!« hatte sein Vater gesagt. »Das Evangelium muss in die jeweilige Kultur hinein gepredigt werden und dort seine spezielle Gestalt finden.«

Jacob war sich dessen inzwischen nicht mehr so sicher. Wie sollte die in der Bibel so wichtige Einheit unter den Christen und Gleichheit unter allen Menschen umgesetzt, aber gleichzeitig das Kastensystem akzeptiert werden? Was die meisten christlichen Kirchen in seiner Heimatstadt trieben, erschien Jacob je älter er wurde, umso widersprüchlicher. Einerseits gehörten Christen ohne Ansehen der Person zusammen, andererseits setzten sich die Gemeinden immer nur aus Christen einer sozialen Gruppe zusammen. Die Dalits trafen sich in einer und die Brahmanen in einer anderen Gemeinde. Jacob kannte sogar eine Gemeinde, in der sich nur zum christlichen Glauben konvertierte Moslems trafen. Dort durften auch nur ehemalige Moslems predigen. Und in der Kirche seines Vaters saßen vor allem Dalits, also jene Menschen, die von den Hindus als ‚Unberührbare' angesehen wurden und die Mahatma Gandhi als ‚Harajans', ‚Kinder Gottes' bezeichnet hatte. Für Jacob war solch Kastendenken mit der Sicht der Bibel und dem Wirken Jesu inzwischen nicht mehr vereinbar. Jesus hatte eindeutig allen Menschen denselben Wert zugesprochen und sie somit zum Bemühen um Einheit beauftragt.

Samuel gab seinen Blumenkranz einem jungen Mädchen und setzte sich auf einen bereitgestellten mächtigen Holzstuhl. Jacob fand es beachtlich, dass nun auch Abudas, Baburatnam und zum Schluss der Zeremonie er selbst die Füße gewaschen bekam. Dieses Symbol predigte lauter als manche Worte, hatte er den Eindruck. ‚No casts in Christ!' Keine Kastenunterschiede bei Christus! Das war immer und immer wieder die Predigt seines Meisters gewesen. Welch eine Hoffnung für Indien!

Einen Stuhl gab es nur für Samuel. Alle anderen saßen zu seinen Füßen auf dem Boden. Unter dem Schattendach vor der Hütte war eine aus alten Jutesäcken zusammengenähte Plane ausgebreitet, so dass sie nicht auf dem nackten Lehmboden sitzen mussten. Es waren etwas mehr als zwanzig Menschen hier. Die wenigen Männer saßen hinter den Frauen, dazwischen und ganz vorne einige Kinder. Sie sahen vor allem Samuel mit ihren großen Augen an, als hätten sie einen so großen Menschen noch nie gesehen. Jacob sah an der Kleidung, dass die Leute hier in Bodunuru einfache Kulis waren. Sie besaßen wahrscheinlich, wenn überhaupt, nur ein winziges Stück eigenes Land, auf dem sie jedoch wegen ständigen Wassermangels nur Hirse anbauen konnten. Die Hemden waren alt und abgetragen, die Lunghis der Männer hatten Löcher und die Saris der Frauen leuchteten zwar gelegentlich farbenfroh im Lampenlicht, waren aber ebenso alt und vor allem von billigster Qualität. Keine dieser Frauen konnte sich jemals einen Sari leisten, wie ihn Jacobs Mutter getragen hatte.

»Halleluja!«

Was vorhin noch Notsignal und Hilferuf war, wurde jetzt zum Lobpreis und Andachtsbeginn. Zwei Trommeln begannen, ihre Rhythmen in die Nacht zu schicken.

Die Gemeinde sang. Jacob sah ernste Gesichter, konzentriert und wie in Meditation versunken. »Rerela...« Es waren meistens Melodien aus der eher monotonen Stammestradition. Die christlichen Texte dazu hatte Samuel gemacht. Es war sozusagen sein Steckenpferd und Jacob musste, wenn sie zusammen unterwegs waren, ständig Samuels neue Lieder lernen und einüben. Manchmal hatten sie auch gemeinsam komponiert und getextet. Jacob wusste, dass Samuel seine Ideen gerne aufnahm, sie allerdings später meistens als seine eigenen ausgab. Da jedoch nicht Jacob, sondern Samuel der Meister war, machte es ihm nichts aus. Zwei der neuesten Lieder, die Samuel selbst getextet und komponiert hatte, waren hier in Bodunuro schon bekannt. Erstaunlich, wie schnell sie verbreitet wurden! Die Leute sangen laut und kräftig. Dazu wurde im Takt geklatscht. Auch das diente der Konzentration und, wenn die Lieder schneller wurden, auch als Ausdruck der Freude. Dann sahen manche der Gemeindeglieder auf und hatten ein fröhliches Lächeln im Gesicht, wenn sich Jacobs und ihre Blicke trafen. Jacob liebte diesen Gesang! Und er liebte Samuels Stimme, vor allem wenn er predigte. Wie jetzt.

Samuel gab ein kurzes Handzeichen.

»Halleluja!« Wie ein sanfter Gruß kam es von seinen Lippen und schon brach das Lied ab. Auch dies fand Jacob genial: Wie sonst sollte man die oft mit mehr als zehn Strophen ausgestatteten Lieder so elegant beenden und gleichzeitig für Ruhe sorgen?

Samuel sah die Leute vor sich an, aus tiefen dunklen Augen.

Und die hoben, beschienen vom flackernden Licht der Öllampen, ihre Gesichter. Alle Blicke richteten sich auf jenen Mann auf dem Stuhl vor ihnen.

»Wandanalu!«

Den Gruß, ebenfalls von Samuel als Kennzeichen für Christen eingeführt, beantworteten alle ohne Ausnahme:

»Wandanalu«.

»Ihr habt von euren Vätern und Müttern gehört«, begann Samuel nun seine Predigt, »dass Sonne, Mond und Sterne Götter sind!«

Jacob war gespannt, was kommen würde. Gerne benutzte Samuel Vorstellungen der Koyas, um dann zu beschreiben, wie es aus christlicher Sicht aussieht.

»Die Bibel aber sagt etwas anderes! Nichts als Lampen sind sie! Sie haben keine eigene Kraft. Sie sind Planeten im Weltall, nichts sonst! Geschaffen von Gott dem Schöpfer, dem auch wir unser Leben zu verdanken haben!«

Wenn Samuel sprach, kam es Jacob manchmal so vor, als läge eine leise aber eindringliche Melodie in seiner Stimme. Er predigte nicht wie jene Pastoren, die Jacob aus den städtischen Kirchen kannte und die die Leute anbrüllten und ihnen lautstark und mit fuchtelnden Armen einheizten. Nein, Samuel sprach leise und eindringlich. Gelegentlich stellte er eine Frage und ging dann sofort auf die Antwort seiner Hörer ein. Oder er führte den Dialog gleich selbst, so als ob er mit sich selbst im Gespräch sei. Jacob hatte sich vorgenommen, diese Weise der Predigt zu lernen. Auch er wollte nicht agitieren, sondern mit den Menschen reden. Er wollte sie nicht fertig machen, anschreien und in die Enge treiben, sondern sie gewinnen. Wie Samuel.

»Und die Statuen, Bilder und Götterfiguren«, fuhr der jetzt fort, »mögen sie auch noch so bunt und groß sein, sie alle sind von menschlichen Händen gemacht worden! Also, glaubt nicht an das, was wir gemacht haben, sondern glaubt an den, der uns gemacht hat!«

Jetzt war Samuel bei einem seiner Lieblingsthemen angekommen. Er sprach gerne über den einen Gott, der alles gemacht hatte. Für die Hindus war diese Sicht der Dinge ein Skandal, weil sie nicht an einen, sondern an viele Götter glaubten. Für die Koyas war sie eine Herausforderung, weil sie alles um sich herum als belebt und beseelt ansahen. Nun aber sollte es nur einen Gott geben? Und die Steine, die Bäume, die Erde, die Gestirne, eben alles, sollten Geschöpfe dieses einen Gottes sein und keine eigene Kraft in sich tragen? Das musste für alle, die vom Gott der Christen und von Jesus hörten, sehr fremd klingen.

Noch während Samuel sprach, hörten sie irgendwo am anderen Ende des Dorfes aufgeregte Stimmen. Jetzt, am Abend, war es sonst ruhig. Die Hähne schwiegen, die Wasserbüffel lagen vor den Hofstellen am Weg und kauten Reisstroh, gelegentlich hörte man Hunde kläffen und sich um Reste des Abendessens balgen oder Geschirr klapperte, wenn abgewaschen wurde. Sonst war es still. Lärm um diese Zeit war also ungewöhnlich. Jacob sah, wie der Hausherr unruhig wurde. Sein Sohn Babu ging an die Pforte im Bambuszaun und spähte die Dorfstraße hinunter.

Samuel sprach zunächst noch weiter, bemerkte dann jedoch, wie sich die Unruhe auf seine Hörer übertrug.

»Was ist hier los?« fragte er und Jacob spürte, dass sich über die ganze Szene eine Spannung legte.

»Hier stimmt etwas nicht!« Samuel war sensibel genug, den Lärm am anderen Ende des Dorfes als ungewöhnlich einzuordnen. Und nun verstand man auch einzelne Worte:

»Sie vertreiben unsere Götter!«

»Sie nehmen den Göttern die Macht.«

»Sie stören den Frieden im Dorf!«

Ohne Zweifel bezogen sich die aufgeregten Redewechsel auf die kleine Gruppe der Christen, die in einem ihrer Häuser ihre Andacht feierten. Jacob wurde mulmig zumute. Obwohl er nun schon so lange in Dörfern wie diesem unterwegs war und die Menschen inzwischen kannte und liebte, fürchtete er sich doch vor Auseinandersetzungen. Die hatte es schon mehrfach gegeben und nun schien es schon wieder loszugehen.

Babu hob warnend die Hand. Vor dem Eingang zum Hof sah man zwei, drei dunkle Gestalten auftauchen. Sie standen draußen und kamen nicht hinein. Bald wurden es mehr, die nun schweigend um den kleinen Hof der christlichen Familie herumstanden.

»Was wollt ihr?« Samuel stand auf und ging ans Tor.

»Wir wollen, dass ihr aufhört zu singen und laut zu beten!«

Ein kleiner, drahtiger Mann mit einem kurzen Schnurrbart machte sich zum Sprecher der Leute dort draußen vor der Tür.

»Warum sollten wir?« fragte Samuel mit ein wenig aggressiver Stimme. »Wir leben in einem Rechtsstaat. Da kann jeder singen und beten, wie es ihm passt!«

»Ja«, kreischte der Kleine, »wenn es die anderen nicht einschränkt und beleidigt!«

Seine Stimme begann, sich vor Aufregung zu überschlagen. Vielleicht hatte er etwas getrunken. Jacob hatte mehrfach erlebt, dass die großen Farmer einigen Arbeitern bewusst Schnaps oder Toddywein gegeben hatten, damit sie den Christen Probleme bereiteten. Und die Argumente, die er und die Gottesdienstgemeinde jetzt zu hören bekamen, kamen ihm überaus bekannt vor.

»Wenn ihr Christen kommt«, betonte der Drahtige, »haben unsere Götter keine Macht mehr über die Menschen.«

Gemeint war, davon war Jacob überzeugt, dass die Götter nicht verhindern konnten, dass die Christen die Dorfbewohner selbstbewußt und selbstständig machten. Deshalb waren Christen dann nicht mehr mit den Hungerlöhnen und dem Umgang mit Untergebenen einverstanden. Und das war nun gar nicht im Sinne der Großgrundbesitzer.

Inzwischen waren mehr als fünfzehn Männer und auch einige Frauen aufgetaucht und bildeten einen Halbkreis um das Grundstück und die Hütte. Der Gastgeber ging hinaus, um mit ihnen zu verhandeln. Das Geschrei vieler aufgeheizter Stimmen zerstörte die nächtliche Ruhe. Jacob war überaus mulmig zumute.

»Wenn ihr nicht sofort mit dem Singen aufhört«, schrie eine schrille Stimme, diesmal von einer beleibten Frau in orangenem Sari, »dann müsst ihr mit Konsequenzen rechnen!«

Jacob vermutete, dass die Frau zur Familie eines der großen Bauern gehörte. Jedenfalls trug sie bessere Kleider als die meisten anderen und ihr Telugu hatte einen Akzent wie Jacob selbst, nämlich den der Ostküste.

Längst saßen die Gemeindeglieder nicht mehr vor Samuel und seinem Stuhl auf dem Boden. Mit der Andacht war es vorbei. Auch Samuel war aufgestanden und stritt mit den Männern draußen. Jacob sah jetzt, dass diese Männer, drahtige und dunkelhäutige Gestalten, einige davon mit freiem Oberkörper, zum Teil Bambusbögen mit aufgelegten Pfeilen trugen. Es war ihnen offenbar wirklich ernst. Je mehr gestritten wurde, desto bedrohlicher bauten sich die Dorfbewohner vor ihren christlichen Stammesgenossen und den fremden Gästen auf. Manche der Pfeilspitzen bestanden nur aus einem stumpfen Bambuspfropfen. Damit schossen die Einheimischen auf Vögel. Andere allerdings, sonst für die Jagd auf Hasen, Rehe und Wildschweine benutzt, waren aus gehärtetem Stahl gefertigt, spitz und tödlich.

Samuel gab nach.

»Okay«, sagte er, »ihr verschwindet, und wir sind ab jetzt leise!«

Nicht nur die Widersacher vor dem Grundstück, auch Jacob war irritiert wegen des plötzlichen Umschwungs. War das der Bekennermut, den Samuel immer wieder eingeklagt hatte? Fehlte nur noch, dass der Hahn zweimal krähte wie damals bei Petrus, als der Jesus so feige verleugnet hatte. Wie sollten sie den Christen hier ein Beispiel geben, wenn sie so schnell einknickten und klein beigaben? Jacob war, bei aller gerade noch verspürten Angst, enttäuscht. Die Gemeindeglieder dagegen schienen erleichtert.

»Babu, schließe den Zaun!«

Samuels Anweisung war eindeutig. Der Junge stellte das Türelement in den Zaun und band es oben fest. Jetzt waren die Gegner draußen und die Christen drinnen. Und Samuels Zusage zeigte offenbar Wirkung.

»Wir werden euch im Auge behalten!« drohte der kleine Anführer noch. Dann gingen die Männer davon, ein wenig wie Sieger nach einer Schlacht. Jacob hörte sie noch bis spät in die Nacht hinein diskutieren und lachen. Offenbar floss der Alkohol jetzt in Strömen.

In der Gemeinde dagegen war es still. Samuel saß wieder auf seinem Stuhl, die anderen davor auf dem Boden.

»Was sollen wir nur tun?!« fragte der Gastgeber die vier Missionare und sah dabei natürlich Samuel an.

»Wir haben schon mehrfach Drohungen erhalten, doch so schlimm, sogar mit der Androhung von Waffengewalt, war es noch nie! Einige unserer Leute haben keine Arbeit mehr bei den Bauern bekommen. Angeblich weil sie zu spät kamen oder weil nichts zu tun war... irgendeine Ausrede haben die Farmer immer, wenn es darum geht, Leute um ihre lebenswichtige Arbeit zu bringen. Aber wir glauben, es war, weil wir Christen geworden sind. Damit können die Leute nicht umgehen.«

»Ich habe den Eindruck«, sagte eine junge aber in der Gemeinde offenbar sehr engagierte Frau, »dass es gar nicht um unsere Religion geht. Klar, das ist den anderen fremd. Aber sie alle haben Sehnsucht nach Halt und Orientierung und manchmal habe ich den Eindruck, sie beneiden uns sogar, dass Jesus uns die gibt.«

Jacob war diese Frau schon beim ersten gemeinsamen Lied aufgefallen. Sie war sehr schön, trug einen dunkelgrünen Sari, hatte ein ebenmäßiges Gesicht mit großen Mandelaugen darin und einen kleinen goldenen Anstecker in der Nase. Er hatte aufgeschnappt, dass jemand die Frau mit Hannama angeredet hatte. Das war jedenfalls ihr christlicher Name. Also war sie bereits getauft worden. Aufgefallen war sie Jacob aber nicht nur wegen ihrer Schönheit und Ausstrahlung, sondern weil sie wunderbar singen konnte. Ihre klare Stimme machte aus den von Samuel komponierten Melodien viel mehr, als sie mit ihren dunklen Männerstimmen.

»Wie meinst du das?«

»Es geht natürlich nicht um Religion!« sagte Hannama. »Es geht um Geld, wie fast immer! Und es geht darum, dass die Landlords Angst haben!«

Auch Samuel war offenbar auf die Frau aufmerksam geworden.

»Recht hat sie«, erklärte er. »Die Landlords fürchten uns Christen, weil sie wissen, dass die Christen sich für mehr Bildung einsetzen. Und wenn die Leute hier in Bodonuro lesen und schreiben können, werden sie ihre Rechte wahrnehmen, auch die Rechte auf Mindestlöhne!«

Das Gespräch wurde immer spannender.

»Aber wie sollen wir uns verhalten?« fragte ihr Gastgeber.

»Am besten, ihr bleibt still!«

Wieder war Jacob total enttäuscht von der Antwort seines Meisters. Wo war der Kampfgeist, mit dem er in ein bisher kaum erschlossenes Gebiet vorgestoßen war? Wo war der Mut, mit dem er korrupten Beamten, politischen Extremisten und mächtigen Landlords bisher getrotzt hatte? Wo war die Ausdauer, mit der er die Sprache der Koya gelernt und das Vertrauen dieser Leute gewonnen hatte? Wo war die Visionskraft, mit der er eine neue Gesellschaft ohne Unterschiede zwischen arm und reich, Mann und Frau, gebildet und ungebildet herstellen wollte?

Samuel war noch nicht fertig.

»Ihr bleibt still und betet«, sagte er. »Dieses Dorf wird die Kraft des Gebetes erleben. Ihr singt nicht mehr, ihr trommelt nicht mehr, ihr macht keine offensive Mission mehr in den Häusern, ihr provoziert diese Leute nicht mehr. Aber ihr betet, ihr besucht Kranke und betet für sie, ihr betet für eure Feinde... und ihr werdet sehen, am Ende haben die Männer mit ihren Waffen zwar eine Schlacht gewonnen, Christus aber wird den Sieg davontragen.«

Schweigen. Offenbar erging es allen wir Jacob. Diese Art des Kämpfens für den Glauben hatten sie nicht im Blick gehabt.

Abudas brach das Schweigen.

»Genau!« sagte er. »Und damit fangen wir jetzt sofort an.«

Er nahm seine mächtige Bibel und legte sie ungefragt dem Gemeindeleiter auf den Kopf.

»Pradana! Wir beten!«

Jacob schmunzelte. So kannte er Abudas. Der fragte nicht lange, sondern handelte, ob die daran beteiligten Leute es nun wollten oder nicht. Einmal sollte Abudas in seiner Gemeinde einen Mann, der ständig seine Frau geschlagen hatte, in der Kirche angebunden haben. Abudas hatte behauptet, dieser Mann sei von einem bösen Geist befallen und je länger er ohne Essen in der Kirche bliebe, desto eher würde der böse Geist ihn verlassen. Offenbar hat die Therapie gewirkt, denn der Mann hat nach einigen Tagen in der Kirche seine Frau angeblich nie wieder geschlagen.

Sie beteten und achteten darauf, dass dies leise geschah.

Die Nacht verlief ruhig. Als die Hähne zu krähen begannen, wusste Jacob, dass die Gefahr vorüber war, jedenfalls für diese Nacht.

13 Das Verhör

Mr. Sri Ramulu Raj bleibt höflich. Ich überlege, ob ich einfach schweigen soll. Dann besteht keine Gefahr, dass ich mich in meinen eigenen Worten verfange und ihm doch noch ins Netz gehe. Bei diesem Gedanken muss ich zumindest innerlich grinsen. Ein Hai, der seine Opfer mit dem Netz fängt - verkehrte Welt!

Der Wächter an der Tür verlagert immer häufiger sein beträchtliches Gewicht von einem Bein aufs andere. Man sollte ihm einen Stuhl anbieten. Ganesha an der Wand rührt sich nicht. Er jedenfalls hat sich eindeutig fürs Schweigen entschieden!

Mr. Raj sagt irgendetwas zu meinem Wächter. Ich verstehe nur »nilu«, also Wasser und dann, nachdem der Wächter eine Rückfrage gestellt hat, »mineral water«. Wieder höre ich deutlich am Tonfall, dass Mr. Raj es gewohnt ist, Befehle zu erteilen. »Besorge Wasser! Und Mineralwasser für unseren deutschen Gast!« So etwa hat er seine Bestellung aufgegeben. Der Wächter öffnet die Tür und ruft etwas in den Gang hinaus. Offenbar wartet draußen ein anderer Mann, denn jemand eilt mit hörbaren Schritten davon.

»Okay«, sagt mein Gegenüber von dem Ministerium für Home Affairs aus New Dehli, »kommen wir also zu den Kinderheimen.«

Im Themenwechsel ist er wirklich geschickt und ich bin gespannt, was nun kommt.

»Sie betreiben im Khammam Destrikt also Kinderheime!«

Was wie eine Feststellung klingt, ist eigentlich eine Provokation.

»Nein«, erkläre ich, »wir betreiben keine Kinderheime und ich schon gar nicht!«

Ich ärgere mich. Dass ich Projekte besuche, hatte ich vorhin schon gesagt. Aber es sind eben nicht ‚unsere' Projekte, sondern die der Partnerkirche!

»Unsere Partnerkirche betreibt die Kinderheime«, korrigiere ich ihn und vermute, dass er den Ärger in meiner Stimme sehr wohl wahrgenommen hat.

»In insgesamt zehn Heimen sind etwa fünfhundert Kinder. Würde sich die Kirche ihrer nicht annehmen, würden sie statt zur Schule aufs Feld oder in die Steinbrüche geschickt, um Geld für die Familie zu verdienen. Wir bezahlen zwar die Kosten und werben in Deutschland Spenden dafür ein, aber wie gesagt, unsere Partner betreiben die Einrichtungen!«

Ich muss mein Gegenüber nicht über die Zustände in den einsamen Dörfern der Stammesregionen aufklären. Ich vermute, dieser Mann weiß gut Bescheid über die Verhältnisse hier. Er weiß mit Sicherheit, dass vor knapp dreißig Jahren, als die Arbeit der Kirche begann, nicht eine einzige Schule in den Dörfern entlang der Godavari zu finden war. Die gab es nur in der Kreisstadt. Und genau deshalb hatten unsere Partner dort mit unserer Unterstützung ein kleines Kinderheim begonnen. So konnten Kinder aus den Stammesdörfern dort wohnen, wurden betreut, versorgt und in die Schule geschickt. Zehn Jahre später gab es vereinzelt Schulen. Wann immer ich jedoch eines dieser meist sehr kleinen Gebäude mit nur ein oder zwei Klassenzimmern besuchte, war damals entweder der Lehrer nicht da oder er war betrunken. Mancher dieser staatlichen Angestellten kam nur einmal im Monat, nämlich um sich sein Gehalt abzuholen. Unterstützt wurde diese seltsame Arbeitsmoral von manchen der großen Bauern. Denen passte es gar nicht, dass ihre Kulis Lesen und Schreiben lernen sollten. Besser, die blieben dumm, stellten keine unnötigen Fragen, unterschrieben mit Daumenabdruck und konnten hoffentlich auch in Zukunft nicht lesen, was sie unterzeichneten.

Ob Mr. Raj die Entwicklung des »Teachers for Tribals« Projektes unserer Partnerkirche kennt, weiß ich nicht. Es entstand, als indische Gäste in Deutschland ein Zeltlager für Jugendliche, das Pfingstcamp, besuchten. Nie werde ich vergessen, wie Samuel mit großer Überzeugung für die Kinder der Koyas eingetreten war und vor über sechshundert Jugendlichen dafür warb, dass sie die Möglichkeit bekamen, zur Schule zu gehen. Und die jungen Leute reagierten. Auf Initiative von zwei ehrenamtlichen Mitarbeitern, selbst erst um die achtzehn Jahre alt, fanden sich über hundert Jugendliche, die regelmäßig Geld für Kinder in Indien spendeten. Das Projekt ‚Lehrer für Stammesleute' ist daraus erwachsen. Viele Gemeinden und Einzelpersonen wurden als Spender gewonnen und in seinen besten Zeiten konnten über achthundert Kinder versorgt werden. Heute sind es nur noch etwa fünfhundert. Die aktuellen Turbulenzen sind leider auch an der Sozialarbeit nicht spurlos vorübergegangen.

»Und die Kinder dort?« Mr. Raj fragt weiter.

»Wie werden sie ausgesucht? Wer bekommt einen Platz im Kinderheim?«

Ich verstehe den Hintergrund der Frage. In vielen Einrichtungen müssen Bewerber erst einmal eine stolze Summe zahlen, wenn sie überhaupt einen Platz bekommen wollen. So hat unser spezieller ‚Freund' wahrscheinlich mit seinem großen College Millionen verdient.

Außerdem könnte Mr. Raj, ob nun Hai oder Karpfen, auch auf die religiöse oder ethnische Herkunft der Kinder abzielen. Auch da wird oft deutlich sortiert.

»Das entscheiden unsere Partner«, sage ich.

»Die Gemeindeleitung empfiehlt ein Kind und der Bildungsausschuss entscheidet über die Aufnahme – jedenfalls ist es so abgesprochen. Geld fließt da keines. Und vereinbart ist auch, dass Kinder unabhängig von ihrer Religion oder Familie aufgenommen werden. Nur arm müssen die Eltern sein und die Kinder ohne die Chance, zur Schule zu gehen, es sei denn, sie leben in einem Kinderheim.«

»Aber meinen Sie nicht auch, dass der indische Staat diese Aufgabe inzwischen übernommen hat?«

»Doch, das meine ich schon, aber noch längst nicht flächen-deckend!«

Jetzt nimmt unser Gespräch einen angenehmeren Verlauf und ich empfinde es weniger wie ein Verhör, wenngleich es das wohl noch ist.

»Ich habe, bevor ich diese nette Gastfreundschaft hier erfahren durfte, gerade zwei Kinderheime mit Schule von der Regierung besucht und besichtigt. Eines davon war ziemlich verwahrlost. Die personelle Ausstattung war schlecht. Für die Kinder war nachts nur ein Wachmann da. Das Essen war schlecht und die Räume dreckig. Ein anderes Heim dagegen war richtig gut geführt und die Kinder entsprechend glücklich.«

»Das liegt eben an der Führung! Wie sagt ihr in Europa noch: Der Fisch stinkt vom Kopf her!«

Wieder staune ich und merke, wie klug dieser Mann mit dem Haigesicht ist. Ihn zum Feind haben, kann sehr unangenehm ausgehen.

»Ja«, bestätige ich, »und für die Schulen gilt das genauso. Auch die gibt es inzwischen fast überall. Zumindest kleine Dorfschulen sind da und funktionieren auch. Ich habe durchaus Achtung vor den Leistungen der Regierung. Da ist vor allem in den letzten fünf Jahren viel passiert. Allerdings schicken viele arme Eltern ihre Kinder nicht in die Schule, sondern zur Arbeit, damit sie ihre Familie ernähren können. Und das gilt besonders für die Koyas.«

Es klopft an der Tür. Der Wächter öffnet von innen. Eine braune Hand, die aus einem graugrünen Ärmel ragt, reicht eine Plastiktüte herein und einen Topf mit Wasser. Der Wächter gibt beides an den hochrangigen Gast in Zivil weiter und der stellt es auf den Tisch.

»Wollen Sie?«

Der Mann reicht mir eine Flasche Mineralwasser. Er selbst trinkt aus dem Krug. Um einen direkten Kontakt mit dem Gefäß zu vermeiden, hebt er es etwa fünf Zentimeter von Lippen und schmalem Schnurrbart weg und gießt sich das erfrischende Nass gekonnt in den geöffneten Mund. Wie er schlucken kann, ohne Luft zu holen, ist mir ein Rätsel. Es scheint, das Wasser läuft einfach so durch...

»Danke!« Auch ich trinke.

»Also nehmen Sie nicht nur Christen auf?«

»Nein! Natürlich nicht, wenn ich auch vermute, vor allem Gemeindemitglieder wollen einen Platz für ihre Kinder ergattern.«

»Und für die Mission?«

Ich ahne zwar, was Mr. Raj meint, setze jedoch eine ahnungslose Mine auf. Also fragt der Geheimdienstler nun weniger geheimnisvoll:

»Ich meine, nutzt ihr das für eure Mission? Da kann man doch leicht einen Platz im Kinderheim versprechen, wenn die Leute Christen werden. Oder die Kinder selbst werden beeinflusst und zur Entscheidung für den christlichen Glauben gezwungen.«

Kein Wunder, dass er so fragt. Jener Brief mit der Anzeige gegen uns sprach vor allem davon, dass wir mittels Versprechen und riesiger Geldsummen missionieren würden. Und dass wir die einzelnen Volksgruppen so gegeneinander aufhetzen würden.

»Nein«, sage ich deshalb, »wir setzen da überhaupt keine Machtmittel oder Manipulation ein. Der Glaube ist ohnehin nur echt, wenn er freiwillig ist.«

Da ich schon wegen meiner begrenzten Englischkenntnisse nicht so gerne mit Mr. Raj über Inhalte und Formen von christlicher Mission reden will, differenziere ich hier lieber nicht. So ganz der Wahrheit entspricht es nämlich nicht: Die Mission der Kirche profitiert durchaus von den Kinderheimen. Eltern und Dorfbewohner sind oft stolz auf ihre Schule und das Kinderheim. Die Kinder lernen das Vaterunser, hören biblische Geschichten, üben Tänze und Lieder mit christlichen Texten ein und nehmen am Gottesdienst der Gemeinde und an ihren Festen teil. So ganz bedeutungslos sind die sieben Kinderheime mit Blick auf die Missionsarbeit der Kirche nicht. Und wenn die Sozial- und Bildungsarbeit der Kirche auch nur für ein gutes Image sorgt, so ist für die Christen am Ort viel gewonnen.

Ohne jede Vorwarnung, ich weiß nicht, warum, bricht Mr. Raj das Gespräch ab. Ob er schon zufrieden ist? Ob er schon genug Stoff hat, um mich zu verschlingen? Oder weiß er einfach schon genug?

Er steht auf, reicht mir die Hand.

»Machen Sie´s gut. Sie hören von mir!«

Die Sitzung ist zu Ende. Ohne ein weiteres Wort geht mein Gegenüber. Der Wächter kann ihm nicht schnell genug die Tür aufmachen. Doch in guter Colombo-Manier dreht sich Mr. Raj noch einmal um.

»Und das Atomkraftwerk?« fragt er.

»Was haben Sie dort gemacht?«

»Welches Atomkraftwerk?«

Nichts habe ich dort gemacht. Bis zu jenem Brief mit den Spionagevorwürfen wusste ich noch nicht einmal, dass es in dieser Region eines gibt. Der Hai fragt jedoch nicht weiter nach, noch nicht. Er geht. Vielleicht sucht er andere Jagdreviere auf.

Der Wächter zieht mich sanft, aber deutlich am Arm. Ohne Zwischenstopp geht es zurück in meine Zelle. Dort sehen meine Kumpels mich erwartungsvoll an:

»Na? Wie lief es?!« fragt mein Schlips und Kragen Terrorist.

»Wenn ich das so einfach beantworten könnte! Manches gut, manches schlecht.«

Meine Antwort ist ungenau, aber ehrlich. Doch Ehrlichkeit öffnet keine Türen, jedenfalls nicht hier. Ich bin frustriert. Es geht mir hinter schwedischen Gardinen (warum eigentlich ‚schwedisch'?) inzwischen immer schlechter und mir fällt jene Einsicht ein, die ich vor Jahren wegen eines Busses hatte. Unser Reisebus war ausgefallen. Er hatte es gerade geschafft, uns zur Fähre der Insel Pag zu bringen. Dann musste der Bus in die Werkstatt. Am Schluss der Reise, nach vierzehn wunderschönen Tagen an Kroatiens Adria, stiegen wir in einen vom Unternehmer als Ersatz bereit gestellten nagelneuen 1. Klasse Bus ein. Der Bus hatte alles, was man sich denken kann. Es gab Klimaanlage, Reisebar, Toilette, Fernseher, Liegesessel und viele, viele blaue Lampen. Wie ein Raumschiff sah das Gefährt aus und man schien nur so dahin zu schweben. Allerdings, nach 15 bis 18 Stunden Reisezeit, war auch dieses Luxusraumschiff nichts anderes als ein Bus, ein ganz normaler Bus. Man wusste nicht, wohin mit den Beinen, schlief schlecht oder gar nicht... Ja, und das geht mir jetzt durch den Kopf, da ich meine B-Klasse Zelle betrete. Es ist eine ganz normale stickige, kleine, abschließbare und mit Wohnklo bestückte Vierbettzelle. In einem indischen Knast. Mehr nicht.

Wenn doch nur bald jemand vom Konsulat käme!

14 Ein neuer Name

Ihr Tempeldienst erschöpfte sich meist darin, vor der Hütte Lord Shivas zu fegen. Für wen tat sie das? Für eine steinerne Figur? Oder für jene Dorfbewohner, die kurz vor ihrem Weg zum Fluss, aufs Feld oder zur Jagd am Tempel anhielten, beteten und mit dem Finger etwas geweihte Farbe vom Heiligtum nahmen? Oder tat sie es für sich selbst? Weil sie etwas brauchte, für das es zu leben lohnte?

Adama erschienen diese Tage wie ein Marsch durch den Nebel am Fluss. Nicht einmal der Boden vor ihren Füßen war deutlich zu sehen. Zwar wich der Nebel bei jedem Schritt, schloss sich jedoch sofort wieder. Als wolle er sie schützend umhüllen und gleichzeitig jeder Perspektive und Aussicht berauben. Wenn doch nur die Drei bald kämen. Dann gäbe es Antworten auf manche Fragen.

Es dauerte fünf Tage.

Dann kamen sie, am späten Nachmittag.

»Halleluja!«

Schon von weitem hörte Adama Abudas helle Stimme. Sie hatte noch keine Ahnung, dass dieses kleine Wort einmal zu ihrem Leben gehören würde wie atmen und essen.

»Wandanalu!«

Auch der Gruß der Wanderprediger, den sie nun erstmals freudig erwiderte, würde sie von nun an tausend, ja viele tausende Mal selbst gebrauchen.

»Na, du wartest ja offenbar schon!« strahlte Abudas über beide Ohren. Adama ging den Männern entgegen und öffnete die Bambustür im Zaun zu ihrem Hof.

»Kommt herein!« sagte sie dabei und wunderte sich, wie vertraut ihr diese Männer bereits vorkamen. »Ja, ich warte tatsächlich schon. Ich habe vielleicht mehr Fragen, als ihr beantworten könnt!«

Erst jetzt fiel ihr auf, dass Abudas und Jesudos diesmal allein waren.

»Wo ist Johann geblieben?«

»Er ist nach Bhadrachalam gegangen«, antwortete Jesudos. »Er trifft sich dort mit anderen Christen. Dort gibt es einen Ayyagaru und wir überlegen, wie wir in dieser Region besser zusammen arbeiten können.«

Adama holte einige Puri vom Morgen aus einer glänzenden Blechdose.

»Darf ich euch die anbieten?« fragte sie.

Die Männer nahmen die Fladen hungrig und gern an, rissen mundgerechte Stücke davon ab und aßen sie mit der von Adama in kleinen Schälchen angebotenen Linsensauce. Bis der Tee fertig war, dauerte es noch.

»Ich habe euch Decken bereit gelegt«, sagte Adama und wies auf drei Matten, die unter dem Dachüberstand der Hütte auf dem glatten Lehmboden lagen. Darauf lagen mehrere bunt karierte Decken.

Es war schon dunkel als sie beim Tee saßen.

»Wie ist es dir in der Zwischenzeit ergangen?«

Wieder war Adama berührt vom Interesse, das aus Jesudos Frage sprach. Sie, die einfache Frau aus Arukuru, dazu Priesterin eines anderen Gottes, sie weckte das Interesse dieser Leute. Das hatte sie noch nicht erlebt.

»Ich habe viel nachgedacht«, antwortete sie.

»Und ich habe im Radio etwas davon gehört, dass man sich taufen lassen soll. Was ist das?«

Jesudos lachte.

»Na, da kommt ja vieles zusammen: Wir und nun noch das Radio!«

Sein Lachen war ehrlich, wie sein Interesse an ihr und erleichterte sie irgendwie. Diese Männer nahmen ihren Glauben ernst, aber nicht verbissen.

»Die Taufe ist der Ritus, mit dem man Christ wird. Dabei wird Wasser über den Kopf gegossen. Oder die Taufe wird gleich irgendwo im See vollzogen, damit man ganz untergetaucht werden kann. So wird deutlich, dass die Vergangenheit stirbt und man neu anfängt, wir sagen, neu geboren wird.«

Adama musste an jene heiligen Bäder denken, die sie aus Perentapalli, Bhadrachalam und den Erzählungen der Sadhus kannte. Zwar hatte sie noch keine der großen Tempel wie jenen in Tirupati besucht, kannte aber die Praxis der heiligen Bäder in der Godavari, dem göttlichen Fluss. Wenn in Bhadrachalam im April die Hochzeit des Lord Rama gefeiert wurde, kamen Hunderttausende im Tempel oberhalb der Stadt zusammen und krönten ihre Pilgerreise mit einem Bad im Fluss. Also hatten auch die Christen eine solche Waschung, allerdings mit anderer Bedeutung.

»Neu geboren?«

Adama war das noch nicht klar.

»Wie soll das gehen? Wenn Hindus sich im Fluss waschen, dann um ihre Unreinheit zu beseitigen. Wir wollen ohne Makel vor unsere Götter treten. Aber sterben und neu geboren werden? Wir glauben, dass das nur passiert, wenn sich unser Karma, das Schicksal erfüllt und wir im ewigen Kreislauf des Lebens wieder geboren werden. Doch solange wir leben, können wir bestenfalls unsere Unvollkommenheit abwaschen.«

»Ich weiß«, sagte Jesudos. »Die Hindus können sich ihr Karma verdienen und bekommen dann als Lohn ein neues Leben in einer höheren Stufe. Wir Christen aber glauben das alles nicht. Wir glauben, dass wir vor Gott gar nichts verdienen müssen. Gott liebt die Sünder, die Unreinen, wenn du es so willst. Wir werden nicht dadurch rein, dass wir uns waschen und alle möglichen religiösen Riten mitmachen. Wir sind schon rein, weil Jesus uns gereinigt hat. Und das symbolisieren wir in der Taufe.«

Adama konnte nicht genug fragen.

Wie geht es nach dem Tod weiter, wenn nicht durch Wiedergeburt in anderer Gestalt? Was glauben die Christen, wenn nicht an das Karma und göttliche Vorherbestimmung? Woher wollt ihr wissen, dass stimmt, was in der Bibel steht? Woran erkennt ihr die Macht eures Gottes? Wenn Jesus von Gott kommt, woher kommen dann die Götter? Es sprudelte nur so aus ihr heraus. Und Jesudos antwortete geduldig. Abudas dagegen hatte sich ausgestreckt und zwischendurch hatte Adama den Eindruck, er schnarchte bereits leise. Als diese Töne dann lauter wurden, machte sie Abudas darauf aufmerksam. Der lachte wieder:

»Du hast Recht! Wir sollten jetzt schlafen gehen. Du könntest ja mal überlegen, ob du dich morgen taufen lässt.«

Adama ließ sich nichts von ihrem Schreck anmerken. Nun hatte nicht nur jene geisterhafte Stimme im Radio, sondern auch dieser Mann aus Fleisch und Blut, der sich gerade auf der Decke vor ihrem Haus ausstreckte und es sich für die Nacht bequem machte, sie zur Taufe aufgefordert. Sie kam nicht zur Ruhe und viele Stunden lag sie wach auf ihrer Matte und wälzte sich von einer auf die andere Seite. Sich taufen lassen. War es wirklich schon soweit?

Es war soweit.

»Ich will es!«

Als sie früh am nächsten Morgen, gleich beim ersten Hahnenschrei, Jesudos und Abudas mit dieser Erklärung überraschte, freuten die sich so sehr, dass Abudas sie spontan in den Arm nahm. Das hatte Adama seit ihrer Kindheit nicht mehr erlebt. Wie sehr sich diese Christen freuten!

»Aber wo wollt ihr mich denn nun taufen?« fragte sie.

»Sollen wir zum Fluss gehen? Dort ist die Strömung allerdings ziemlich stark.«

Der Fluss war zu Fuß gut zu erreichen. Man brauchte eine knappe halbe Stunde, musste durch Buschland, Wald und über einige neu angelegte Felder gehen. Adama hatte allerdings Respekt vor der starken Strömung. Anders die beiden Männer.

»Kein Problem«, sagte Jesudos. »Also los!«

Adama nahm ihre Plastiktasche, die sie bei ihrem letzten Besuch in Chatti von ihrem Bruder bekommen hatte, steckte einen Sari, einen Unterrock und zwei Handtücher hinein und folgte den beiden Christen. Sie war sehr aufgeregt.

Alles war plötzlich so schnell gegangen. Doch sie war sich klar: Es gibt nichts mehr, was mich davon abhält, mich taufen zu lassen!

Die Ebene bis zum Steilufer der Sabari war früher einmal von dichtem Wald bewachsen. Nun aber gab es nur noch wenige der alten, großen Bäume. Die meisten waren den Äxten und Sägen der Forstleute zum Opfer gefallen. Die allein hatten angeblich das Recht, hier Bäume zu fällen. Adama wusste jedoch von einem Polizeibeamten, den sie bei ihrem Bruder getroffen hatte, dass die Forstleute eigentlich den Auftrag hatten, den Wald zu schützen. Es war grotesk: Die, die den Wald schützen sollten, verkauften ihn ohne Skrupel an reiche Männer von der Küste.

So wie viele Menschen, die zu Fuß weite Strecken zurücklegen, gingen die beiden Männer sehr schnell. So dauerte es nicht lange und vor ihnen lag das Tal der Sabari. Etwas weiter südlich sah Adama zwei Boote am Ufer liegen. Eines davon war bereits mit einem Dieselmotor ausgerüstet. So konnte der Schiffer seine Fahrgäste ohne überaus große Körperkräfte, wie sie sonst beim Staken und Rudern erforderlich waren, über den Fluss bringen. Die drei kletterten auf einem schmalen Pfad die Steilküste hinunter. Unten angekommen sahen auch die zwei Wanderchristen, wie Adama sie spaßeshalber nannte, dass die Strömung des Flusses enorm war.

»Wir sollten eine Bucht suchen, in der das Wasser nicht so unruhig ist«, schlug Jesudos vor.

Adama, die den Fluss hier sehr genau kannte, wusste schon, wohin sie gehen mussten.

»Kommt!« sagte sie und führte die zwei flussabwärts in Richtung der beiden Boote. Kurz bevor sie diese erreichten, sahen sie die Bucht. Durch ein Felsenriff war der Fluss an seinem Rand etwas aufgestaut. So entstand eine ruhige Zone. Das Wasser lief hinein und verteilte sich ohne starke Bewegung sozusagen entgegen der Strömung im Flussbett.

Jesudos erklärte Adama, wie die Taufe ablaufen sollte.

»Wir geben dir zuerst einen neuen Namen!« begann er.

»Einen neuen Namen?! Wieso denn das? Ich bin stolz auf meinen Namen und meine Familie!«

Adama befürchtete nun doch, dass sie zu weit gegangen war. Sie hatte schon einmal einen neuen Namen erhalten. Im Ashram von Perentapalli wurde sie Adi Lakshmi Talli genannt. Sobald jedoch ihre Ausbildung beendet war, hatte sie diesen Namen wieder abgelegt.

»Das machen wir immer so«, sagte Jesudos. »Auch mein Name ist ein christlicher Name. Wir wollen damit zum Ausdruck bringen, dass durch die Zugehörigkeit zu Christus wirklich alles neu wird.«

Er brachte noch weitere Argumente vor und erzählte etwas vom Bekenntnis des Glaubens, dass dieser Schritt nicht umkehrbar sei und dass ein Fischer aus der Bibel namens Simon in Petrus umbenannt wurde, nachdem er Jesus begegnet war. Und dann hatte Jesus diesem Petrus gesagt, er solle ‚Menschenfischer' werden.

Da war er wieder, der Fisch! Adama hatte das Gefühl, alles füge sich zusammen wie ein in tausend Teile zerrissenes Bild. Stück für Stück. ‚Fehlt nur noch', dachte sie, ‚dass ich nach so vielen Jahren den Mann vom Motorrad wieder treffe!'

Laut jedoch sagte sie:

»Gut, ich habe verstanden! Ich will wirklich neu anfangen. Aber wie soll ich von nun an heißen? Soll ich mir meinen Namen selbst aussuchen? Leider kenne ich mich ja in der Bibel noch nicht aus und kenne nur Namen aus meinem Umfeld.«

Abudas meldete sich jetzt zu Wort.

»Du wirst Lea Rani heißen!« sagte er.

Und so war es von nun an. Aus Adama wurde Lea Rani. Ihr war es recht. Der neue Name gefiel ihr.

»Und wie geht das jetzt mit der Taufe?«

Langsam wurde Adama ungeduldig. Auch machten sie die Leute bei den Booten, die nur etwa zwanzig Meter entfernt lagen, nervös. Offenbar wartete der Schiffer auf Kundschaft. Zwei Männer und eine Frau waren bereits am Boot. Der Fährmann wollte wahrscheinlich erst losfahren, wenn sein Kahn voll war. Oder er wollte zunächst sehen, was in unmittelbarer Nachbarschaft zu seinem Anleger geschah.

Abudas ging langsam in den Fluss. Er konnte das unbedenklich tun, da es hier keine Krokodile gab und auch die Strömung harmlos war. Als er bis zur Brust im Wasser stand, bat er Adama, nun auch zu kommen.

Sie ging, vorsichtig aber ohne zu zögern.

Abudas musste allerdings ein wenig näher ans Ufer kommen, denn die abtrünnige Priesterin war ziemlich klein und wäre neben ihm bereits im Wasser versunken, bevor die Taufzeremonie überhaupt begonnen hätte.

Es war schon seltsam. Das kühle Nass zog an den Kleidern. Adama musste aufpassen, dass ihr der Sari nicht verrutschte und hielt ihn mit einer Hand fest. Mit der anderen versuchte sie, das Gleichgewicht zu halten. Der Boden war lehmig und glitschig. Sie musste sich mit den Zehen fest hinein krallen, um nicht auszurutschen. Außerdem kam ihr hier, nun im Wasser, die Strömung doch wieder recht stark vor. Abudas hielt sie mit der Linken fest.

»Ich werde dich jetzt taufen!« sagte er. »Und wenn ich dich ins Wasser drücke, bitte ich dich, nachzugeben.«

Nun bekam Adama doch etwas Angst. Schwimmen konnte sie nicht und unter Wasser ließ sie sich auch nicht gerne tauchen. Das war schon ein bisschen wie Ertrinken! Doch sie nahm ihren Mut zusammen. Sie wollte ja, dass ihr altes Leben starb und etwas Neues begann. Also, nur Mut! Und schon ging es los.

»Adama, ich taufe dich auf den Namen Lea Rani. Im Namen des Vaters...«

Eine Hand unter der Achsel, die andere auf dem Kopf, tauchte Abudas Adama für einen kurzen Moment unter Wasser. Als sie wieder hoch kam, prustete sie und schnappte nach Luft. Doch Abudas drückte sie ein zweites Mal hinunter.

»... im Namen des Sohnes!« hörte sie ihn noch sagen. Diesmal bekam sie Wasser in die Nase und musste noch kräftiger prusten, als sie wieder hochkam.

Aber ihr neuer Glaubensbruder hatte kein Erbarmen:

»... und des Heiligen Geistes!«

Und wieder wurde sie untergetaucht.

‚Kein Wunder, dass die Taufe Sterben und Auferstehen symbolisiert', dachte sie, ‚da sind die Reinigungsbäder der Hindus wirklich etwas ganz anderes und total harmlos.'

Als sie diesmal hochkam, ging es schon besser – und dreimal Untertauchen war wohl auch genug. Jedenfalls gingen beide vorsichtig, sich gegenseitig festhaltend, ans Ufer. Auf trockenem Grund angekommen, stellte sich Jesudos vor Adama und zeichnete mit dem Finger ein Kreuz auf ihrer Stirn.

»Du gehörst jetzt ganz und gar zu Jesus Christus!« sagte er. »Und von nun an ist dein neuer Name Lea Rani! Wir sollten noch beten...!«

Jesudos sprach ein Dankgebet und Lea betete in der Stille mit. Vielleicht war dies ihr erstes bewußtes Gebet zu jenem Gott, dem sie sich jetzt ausgeliefert hatte. Aber vielleicht hatte sie auch schon in jenen Tagen als sie auf die drei Männer wartete, still für sich gebetet. So genau wusste sie es nicht und wusste vor allem nicht, ab wann man zum Denken auch Beten sagen konnte.

Dann war die Zeremonie beendet. Die Leute bei den Booten starrten herüber. Was sie wohl dachten? Ob sie wussten, was dieses Ritual zu bedeuten hatte? Mit Schrecken erkannte Lea in einem der Männer, die zuletzt gekommen waren, ihren alten Lehrer aus Kunavaram. Vor Jahren hatte er sie dort bis zur fünften Klasse unterrichtet. Der Mann hatte viel von ihr gehalten und deshalb dafür gesorgt, dass sie später noch bis zur siebten Klasse eine weiterführende Schule besuchen konnte. Und nun stand er da und schien sichtlich irritiert. ‚Der weiß, was das ist!' schoss Lea durch den Kopf. ‚Der kennt sich aus in der Welt!'

Blütezeit

15 Visionen und Zukunftsmusik

»Nie hätte ich gedacht, dass in so kurzer Zeit so viele Menschen den christlichen Glauben annehmen würden.«

Jacob saß mit dem Ayyagaru und dessen Schwiegersohn Benjamin, kurz Ben genannt, im Büro in Bhadrachalam. Sie gingen die Bücher und Akten durch, genauer gesagt, sie erstickten fast darunter.

»Du musst sie dem Datum nach ordnen!« sagte Samuel und wies Ben an, die Mappen mit den Belegen aus den großen blauen Plastiktüten in ein neu gekauftes Regal zu stellen.

»Ich überlasse das dir! Das ist nicht mein Ding!«

Da hatte er Recht. Verwaltung war nicht sein Ding! Er konnte Geld besorgen und ausgeben, nicht aber es verwalten, abrechnen, anlegen und verbuchen.

Von seinem Vater und durch eine kurze Ausbildung als Büroassistent, hatte Jacob gelernt, wie man ein Büro betreibt, jedenfalls ein wenig. Sein Vater hatte natürlich nur ein kleines Gemeindebüro gehabt. Hier aber war mittlerweile ein Büro für eine richtige Kirche entstanden. Es gab inzwischen sogar ein mehrstöckiges Gebäude, zumindest waren zwei weitere Stockwerke geplant. Im ersten Stock sollten Gästezimmer, im zweiten Stock die Räume der Nähschule untergebracht werden. Im Moment saßen sie im Büroraum gleich neben Samuels Wohnung und der Küche im Erdgeschoß. Da es noch an Geld fehlte, konnte vorerst nicht weiter gebaut werden. Der Ayyagaru hatte jedoch versichert, dass er die Partner in Übersee schon davon überzeugen werde, dass das Gebäude dringend benötigt würde. Sein Freund Helmut würde ihn nicht im Stich lassen. Bisher hatte er die

Deutschen jedenfalls immer für seine Pläne gewonnen und das erbetene Geld bekommen. Woher sonst hatte er das viele Geld für die ständige Erweiterung des kirchlichen Besitzes?

Zwei aneinander gestellte Schreibtische standen in der Mitte des Raumes, darauf ein giftig grünes Telefon, ein steinerner Elefant als Briefbeschwerer, ein Aschenbecher und ein Stapel Zeitungen. Fast vierzig dicke Mappen, mit Bändern oder Gummiband verschnürt, hatten sich inzwischen angesammelt. Bisher hatte Samuel sie in blauen Plastiksäcken deponiert. Jetzt lagen sie neben den Tischen auf dem gefliesten Fußboden. Der Inhalt war auf den Mappen vermerkt: Korrespondenz mit dem Indischen Kirchenbund, mit den deutschen Partnern und Behörden; Anträge auf Genehmigungen; Unterlagen für mehrere Kinderheime; Belege für Anschaffungen; Fahrzeugpapiere des gebraucht gekauften Ambassadors, mit dem der Ayyagaru und eines später erstandenen Jeeps, mit dem die Bischöfin unterwegs war; Dokumente für die inzwischen gekauften Grundstücke, für Bauland und landwirtschaftliche Projekte; die Verfassung der Kirche mit dem Eintrag im Vereinsregister; Bankauszüge.

Es wurde Zeit, dass endlich einmal Ordnung in diese Angelegenheiten kam. Darauf bestanden auch die Partner in Übersee massiv. Ben hatte das übernommen. Er hatte die Stieftochter Samuels geheiratet und war von Bombay nach Bhadrachalam gezogen. Jacob fand das beachtlich. Von der Metropole in die Provinz. Das war gewiss ein Opfer.

Samuel nahm den Faden wieder auf.

»Wir sind mit Nichts angefangen. Weißt du noch, Jacob, als du kamst, waren es nur vier oder fünf Gemeinden. Und wir hatten nichts, nur das kleine Kinderheim. Und nun haben wir eine richtige Kirche!«

Samuel klang begeistert und man spürte, wie stolz er auf das war, was er geschafft hatte.

»Über 25.000 Gemeindeglieder, 80 Pastoren und Mitarbeitende, Land, Gebäude, Kinderheime, die Nähschule, die Bibelschule! Das ist schon was – oder?«

Jacob nickte. Ben, ein großer, vornehm wirkender Mann, strahlte. Ja, das war schon was.

Die Kirche war schnell gewachsen. Jacob vermutete, dass es daran lag, dass die Menschen nach einem Halt suchten. Die Koyas verloren Stück für Stück ihr Land, ihre Lebensgrundlage. Hatten sie früher noch durch Brandrodung im Wald ihren Ackerbau betreiben und im Dschungel Früchte sammeln und jagen können, war das nun in den meisten Regionen vorbei. Der Wald war abgeholzt worden und den Ackerflächen gewichen. Viele mussten auf ihrem ehemals eigenen Land für einen Hungerlohn als Kulis arbeiten und Tabak, Chilli und Reis anbauen. Die Erträge gingen auf die Konten von Großbauern, die aus der östlichen Küstenregion gekommen waren und sich das Land angeeignet hatten. Die Taschen und oft genug auch die Mägen der Einheimischen blieben leer.

Jacob vermutete außerdem, dass die Koyas zugleich eine Antwort auf den Hinduismus suchten. Als Adivasis mit ihrer Naturreligion fanden sie darin keinen richtigen Platz. Sie wurden von den Hindus verachtet, mit Affen auf Bäumen verglichen und verspottet. Anders die christliche Botschaft. Die sprach ihnen einen unendlich hohen Wert zu. Vielleicht war dies der eigentliche Grund, dass in den letzten Jahren so viele Familien der Mission gefolgt waren.

Und natürlich der Heilige Geist.

Naja, und Samuels Geschick, bestehende Gemeinden miteinander zu vernetzen. Er hatte aus den verschiedenen Missionsbewegungen eine Kirche geformt und es fertiggebracht, die zwei oder drei von ihm gegründeten Gemeinden mit jenen südlich der Godavari und östlich an der Sabari zu verbinden. Samuel hatte Christen wie Abudas und Jesudos gewonnen, mit ihren Gemeinden unter seine Leitung zu kommen. Und nun waren sie

Eins, hatten die Anerkennung der anderen christlichen Kirchen, waren kurz davor, Mitglied im indischen Kirchenbund zu werden und erfreuten sich starker Partner in Deutschland nebst einiger privater Geldgeber in den USA, England und Norwegen.

»Wir werden das Ganze noch ausbauen!« sagte Samuel jetzt. »Wir brauchen eine English Medium Schule. Ben, das solltest du dir aufs Herz binden. Dann kannst du mit deiner Familie hier in der Stadt bleiben und wir haben eine weitere Einnahmequelle. Außerdem können Kinder der Pastoren und geeignete Schüler aus den Dörfern dort ein Kontingent an Plätzen bekommen. Dann kriegen wir auch die staatlichen Zuschüsse für die Förderung der Stammesdörfer.«

Ben strahlte noch mehr. Jacob konnte sich gut vorstellen, dass der Mann aus Bombay eine beachtliche Bildungsarbeit aufbauen würde. Geld verdienen konnte man mit Bildung tatsächlich gut. Auch wenn es gesetzlich nicht legal war, alle Bewerber mussten einen Betrag zahlen, um überhaupt einen Platz in privaten Schulen zu bekommen. So war das nun mal in Indien. Dazu kam das Schulgeld, das die Privaten im Gegensatz zu den staatlichen Schulen erheben durften. Nur, sie mussten freie Plätze für Stammesangehörige bereithalten, um die Genehmigung zu bekommen. Kein Wunder also, dass Ben strahlte. Seine Zukunft war gesichert.

Überhaupt, darum ging es: Die Zukunft der Kirche sichern. Jacob bewunderte Samuels Unternehmermut. Nur noch wenige Jahre, dann konnten sie alles selbst finanzieren und waren nicht mehr auf die Hilfe der Deutschen angewiesen. Der Ayyagaru war wirklich ein großer Visionär. Und er konnte offensichtlich selbst nicht genug bekommen von seinen Zukunftsplänen.

»Die Englisch Medium Schule starten wir direkt neben der Kirche auf dem Grundstück, das wir bereits gekauft haben. In den ersten Jahren kann dann die Kirche auch mitgenutzt werden. Die Schule kann ja eine kleine Miete zahlen und so hat die Gemeindearbeit auch etwas davon.«

Der Ayyagaru verstand es wirklich, viele Leute einzu beziehen. Auch der Ortspastor sollte von der Schule profitieren, also würde er das Vorhaben unterstützen. Außerdem wurde die Kirche ja an den Vormittagen selten genutzt. Es war ein prächtiges Gebäude. Die Deutschen hatten es finanziert, wie einige andere, zumeist kleinere Kirchen im Stammesgebiet auch. Wie fast alles. Über dreihundert Leute konnten in diesem Gebäude leicht Platz finden. Der Turm mit dem roten spitzen Dach war gut zu sehen und signalisierte in diesem immer mehr bebauten Neubaugebiet der Kreisstadt: »Wir, die Christen, sind schon da!« Auch das Bürogebäude sollte einen solchen, wenn auch schlankeren Turm bekommen zumal es mit seinen drei Stockwerken fast so hoch wie die Kirche sein würde. Samuel war immer darauf bedacht, aufzufallen. Jacob musste schmunzeln, denn er dachte wieder an sein »power für Jesus – Programm«. Ja, auch die zum Teil von weitem sichtbaren Kirchtürme zeigten, dass in dieser Region Indiens die Christen eine gesellschaftliche Größe geworden waren, mit der man rechnen musste.

»Die Bibelschule muss erweitert werden«, fuhr Samuel fort. »Gut wäre auch ein Hospital. Vor allem aber müssen wir die Schule in Kukunuru und das Kinderheim erweitern. Jacob, das machst du!«

»Aber ich will doch in die Gemeinde!«

Wie bei einem trotzigen Kind platzte es zornig aus ihm heraus. Jacob ärgerte sich. Er hatte inzwischen eine theologische Ausbildung absolviert. Genau genommen war er der einzige Theologe unter allen Pastoren. Die anderen hatten, wenn überhaupt, nur Kurse besucht. Einige, darunter Abudas, waren Analphabeten. Fünf weitere waren noch in theologischer Ausbildung. Drei Jahre hatte er sich in einem College in der Landeshauptstadt Hyderabad mit der Bibel, den Theologen, Griechisch und der Kirchengeschichte herumgeschlagen. Es hatte ihm viel Spaß gemacht. Aber bei all dem hatte er nur ein Ziel verfolgt: Er wollte eine Gemeinde leiten und hatte sich auf diesen Dienst unglaublich gefreut. Dafür war er angetreten, für die Mission und den Gemeindedienst. Gleich nach dem College bekam er dann auch eine Gemeinde. Und er liebte die Arbeit dort. Er liebte die Menschen und ihre Offenheit. Er liebte das Leben in einer einfachen Hütte. Vor Jahren, als er noch in Rajamundhri wohnte, hätte er sich das niemals vorstellen können. Doch nun genoss er es. Aufwachen beim ersten Hahnenschrei. Sich Zeit für die ersten Stunden des Tages nehmen. Lange auf Knien vor der Pritsche liegen und beten. Gott wirken lassen. Frische Luft einatmen. Familien besuchen. Für Kranke beten und den Leuten den Segen zusprechen. Predigen. Gottesdienst feiern.

Bereits nach einem halben Jahr hatte sich der Gottesdienstbesuch verdreifacht. Offenbar hatte Jacob den Leuten etwas zu geben. Sie trauten ihm. Sie kamen in die Seelsorge und holten sich seinen Rat. Er konnte mancher Familie zu ihrem Recht verhelfen, wenn es um Kredite oder Verträge ging, die sie als Analphabeten nicht lesen konnten. Gemeindedienst! Das war es, wozu er sich damals von Gott und Samuel hatte rufen lassen.

Und dann hatte Samuel ihn ins Büro gesteckt.

»Ich brauche einen guten Mann für die Administration!« hatte der Ayyagaru gesagt. »Du kannst Englisch, du hast kaufmännische Erfahrung, du kannst rechnen und jetzt auch mit dem PC umgehen.«

Jacob wurde jedoch den Verdacht nicht los, dass Samuel damals eifersüchtig auf seinen Erfolg gewesen war. Schon mehrfach war ihm aufgefallen, dass immer, wenn jemand bei den Leuten richtig gut ankam, Samuel das zu unterbinden suchte. So hatte er Abudas nicht mehr auf seinen Missionsreisen im Norden mitgenommen und ein deutscher Praktikant, der bei den Bibelschülern sehr beliebt war, sollte nur noch im Büro mitarbeiten.

»Ich weiß!« sagte Samuel und es klang versöhnlich.

»Du kannst ja in Kukunuru auch die Gemeinde versorgen. Aber Jacob, wer sonst soll die Schule und das Kinderheim dort leiten, wenn wir es bis zur zehnten Klasse ausbauen?«

Jacob beschloss, nichts mehr zu sagen. Er wollte die Sache mit seiner Frau besprechen. Immerhin lag Kukunuru im Süden der Godavari, etwa zwei Stunden Busfahrt entfernt. Sie mussten entweder umziehen oder für einige Tage in der Woche getrennt leben.

»Ich rede mit Deepa darüber.«

»Tu das!«

Jacob war sich klar darüber, dass Samuel sehr gut wusste, dass er tun würde, was von ihm erwartet wurde. Zwar war Samuel nicht mehr amtierender Präsident, trotzdem hatte er alle Zügel in der Hand. Ayyagaru eben, ehrenwerter Meister. Jacob war sauer. Eigentlich hatte Samuel die Leitung der Kirche an seine Frau Ramanamma übergeben. Doch die war nun nicht da. Sie war bei den Partnern in Deutschland. Also bestimmte Samuel, was geschah. Genau genommen bestimmte er das auch, wenn die Bischöfin hier war. Er würde immer bestimmen, was geschah. Er war der Ayyagaru, niemand sonst.

Jacob nahm sich vor, das Beste daraus zu machen. Immerhin war in Kukunuru mit über hundert Kindern das größte Kinderheim. Zuerst aber musste er Deepa überzeugen.

Er war so froh, dass er inzwischen verheiratet war. Viele Wochen waren ihm die Mandelaugen von Hannama aus Bodunuro im Kopf herumgespukt. Doch er hatte gemerkt, dass dies nicht sein Weg war. Die kulturellen Unterschiede zwischen der Stammesangehörigen und dem Städter erschienen ihm zu groß. Er war sozusagen im ‚normalen' Indien aufgewachsen, noch dazu als Kind des immer stärker werdenden Bildungsbürgertum und in jenem Indien, das mit Recht stolz auf seinen technischen und ökonomischen Fortschritt war. Hannama war wie er auch ein Kind ihrer Kultur. Aber sie war eine Koya - und die lebten in vielen Bereichen noch wie vor Beginn der Zeitrechnung: Pfeil und Bogen, Pflügen mit dem Holzpflug, von Ochsen gezogen, Sammler und Jäger... Das würde nicht gut gehen. Also hatte er versucht, die Mandelaugen zu vergessen. Er hatte es geschafft. Nur manchmal, wenn er sich allein gefühlt hatte, musste er an sie denken. Bis er Deepa traf.

Kurz bevor er in die Ausbildung ging, hatten seine Eltern ihm seine Frau vorgestellt. Ja, vorgestellt. Jacob empfand dies als ein Vertrauensbeweis seiner Eltern. Sie wollten, dass er mit entschied. Und er hatte entschieden. Deepa war genau die Richtige. Sie hatte drei Brüder, einer davon Architekt, ein anderer Direktor in einem Stahlwerk an der Küste. Eine gute Familie. Jacob würde den Moment nie vergessen, als Deepa ihm vorgestellt wurde.

Er war für vier Tage bei seinen Eltern zu Besuch gewesen. Am dritten Tag brachten sie ihn in jenes Dorf, wo Deepas Familie lebte. Jacob war damals unglaublich nervös gewesen. Ständig hatte er sein Gewicht von einem Bein aufs andere verlagert und mit den Fingern auf seinem Oberschenkel herum getrommelt. Auf dem Weg zum Haus seiner zukünftigen Schwiegereltern mussten sie das letzte Stück zu Fuß gehen. Es ging vorbei an Wasserbüffeln, fliegenden Händlern und vielen, vielen Kindern. Ob Letzteres ein gutes Omen war? Das Haus der Braut war schlicht. Der Familie standen vier Räume zur Verfügung. Die Tür stand offen. Drinnen waren Frauen, Jacob konnte jedoch nicht erkennen, wer die Braut war. Wahrscheinlich war es jenes Mädchen, das auf dem Bett saß und an dessen Haaren sich eine ältere Frau zu schaffen machte. Jacob musste sich auf einen weißen Plastikstuhl setzen. Der stand auf der Terrasse des Hauses. Wie auf einem Präsentierteller saß er dort. Ihm gegenüber stand ein zweiter Stuhl für die Braut. Vor

Nervosität musste er sich mit seinem Taschentuch ständig die Stirn abwischen. Er schwitzte, obwohl es nicht besonders heiß war. Dann kamen drei alte Frauen und setzen sich so, dass sie den Bräutigam gut sehen konnten. Jacob spürte ihre prüfenden Blicke fast körperlich. Er wurde begutachtet, jede seiner Bewegungen gedeutet. Er grinste verlegen. Die alten Frauen wurden später gebeten, ihren Eindruck wiederzugeben. Wenn sie gegen eine Verbindung gewesen wären, hätte man den Kontakt abgebrochen.

Und dann kam die Braut, Deepa.

Sie war in einen neuen, dunkelblauen Punjaby gekleidet und es hatte ihm den Atem verschlagen. Sie war unglaublich schön. Und scheu. Den Kopf hielt sie gesenkt, als sie sich ihm gegenüber auf den Stuhl setzte. Ohne den Blick zu heben, blieb sie etwa fünf Minuten sitzen. Jacob sah verstohlen zu ihr hinüber. Da, doch ein kurzer Blick in seine Richtung! Aus dunklen, tiefen Augen. Jacob war damals sofort sicher: Das ist sie!

Und dann war die Brautschau auch schon vorüber gewesen. Erst bei der Hochzeit hatten sie sich wieder getroffen, ganz wie es die Sitten und Regeln vorschrieben. Doch immerhin, seine Eltern hatten ihm die Wahl gelassen. Und er hatte: »Ja« gesagt und es bis heute nicht bereut.

Samuel steckte sich eine Zigarette an. Es war die sechste, seit sie über den Akten zusammen saßen. Seit Jahren rauchte er vor allem Marlboro, eine Marke aus Amerika. Seine Freunde brachten sie ihm vom zollfreien Einkauf mit, wenn sie nach Indien kamen. Oder er selbst kaufte sich die Zigaretten stangenweise, wenn er ins Ausland flog. Auch Ramanamma würde jetzt wieder Zigaretten mitbringen, da war Jacob sicher. Zigaretten, keinen Whisky. Den brachten manche der deutschen Freunde mit. Als Medizin für den Magen, sagten sie. Für Samuel war es leider keine Medizin. Zuerst hatte er noch gesagt, ein Glas Wein oder einen Whisky brauche er, um leichter einzuschlafen. Er hatte sehr hohen Blutdruck und litt oft unter Schlaflosigkeit. Dann jedoch hatte Jacob das Gefühl, dass Samuel auch tagsüber trank. Nicht immer, aber immer wieder und immer öfter. Wie auch das Rauchen, so tat er es anfangs heimlich, dann aber immer häufiger in seiner und Bens Gegenwart. Alle Pastoren wussten inzwischen Bescheid. Manche rauchten selber heimlich. Niemand aber sagte etwas.

»Es wird Zeit«, sagte Samuel und stand auf.

Draußen war es bereits dunkel. Vor dem Büroraum gab es einen großen Dachüberstand, darunter eine mit edlem Marmor geflieste Terrasse. Als Jacob hinaustrat, sah er, dass die meisten schon Platz genommen hatten. Das war leise, fast geräuschlos geschehen. Niemand wollte stören. Lieber warteten sie, als dass sie den Unmut Samuels erweckten. Die Sandalen und Schuhe standen draußen auf dem Betonboden vor der Pforte.

Auch Samuel trat hinaus.

Am Treppenaufgang zum ersten Stock stand ein brauner Holzstuhl, mit typisch indischen Schnitzereien versehen. Ein großer Stuhl, ein kleiner Thron. Samuel setzte sich. Jacob nahm zu seinen Füßen Platz, daneben Ben. Ebenfalls in der ersten Reihe saß Israel Rao, der Ortspastor, daneben Baburathnam. Dahinter quetschten sich die Bibelschüler und an der Wand die Mädels der Nähschule mit Ranja, der Haushälterin Samuels.

Jacob liebte die Morgen- und Abendgebete und genoss es auch jetzt wieder, als sie alle mit großer Hingebung den Lobpreis begannen. Jetzt war auch Samuel ein Anderer. Er intonierte zwei neue Lieder und gab genaue Anleitung, wie man sie zu singen hätte. Pastor Israel Rao spielte die Tablas, zwei Trommeln, die in Madras hergestellt wurden. Der Ayyagaru predigte mit wirklich großartigen Worten, Bildern und Vergleichen. Alle, auch Jacob, der ja nun schon viele der Predigten Samuels gehört hatte, hingen ihm an den Lippen. Das konnte er noch besser als Geld besorgen, organisieren und Leute einspannen: Predigen.

Heute hatte Samuel offenbar noch immer die Aktenberge im Kopf, als er davon sprach, dass man sich ganz und gar für das einsetzen solle, was man tue.

»Ich bin ein Narr!« sagte er mit seiner leisen eindringlichen Stimme. »Ein Narr für Christus!«

Und dann entfaltete er seine Sicht der Dinge, was den Beruf und die Berufung anging:

»Ein Narr ist ganz und gar seinem Herrn ausgeliefert. Er tut ganz, was er tut. Oder er sollte es lassen! Wenn der Herr will, dass ich ein Kuli bin, dann ganz. Wenn ich ein Geschäftsmann sein soll, dann ganz. Wenn ich Elektriker sein soll, dann ganz. Und wenn ich Christ bin, dann auch ganz. Und ich für meine Person bin eben ein Narr. Einer, der sich zum Narren macht für Christus. Ganz und gar einseitig, mit vollem Einsatz!«

Ja, da hatte er recht!

Jacob folgte einem Narren. Er hatte inzwischen allerdings manchmal den Eindruck, dieser Narr hatte seinen eigenen Kopf und führte keineswegs nur den Willen seines Herrn aus.

16 Schläge zum Frühstück

Das Katz- und Maus-Spiel beginnt von vorn. Am Morgen des Tages nach dem Besuch vom Geheimdienst macht mein Terroristenfreund Rama Krishna Rao einen weiteren Vorstoß, etwas von mir zu erfahren.

»Du hast noch nichts von dir erzählt«, eröffnet er die Runde, als wir unser Frühstück einnehmen. Im Essraum der B-Klasse sind nur wenige der etwa dreißig Plätze belegt. Die Steintische kommen mir heute schmieriger vor als gestern. Vielleicht liegt das aber auch nur an meiner zunehmenden Ungeduld. Ich bin der einzige Weiße im Raum. Wie alte Kumpels sitzen meine zwei Zellengenossen und ich an einem der Tische, etwas abseits der anderen. Ein runder Teller aus Weißblech steht vor jedem von uns, darauf die wie fliegende Untertassen aussehenden Idli und helles Kokoschutney. Ohne das cremige Chutney schmecken die Idlis aus Reismehl nach nichts, es sei denn, so schmecken fliegende Untertassen. Zum Glück gibt es außerdem Puris mit einer scharfen Sauce aus Kartoffeln und Zwiebeln. Ashok schmatzt beim Essen.

»Du kennst dich aus!« sagt Krishna jetzt.

»Wieso? Wie meinst du das?«

»Du isst mit den Fingern, wie einer von uns.«

Gerade reiße ich, die linke Hand unter dem Tisch, mit der Rechten ein mundgerechtes Stück vom Puri Fladen ab und stippe es in die Sauce. Was sich leichter anhört, als es ist.

»Du hast Recht, ich war schon öfter in Indien und hatte Gelegenheit, es zu üben.«

Was ich nicht sage: Ich war weit über zwanzigmal hier und müsste also fast Profi sein. Wobei das wirklich geschickte Essen mit den Fingern tatsächlich richtig schwierig werden kann. Immerhin isst man nur mit einer Hand und darf die zweite wegen ihrer möglichen Verunreinigung (z.B. durch die letzte Handlung innerhalb der Nahrungskette) nicht benutzen.

»Nun erzähl schon!« Rama Krishna wird etwas ungehalten. »Was machst du so in Indien? Und warum bist du hier im Knast?«

Okay, also tue ich ihm den Gefallen. Die erste Frage werde ich ihm beantworten, die zweite nicht. So ganz genau weiß ich schließlich selbst nicht, warum ich hier bin. Falls er mich ausspionieren will, sage ich ihm, was er ohnehin schon weiß. Falls nicht, bringt ihn das Gehörte auch nicht weiter.

»Zusammen mit meinen Kollegen begleite ich unsere Partnerkirche und deren Projekte«, erzähle ich. Ich bin Christ. In Deutschland bin ich kirchlicher Mitarbeiter.

Nein, nicht katholisch, sondern evangelisch. In Indien besuche ich Freunde und wandere oder fahre mit indischen Mitarbeitern von Gemeinde zu Gemeinde. Ich sehe mir die Arbeit in den von uns aus Deutschland gesponserten sieben Kinderheimen an und plane zusammen mit der Kirchenleitung nächste Schritte. Gelegentlich leite ich Studienreisen nach Südindien und besuche mit Gruppen auch das Stammesgebiet. Und manchmal helfe ich bei einer Schulung für Mitarbeitende der Partnerkirche und unterstütze besonders deren Jugendarbeit.

Ich erzähle das, was jeder hören kann und darf. Als ich eine Pause einlege und mir zwei neue, inzwischen unangenehm abgekühlte Puri aus der großen Blechschale nehme, fragt Krishna genauer nach.

»Das ist wirklich beeindruckend«, sagt er und scheint es ehrlich zu meinen, »ihr macht da wirklich eine wichtige Sozialarbeit. Ohne Ausbildung haben die Kinder bei uns keine Chance. Vor allem in den Dörfern gehen sie nur dann zur Schule, wenn sie im Kinderheim leben. Und wo ist das? Wo arbeitet eure Partnerkirche?«

Ashok schmatzt immer noch. Jetzt muss es also raus. Gleich werden wir Gemeinsamkeiten austauschen. Christ und Terrorist im gleichen »Zielgebiet«. Doch was spricht dagegen, dass ich ihm sage, wo wir arbeiten? Ich gebe nur preis, was der Hai vom Geheimdienst bereits weiß.

»Im Khammam Distrikt«, sage ich, »in der Gegend von Bhadrachalam. Und Kukunuru.«

Es ist schwer zu erkennen, ob das Schweigen Krishnas nun echt oder gespielt ist. Jedenfalls wirkt er ehrlich überrascht. Er sitzt mit großen Augen und mit leicht geöffnetem Mund staunend vor mir.

»Was?«

Er springt zwar nicht, steht aber langsam auf und seine Stimme wird lauter.

»Dann kennst du ja die Gegend, aus der ich komme!«

»Setz dich!«

Ich ziehe ihn am Ärmel seines karierten Hemdes zurück auf seinen Hocker.

»Ja, ich kenne die Gegend, aus der du kommst!«

Zwei Männer am Nachbartisch schauen nun zu uns herüber. Einer von ihnen ist ein stämmiger, etwa fünfzigjähriger Mann, der nun auffälliges Interesse zeigt.

»Rede nicht so laut. Ich möchte nicht, dass hier alle mithören.«

Krishna hat sich wieder beruhigt.

»Dann kennst du die besondere Situation in der Region entlang der Godavari?« fragt er.

Ja, die kenne ich!

Ich kenne die Situation der Adivasis, vor allem die des Koya-Stammes. Ich kenne die meisten Dörfer der Region und der angrenzenden Gebiete. Ich selbst habe eine Landkarte der Gegend gefertigt und bisher noch keine Bessere gefunden. Ich kenne den Fluss zwischen Bhadrachalam und Perentapalli. Ich habe von den Lösegeldforderungen und den Attentaten der Naxaliten gehört und von der ebenso brutalen Reaktion der Polizei. Ich weiß, dass viele in der Region für einen eigenen Bundesstaat kämpfen und von großen Teilen der Bevölkerung dabei unterstützt werden. Ich weiß, was mit dem bei Polavaram geplanten Staudammprojekt auf die Region zukommt. Ich kenne die Oppositionsparteien und Aktionsgruppen zwar nicht näher, weiß jedoch immerhin ihre Namen mit den netten Abkürzungen: CPI, CPM, CPIML, ARS, TRS. Ich kenne einige NGO's in der Region, Nicht-Regierungs-organisationen. Und ich kenne die Kirchen der Region, vor allem eine.... Nicht alles, was ich kenne, verrate ich Rama Krishna Rao. Das, was ich ihm erzähle, beeindruckt ihn jedoch sichtlich.

»Ich wusste nicht«, sagt er, »dass es überhaupt Europäer gibt, die sich für unsere Sache interessieren!«

»Nun weißt du´s. Außer mir sind übrigens noch einige andere dabei.«

»Aber hier sitzt du allein!«

»Richtig, meine Kollegen wurden bisher noch nicht behelligt und sind im Moment auch nicht in Indien.«

Ich weiß nicht, ob ich mich darüber freuen soll, oder lieber einen meiner Mitstreiter neben mir hätte.

Die Zeit für das Frühstück ist jetzt eigentlich vorüber. Das Wachpersonal, unser Flachmann-Wächter hat heute offenbar keinen Dienst, hat jetzt jedoch offenbar keine Lust, den Saal zu räumen. Der Tisch der Wachhabenden steht direkt an der Tür. Sie spielen Karten und achten nicht auf das, was im Raum geschieht. Bis es laut wird.

Ich will gerade erklären, dass meine Kollegen und ich seit vielen Jahren kommen und dieses Land wirklich lieben, da kommt der kräftige Mann vom Nachbartisch zu uns herüber. Selbst Ashok, der bis eben mit Essen und Schmatzen beschäftigt war, sieht auf.

Der Kräftige sagt etwas zu Krishna.

Der antwortet auf Telugu.

Dann wendet sich der Kräftige in gebrochenem Englisch an mich.

»Bhadrachalam? Entschuldige, hast du eben Bhadrachalam gesagt?«

Habe ich.

»Und ihr habt Kontakt zu einer Kirche dort!«

Haben wir.

»Ist es die CSI, die Church of South India?«

Nein, ist es nicht.

»Dann ist es die Lutherische Kirche!?«

Ist sie und der Mann trifft mit seiner Frage einen wunden Punkt. Nicht nur mit seiner Frage. Beinahe auch mit seiner Faust.

Plötzlich brüllt er los und greift mich an.

Ich weiß nicht, wie mir geschieht. Der Mann brüllt und gestikuliert. Fast bekomme ich einen Fausthieb an die Wange. Nur weil ich mich schnell zur Seite drehe, trifft er meine Schulter, hammerhart. Ein stechender Schmerz schießt mir wie ein brennender Pfeil durch den Oberarm. Der Mann brüllt weiter. Da er dabei seine Muttersprache benutzt, verstehe ich nichts, außer einem Namen.

»Samuel Raj!«

Immer wieder brüllt er:

»Samuel Raj?!«

Die zwei Wächter sind aufgesprungen und stürzen auf unseren Tisch zu. Sie packen den Mann, zerren ihn zu Boden. Er bäumt sich auf und schafft es beinahe, die beiden abzuschütteln. Da kommen zwei andere Wächter hereingestürzt. Der Flachmannfreund ist auch dabei, hat also heute doch nicht seinen freien Tag. Alle vier halten den Tobenden fest und schreien auf ihn ein. Ich stehe ein wenig verloren vor meinem Tisch und reibe mir die schmerzende Schulter und den Arm. Krishna stützt sich auf den Tisch und staunt abwechselnd den Kräftigen und mich an. Sogar Ashok ist aufgestanden.

Wir müssen natürlich umgehend zurück in die Zelle. Krishna übersetzt, was unser Wärter bekannt gibt:

»Es wird eine Untersuchung geben!«

Ich frage mich, was es da wohl zu untersuchen gibt. Zwar habe ich keine Ahnung, was da eben passiert ist, eines aber ist mir klar: Da hat ein kräftiger Mann eine riesige Wut auf Samuel Raj. Warum, weiß ich nicht. Aber die Wut ist ganz offensichtlich so groß, dass dieser Hüne die Kontrolle über sich verloren hat.

Die Stahltür fällt ins Schloss. Wahrscheinlich wegen des Vorfalls im Essraum werden wir eingeschlossen, denn sonst bleibt die Tür um diese Zeit noch offen.

Ashok schüttelt den Kopf, als er sich auf sein Bett setzt und eine Tageszeitung zu lesen beginnt. Täglich wird die Zeitung geliefert. Meine Kollegen hier genießen es oft stundenlang, sie zu studieren. Ich kann sie leider aus sprachlichen Gründen weder verstehen noch lesen. Auch ich setze mich auf mein Bett. Krishna nimmt auf einem der zwei Stühle Platz. Ja, es sind nur zwei. Offenbar wurde für jedes Doppelbett nur ein Stuhl genehmigt.

Schweigen. Da beginnt mein Naxalitenfreund erneut das Gespräch.

»Na, das ist ja was. Ich erzähle dir meine Geschichte, du tust so, als hättest du keine Ahnung. Und nun geht ein wildfremder Riese auf dich los und will dich wegen eines gewissen Samuel Raj platt machen.«

Ich schweige.

»Wer ist denn das bloß, dieser Samuel Raj?!«

Ich schweige weiter. Doch er lässt nicht locker.

»Komm, nun rück schon raus damit! Wenn der Mann dich derart angreift, weil er dich irgendwie in Verbindung mit diesem Samuel Raj bringt, wie groß muss dann seine Wut auf diesen Typen selbst sein! Du hast echt gefährliche Freunde!«

Ich höre die Luke der Tür. Sie wird geöffnet. Was wir sehen sind nicht die Augen des Wächters. Wir verstummen. Dann wird der Riegel zur Seite geschoben und die Tür geöffnet. Appa Rao. Den hätte ich nun fast vergessen. Er ist nicht allein. Ein smarter junger Mann, gut gekleidet in einem grauen Zweireiher, nach Deo oder Männerparfüm duftend, steht an seiner Seite. Er ist Weißer und unterm Arm trägt er eine edle braune Aktentasche der Marke Highdesign.

»Mr. Oliver?« ja, das bin ich.

»Bitte kommen Sie doch mit in den Besucherraum.«

»Na, da muss ich wohl!«

Ich sage das mit einem Achselzucken des Bedauerns in Richtung Krishna. In Wahrheit bin ich wieder einmal froh, den weiteren Fragen zu entkommen.

Ich trotte hinter dem Wächter und meinem Gast her. Appara geht neben mir und schnauft, als wir die Treppen hinuntersteigen.

»Was macht mein Rasierapparat?!« frage ich mit möglichst unverfänglicher Stimme. Der Anwalt reagiert, als hätte er gerade einen Prozess verloren.

»Oh, ich kann wirklich nichts dafür!« jammert er. »Alle behaupten, den habe es nie gegeben. Alle beschwören beim Leben ihrer Mutter, dass sie nichts aus Ihren Sachen genommen haben.« Gut, dass ich nicht die Mutter dieser Leute bin.

»Das habe ich nicht anders erwartet!« sage ich. »Also werde ich den Diebstahl des Apparates dann wohl dem Mann vom Konsulat berichten und ihn um Hilfe bitten!«

»Nein, nein! Lieber nicht. Geben Sie Indien und seinem guten Ruf noch eine Chance! Bis morgen, das verspreche ich, werde ich das Problem lösen.«

Ich kann mir schon denken, wie. Wie fast alles hier. Mit Geld. Oder mit Druck.

Im Besuchsraum sind der Konsulatsbeamte und ich unter uns. Appara hat den Constabler einfach hinausgeschoben. Wahrscheinlich hat er ihm einen Drink angeboten oder eine Partie Karten in Aussicht gestellt. Oder Beides. Jedenfalls bin ich das erste Mal mit einem Besucher allein in diesem Raum.

»Mein Name ist Jochen Schröder«, sagt der Mann und erleichtert registriere ich, dass er Deutscher ist.

»Mich hat die Vertretung der Bundesrepublik Deutschland geschickt, um Ihnen beizustehen und Sie zu beraten.«

Immerhin! Endlich ist jemand da, am sechsten Tag. Innerlich muss ich schmunzeln. Am sechsten Tag wurde der Mensch geschaffen und einen Tag später musste Gott sich ausruhen. Ich hoffe, für Herrn Schröder wird die Sache mit mir nicht so anstrengend, dass er sich morgen schon wieder ausruhen muss.

»Sie wissen, warum Sie hier sind?«

Ja gewiss. Jedenfalls weiß ich von dem Anklagebrief. Er wurde von vielen der Überläufer unterschrieben und Schwager und Sohn von Samuel Raj haben ihn persönlich beim Ministerialbeauftragten abgegeben. Ich bestätige Herrn Schröder, dass ich weiß, wessen ich angeklagt bin.

»Und?« fragt er. »Stimmt es?«

Das ist nun wirklich direkt. Ein gradliniger Mann.

»Ich muss wissen, woran wir sind«, erklärt er ohne eine Antwort auf seine Frage abzuwarten. »Wenn die Anschuldigungen oder auch nur einige davon stimmen, müssen wir vielleicht die Politik einschalten, um sie hier herauszubekommen. Dann muss ich Kontakt mit dem Auswärtigen Amt in Berlin aufnehmen und auch Anwälte konsultieren.«

Na, das hört sich ja nicht besonders Mut machend an.

»Es stimmt nicht!« sage ich eindeutig.

Und dann erzähle ich ihm das Gleiche, was ich Mr. Sri Ramulu Raj, dem Geheimdienst-Hai erzählt habe.

»Na, dann mal von vorne...«.

Herr Schröder entpuppt sich als Systematiker. Während ich erzähle, macht er sich Notizen. Nach etwa einer halben Stunde hat er schon drei Blätter vollgekritzelt. Ein gründlicher Mann! Einer, der zuhören kann.

Gelegentlich hören wir es an der Tür des Besucherraumes rasseln. Dann sieht das blasse Gesicht meines Wächters herein, dahinter das feiste Grinsen von Appa Rao.

»Aber das gibt es doch nicht!« »Wie gemein!« »So dumm zu lügen ist ja wohl dreist!«

Herr Schröder staunt und staunt. Ich traue mich nicht, ihn zu fragen, was er bisher gemacht hat. Seinem Staunen nach zu urteilen und seiner Reaktion auf meine Geschichten, hat er mit ähnlichen Fällen wie meinem bisher nichts zu tun gehabt. Na, das kann ja heiter werden. Ob dieser Mann der Richtige ist?

Als ich ihm alles erzählt habe, fast alles, steckt er seine Zettel in die Aktentasche, klappt die zu und steht auf.

»Ich denke, das reicht!« sagt er. »Ich muss jetzt mit meinem Chef telefonieren. Morgen werden wir weitersehen.«

Ich frage ihn, wieso er mich nicht gleich mitnehmen kann. Er schüttelt nur freundlich und ein wenig mitleidig dreinschauend mit dem Kopf.

»Das geht leider nicht. Wir müssen zuerst Akteneinsicht beantragen, dann alles prüfen und dann schauen, was wir tun können.«

Ich bin frustriert. Das hört sich nach deutschem Amtsschimmel an. Wenn der seinem indischen Gegenstück begegnet, kann nur eine sehr zeitintensive Rettungsaktion dabei herauskommen. Wenn überhaupt. Wieder steht mir das Bild einer Gefängnisbefreiung im Wilden Westen vor Augen. Die Retter kommen, binden ein Seil an die Gitter, reiten los und das Gitter fliegt aus seiner Fassung. Hier jedoch gerät nichts aus der Fassung, nur ich.

»Wie lange soll denn das dauern?!«

Ich bin entsetzt, hatte ich doch gehofft, dass mich mein deutscher Befreier gleich mitnehmen kann.

»Ich weiß nicht. Ich rufe meinen Chef an und morgen oder übermorgen komme ich wieder.«

Immerhin weiß ich jetzt, dass der gute Herr Schröder nicht allzu viel zu sagen hat. Ich frage ihn noch, ob er im Konsulat eine Frau Brinkmann aus der Visaabteilung kennt. Er kennt sie nicht, hat aber von ihr gehört. Sie sei zurück nach Deutschland gegangen, sagt er.

Als ich die Treppe wieder hinaufgehe, Herrn Schröder und den Wächter hinter mir, schiebt sich Appara neben mich und raunt mir jene Frage zu, die ihn offenbar am meisten bewegt:

»Und, haben Sie etwas vom Rasierapparat gesagt?«

Ich bin reichlich geschockt, denn er interessiert sich mehr für den guten Ruf Indiens als für mich, seinen Klienten.

»Noch nicht!« murmele ich.

»Keine Angst! Ich besorge Ihnen den Apparat!«

Dann schweigt er einen Moment - und plötzlich fällt es ihm doch noch ein, nach mir zu fragen und danach, wie es gelaufen ist.

»Und, setzen sich Ihre Leute für Sie ein?«

Ich sage ihm ehrlich und offen, dass ich es nicht weiß.

»Machen Sie sich keine Sorge«, sagt er, »Cäsar wurde auch von seinem besten Freund verraten.«

Na, der Mann versteht es, seinen Klienten Mut zu machen! Dabei liegt er gar nicht so weit daneben. Mich und uns hat einer unserer besten Freunde verraten.

17 Göttersterben

Ob sie sich bald an den neuen Namen gewöhnen würde? Und an die neue Situation?

»Adama hat sich taufen lassen!«

Ihr ehemaliger Lehrer konnte das offenbar nicht für sich behalten. Als Lea am nächsten Morgen zum Brunnen ging, spürte sie, dass die Leute ihr anders begegneten. Normalerweise war der Brunnen, ein einfacher Schacht, in den Boden gegraben und mit gebrannten Ziegeln rund gemauert, der Treffpunkt aller Frauen. Hier wurden Neuigkeiten ausgetauscht, Verabredungen getroffen, viel gelacht und manchmal auch geweint. Gelegentlich kamen auch Männer, um die schweren Wasserkrüge zu füllen und dann zu ihren Höfen zu schleppen. Die hielten sich allerdings nur am Abend etwas länger auf, wenn sie nach Feierabend ihre Bedees oder Zigarren rauchen konnten und Zeit hatten, über ihre Ernte, die Jagd, das Vieh oder die politische Lage zu diskutieren.

An diesem Morgen war der Brunnen jedoch fest in der Hand der Frauen. Schon von weitem sah Lea, wie die alte Prasanna vor ihrem Krug stand und heftig auf zwei junge Frauen einredete. Eine davon war Kumari, Lea's Freundin. Lea war so froh gewesen, dass sie außer ihrer

Tante sofort eine Frau im gleichen Alter kennengelernt hatte, als sie nach Arukuru zog. Sie hatten sich am Brunnen getroffen, wo sonst! Und das Schöne: Kumari hatte denselben Namen wie Lea's beste Freundin in Chatti. Und nun stand sie dort am Brunnen und die im Dorf als Tratschbase bekannte Prasanna redete auf sie ein. Lea schwante nichts Gutes.

Sie näherte sich dem Brunnen.

Als Prasannas Blick auf Lea fiel, verfinsterte sich ihre Miene. Sie hörte auf zu reden. Kumari drehte sich um und auch die dritte Frau, ein junges Mädchen mit einem kleinen Jungen im Tragetuch, starrte zu ihr hinüber.

»Zeimendine? Wie geht es dir?«

Lea fragte freundlich und wählte die Stammessprache Koya. Doch es kam kein ‚Zeimendina! Mir geht es gut!', nur Schweigen.

»Was ist?« fragte Lea. »Was habt ihr?«

»Du weißt genau, was wir haben!« Nicht Prasanna, sondern Kumari stieß es hervor, mit aggressiver Stimme. »Du hast unseren Glauben verraten!«

Lea hatte mit Fragen und Unverständnis gerechnet, nicht aber mit einer derartigen Aggression.

»Wieso verraten?! Kumari, ich habe doch mit dir über meine Zweifel und die Sache mit dem Fisch gesprochen!«

»Aber du hast nicht gesagt, dass du diesem Fisch ins Netz gegangen bist! Und du hast nicht gesagt, dass du die Religion der Fremden annehmen willst. Und du hast nicht gesagt, dass du Lord Shiva und, was noch schlimmer ist, unsere alten Stammestraditionen verlassen willst!«

Kumari hatte einen hochroten Kopf bekommen und steigerte sich richtig in ihren Zorn hinein. So hatte Lea sie noch nie erlebt.

»Ich will mit dir nichts mehr zu tun haben!«

Das war für längere Zeit das Letzte, was Lea von ihrer ehemaligen Freundin hörte. Kumari nahm ihren Krug, stemmte ihn auf die Schulter und marschierte davon. Ihr rot geblümter Sari leuchtete in der Morgensonne.

Wie Feuer. Oder Blut.

Auch Ramanna nahm ihren Krug.

»Ich glaube nicht«, sagte sie, »dass du hier noch Freunde hast.«

Die alte Frau drehte sich um und ging. Die Letzte, jenes Mädchen mit dem Baby, murmelte noch so etwas wie:

»Es tut mir leid...«, machte sich dann aber auch auf den Weg, unter einem Arm den Krug, im anderen das Baby.

Lea war allein. Und blieb es.

Niemand kam mehr zum Tempel. Niemand besuchte sie. Wenn sie den Weg zum Wald empor ging, um Feuerholz zu sammeln, wichen ihr die Nachbarn aus. Wenn sie zum Brunnen kam, nahmen die anderen schweigend ihre Gefäße und gingen. Niemand erwiderte ihren Gruß.

Das durfte doch nicht wahr sein! Lea konnte nicht fassen, dass sich alle so schnell von ihr zurückzogen. Ja, sie wusste, dass sie einen riesigen Schritt gemacht hatte. Aber so?

Am Abend dieses Tages war sie einsamer denn je. Wenn doch nur Jesudos und Abudas bei ihr wären! Doch die waren weiter gezogen. Sie wollten wieder zurück, wollten bei Kunavaram mit dem Fährboot die Godavari überqueren und dann in Gullavai bei Abudas übernachten. Von dort aus wollten sie die Gemeinden der Region besuchen und hatten berichtet, dass ein angeblich sehr beeindruckender Christ aus der Gegend von Bhadrachalam zu ihnen stoßen wolle, um die Gemeinden kennenzulernen. Ayyagaru nannten die zwei diesen Christen, ehrenwerter Meister.

Lea machte ihr Radio an. Wenigstens etwas. Sie hatte ja noch den christlichen Sender mit seiner Musik und den Ansprachen. Und tatsächlich, gerade brachte der Sender eine Predigt. Worum es ging, konnte Lea nicht mehr herausfinden, da der Beitrag offenbar schon länger lief. Doch der Prediger sprach davon, dass man Jesus mit allen Konsequenzen nachfolgen solle.

»Wenn ein Haus leer ist und sauber«, sagte der Prediger und schien dabei aus der Bibel zu zitieren, »kehrt der Teufel mit vielen anderen bösen Mächten zurück und besetzt die Räume neu!«

Lea nahm sich fest vor, ihm keinen Raum mehr zu lassen. Schon mit ihren beiden Gästen hatte sie über den Teufel diskutiert. Sie glaubte zwar nicht, dass der Teufel so etwas wie eine Person war, konnte sich aber gut vorstellen, dass er in der Form von bösen Geistern auftrat und die Menschen dann schlechte Träume hatten, andere Menschen verletzten oder gar töteten, sich die Frauen oder Land oder Rinder anderer Menschen aneigneten, oder...

»Wir sind selbst für unser Leben verantwortlich!« hatte Jesudos voller Überzeugung gesagt. »Und doch sind wir Mächtigkeiten ausgesetzt, gegen die wir keine Chance haben!«

Lea war es kalt den Rücken hinunter gelaufen, als der Wanderprediger das gesagt hatte.

»Aber Jesus ist stärker! Gegen ihn hat kein Teufel, kein böser Geist, keine Dämonen oder sonst etwas eine Chance!«

Nun hatte Jesudos noch überzeugter geklungen als eben. Und Abudas hatte ihm zugestimmt.

»Ich habe das so oft erlebt!« hatte der gesagt. »Ich selbst wurde viele Jahre immer und immer wieder von bösen Mächten attackiert. Dann habe ich die Besinnung verloren und bin mit Schaum vor dem Mund einfach umgefallen. Manchmal habe ich mich böse verletzt. Einmal bin ich sogar in die Feuerstelle gefallen und habe diese große Verbrennung davongetragen.«

Er hatte an seinem weißen Hemd den Ärmel hochgeschoben und Lea eine riesige Narbe am linken Unterarm gezeigt.

»Aber dann bin ich Christen von der Küste begegnet. Die haben für mich gebetet, mehrmals, immer wieder. Und nun habe ich diese Anfälle und bösen Geister seit vielen Jahren nicht mehr gehabt. Also ist es klar: Jesus ist stärker als alle Teufel dieser Welt zusammen!«

Während Abudas dies gesagt hatte, hatte er seine alte Sitar aus dem Beutel geholt und ihr während des letzten einige wunderbar schräge und zu Gemüt gehende Töne entlockt.

Lea musste lachen als sie daran dachte. Das waren schon merkwürdige Käuze, die zwei! Wenn der andere, jener Ayyagaru, nur halb so originell wie diese zwei war, dann hatte er wirklich Format.

Sie nahm sich vor, keine Kompromisse einzugehen. Sie würde ihren neuen Glauben durchhalten! Und in dieser Nacht schlief sie ausgesprochen gut.

*

Wie immer wachte sie gleich nach dem ersten Hahnenschrei auf. In der Hütte war es stockdunkel. Sie schwenkte die leichte Bambustür zur Seite und spähte hinaus. Es dämmerte bereits. Sie trug ihr bequemes Nachthemd, ein weites, knöchellanges Kleid mit blauen Lilien. ‚Wie schön es am Morgen ist!' Sie liebte die Stunde zwischen Nacht und Tag ganz besonders.

Heute allerdings währte die Freude nicht lange.

Ihr Blick fiel auf den Zaun, der ihren Hof umgab – oder besser, umgeben sollte. Er bestand aus einzelnen großen und festen Bambusmatten, die an Pfählen befestigt waren. Doch nun stand er nicht mehr. Mit roher Gewalt war er umgestoßen worden. Einige der Pfähle waren abgebrochen. Manche der geflochtenen Matten waren so beschädigt, dass sie sich auflösten und die einzelnen Bambuslatten den Halt verloren.

Lea war geschockt. Was war hier passiert?

Zuerst dachte sie daran, dass vielleicht eine Herde Rinder die Dorfstraße entlang zum Fluss getrieben wurde und die Hirten sie nicht unter Kontrolle gehabt hatten. Irrtum, es gab keinerlei Spuren davon. Dies war nicht von Tieren, dies war von Menschen angerichtet worden. Lea hatte Feinde.

Nie zuvor war sie von anderen Menschen bedroht worden. Nie hatte man ihr etwas gestohlen, sie geschlagen, ihren Besitz zerstört. Lea musste sich erst einmal setzen. Sie starrte auf den Zaun, der zerstört am Boden lag. Sie konnte es nicht fassen.

Da hörte sie Stimmen. Drei ältere Jungen kamen den Weg entlang. Gleich mussten sie auf der Höhe ihres Hauses sein. Lea merkte plötzlich, dass sie noch im Nachthemd vor der Tür saß. Schnell ging sie ins Haus. Als sie sich ihren Sari anzog, hörte sie die Stimmen der Jungen direkt vor ihrem Haus. Zuerst meinte sie, sie hätte sich verhört. Aber es hatte tatsächlich einer von den Jungen gerufen, was sie verstanden hatte:

»Da wohnt die Christenhure! Bei Jesus im Bett und Shiva verlassen!«

Lea war geschockt. Wer wagte es, so etwas zu behaupten!

Schnell warf sie sich den Rest des Stoffes über die Schulter und ging hinaus.

»Was fällt euch ein!« schrie sie die Jungen an. »Wie könnt ihr es wagen, so über mich zu reden!«

Nach dem ersten Schreck aber riefen die Jungen zurück und offenbar machte es ihnen sogar noch Spaß.

»Wieso?! Stimmt doch! Christenhure, Christenhure! Verräterin und Christenhure! Mit Jesus im Bett und Shiva verraten!«

Lea schäumte vor Wut. Diese Halbstarken! Am liebsten hätte sie allen Dreien eine geknallt, wie damals dem Mann im Bus, der ihr den Rauch ins Gesicht geblasen hatte. Aber als sie loslief, um die Jungen zu packen, nahm der größte der Drei einen Stein vom Boden und warf ihn nach Lea. Nur wenige Zentimeter und das Geschoss hätte sie am Kopf getroffen. Abrupt stoppte sie und blieb wie angewurzelt stehen. Auch der etwas Jüngere, sie erkannte den Enkel von Prasanna, warf einen Stein. Dann rannten alle drei davon.

»Christenhure, Christenhure!«

Der Spott klang Lea noch in den Ohren, als von den Spöttern längst nichts mehr zu sehen war.

»Mit Jesus im Bett und Shiva verraten!«

Lea raste vor Wut.

Wie konnten diese Flegel es wagen, sie so zu beleidigen. Sie war Christin geworden. Sie hatte den christlichen Glauben angenommen. Sie hatte einen neuen Gott. Warum war das so verwerflich?

Stimmt! Noch voller Wut begriff Lea, dass nun wirklich alles anders war. Nicht Shiva, sondern Jesus war jetzt ihr Gott. ‚Wenn ein Haus leer ist und sauber...' ihr fielen die Worte von gestern aus dem Radio wieder ein. Und plötzlich wusste sie, was zu tun war.

Sie suchte hinter dem Haus. Irgendwo an der Wand, zwischen dem schmalen, runden Vorratsspeicher und der Hütte, musste sie liegen. Da war sie! Lea nahm die schwere Stange aus gehärtetem Stahl und marschierte entschlossen Richtung Tempel. Zuletzt hatte sie die Stange benutzt, um die Fundamente für Ihre Hütte zu graben. Sie brauchte beide Arme, um das lange Stemmeisen sicher zu transportieren. In den Augenwinkeln sah sie, wie zwei ihrer Nachbarn vor ihren Hütten saßen und sie erstaunt anstarrten. Es war ihr egal.

»Ich muss es beenden!« dachte sie. »Jetzt oder nie! «

Zuerst starb der Stier. Die ehemalige Priesterin feierte Gottesdienst und schlug ihm den Kopf ab. Der schwarze Stein zersplitterte in mehrere Teile. Dann bearbeitete Lea den Körper des Stiers. Nur kleine Brocken blieben übrig. Jetzt Shiva selbst.

»Wehre dich, wenn du kannst!«

Er konnte nicht. Eben noch ein starker, schwarzer Penis, Phallussymbol der Schöpferkraft und Herrschaft über Tod und Leben, nun ein Scherbenhaufen. Lea zerbrach die Opferschalen neben dem Heiligtum, zertrümmerte die Barriere davor und zerfetzte die Blumenkränze, mit dem sie ihren alten Gott vor Tagen noch geehrt hatte. Nichts durfte bleiben. Nichts!

Erschöpft lehnte sie sich an den Baum neben der Tempelhütte. Sollte sie auch noch Feuer legen? Inzwischen war ihr Zorn etwas abgekühlt und sie konnte klare Gedanken fassen. Besser nicht. Der auffrischende Wind würde die Funken bis ins Dorf tragen und es könnte eine Katastrophe geben. Lea wollte ihren Tempel und nicht die Menschen im Dorf oder deren Lebensgrundlagen zerstören. Plötzlich war sie müde. Aber auch froh. Nun war klar, wo sie stand. Auf der Seite von Jesus, eindeutig. Sie war getauft, hatte ihr Priesteramt eindeutig beendet und jetzt war klar, wohin sie gehörte.

Klar? Klar war gar nichts. Sie legte sich die Hand über die Augen. Tränen rollten über ihr verschwitztes Gesicht. Die Schärpe ihres Saris hatte einen langen Riss bekommen. Lea weinte. Nichts war klar, gar nichts!

Als sie aufsah, hatten sich einige Leute eingefunden, die sie in vorsichtigem Abstand und schweigend beobachteten. Lea erkannte Prasanna und etwas weiter hinten auch Kumari. Ihr Nachbar stand mit einer Wasserbüffelkuh und deren Kalb auf dem Weg und blickte still und stumm auf sie und die demolierte Tempelhütte. Zwei andere Männer standen auf dem Feld hinter der Hütte, hatten je eine Sichel in der Hand, rührten sich jedoch nicht.

Sie alle waren seltsam starr, wie versteinert. Lea hätte Feindseligkeit erwartet oder Aggression wie vorhin bei den drei Jungen. Nichts davon. Immer mehr Leute kamen aus ihren Hütten. In Sichtweite zum Tempel blieben sie stehen. Jene, die mitbekommen hatten, was geschehen war, flüsterten den Neuankömmlingen etwas zu.

Worauf alle schweigend zu Lea hinüberstarrten. Als ob sie auf etwas warteten. Oder auf Jemanden.

Doch Lord Shiva kam nicht. Keine Rache. Keine Strafe. Überhaupt kein Zeichen. Göttersterben.

18 Gemeinsame Bekannte

Die Luke aufmachen und nachsehen, wie es in der Zelle aussieht. Den Schlüssel am Bund heraussuchen, das Sicherheitsschloss aufschließen, den Riegel zur Seite schieben, die Tür öffnen, den Platz freigeben, damit ich eintreten kann. Jede Bewegung scheint durch tausendfache Übung zu einem Teil der Persönlichkeit meines Wächters geworden zu sein. Und plötzlich ist es, als habe dieser kleine Ausflug nie stattgefunden. Ich stehe wieder in der Zelle. Ashok sitzt mit seiner Zeitung auf seinem Bett und Krishna hockt am Tisch.

»Na prima«, sagt Krishna gleich, nachdem die Tür wieder geschlossen ist.

»Da bist du ja wieder!«

Ob wir mit unserem Englisch bereits beim »Du« angekommen sind, weiß ich eigentlich nicht genau. Allerdings vermute ich es, denn unser Umgang ist im Verlauf dieses Tages immer vertraulicher geworden. Kein Wunder, denn gemeinsam Erlebtes verbindet. Und gemeinsame Mahlzeiten mit Schlägerei besonders.

»Du hast von Kukunuru gesprochen«, sagt er, »was hast du damit zu tun? Ich habe dir ja erzählt, dass man mich mit einem Überfall dort in Verbindung bringt. Ich komme aus diesem Ort.«

Ich erzähle ihm, dass wir dort das größte Kinderheim mit der besten Schule unserer Partner unterstützen. In den besten Zeiten, als mein Freund Jacob das Projekt geleitet hat, gab es dort über 500 Schüler und Schülerinnen. Die Schule hat viele Preise bekommen und hatte einen sehr guten Ruf im ganzen Stammesgebiet. Sie war zur Hoffnung für viele Koyas geworden.

Jetzt scheint Krishna langsam Zusammenhänge herzustellen.

»Hmm«, er denkt einen Moment still vor sich hin, dann scheint ihm ein Aha-Erlebnis vergönnt zu sein.

»Aha, also hast du mit dieser Kirche zu tun? Das Kinderheim kennt jeder in Kukunuru. Die Gebäude sind im Kreis angeordnet und auf dem Grundstück wachsen Kokospalmen. Eine Freundin von mir, Kumari, ist dort aufgewachsen. Womöglich kennst du sie sogar. Von einem Jacob, glaube ich, habe ich in diesem Zusammenhang auch gehört. Soll der nicht was mit minderjährigen Schülerinnen gehabt haben?«

Er kennt unser Projekt. Es war bereits vor seinem Aufenthalt in Bristol begonnen worden. Oder seinem angeblichen Aufenthalt? Inzwischen weicht meine Skepsis gegen Krishna ein wenig. Vielleicht ist er ja doch echt. Die Sache mit Jacob hatte damals sogar in den örtlichen Zeitungen gestanden. Angeblich sollte er als Schulleiter mit zwei Minderjährigen sexuellen Kontakt gehabt haben. Er selbst hat das schon damals vehement abgestritten. Bei der Untersuchung kam dann heraus, dass weder die Mädchen noch die Eltern noch sonst jemand diese Geschichte stützten. Alle Beteiligten hatten Jacob total entlastet.

Ob ich seine Bekannte namens Kumari kenne, weiß ich nicht. So heißen viele Frauen und Mädchen in der Region.

Doch Krishna fällt noch etwas ein.

»Jetzt weiß ich auch, wieso mir der Name Samuel Raj so bekannt vorkommt! Da war vor vielen Jahren mal ein großer, kräftiger Mann, den ich kurz bei meinen Freunden getroffen habe. Plötzlich ist er in einem unserer Camps aufgetaucht. Meine Freunde haben ihm einige Zugeständnisse gemacht, was ihre Sicherheit anging.«

Nun ist es an mir zu staunen. Ich ahne, wovon Krishna redet. ‚Unsere Camps'. Er hatte sich verraten. So geschickt konnte er gar nicht lügen. Doch ich würde es gerne noch etwas genauer wissen.

»Was meinst du damit? Mit welchen Freunden hat er sich getroffen?«

Aber Krishna winkt ab:

»Tut nichts zur Sache!«

Jetzt scheint er sich zu weit vor gewagt zu haben. Plötzlich wirkt er verschlossen, so, als ginge eine Tür zu. Ich weiß, warum.

Samuel hatte immer behauptet, er habe mit den Naxaliten eine Vereinbarung: Ihr lasst uns in Ruhe – und wir verraten den Behörden nicht, wo in der Region ihr eure Camps habt.

Da in jedem Dorf und in jeder Region entlang der Godavari und der Sabari christliche Familien leben, ist die Kirche eine der am besten vernetzten Organisationen der Gegend. Und natürlich kennen die Leute die Verstecke der Widerstandskämpfer in den Wäldern und Hügeln. Also hat Samuel die Naxaliten in der Hand gehabt und das getan, was sonst nur sie selbst vermochten, nämlich Druck auf sie ausgeübt. Es lief also ganz einfach: Ihr lasst uns in Ruhe und wir euch! Bisher hatte es funktioniert und ich vermute, wegen genau solcher Absprachen, deren Zeuge Krishna einmal war.

Ich habe Krishna also ertappt. Er war dabei gewesen, als Samuel mit den Naxaliten verhandelte – und ist somit wohl selber einer! Also ist er wahrscheinlich doch kein Spion, der mich aushorchen soll, sondern ein waschechter Terrorist – oder Widerstandskämpfer, je nach Sichtweise.

Plötzlich sagt Ashok etwas. Wieder wird sein Name erwähnt: Samuel Raj. Von seinem Bett, auf dem er sitzt, beugt er sich herüber und reicht Krishna die Tageszeitung. Dabei zeigt er auf eine Passage irgendwo im Mittelteil. Krishna nimmt das Blatt und liest.

»Ich übersetze es dir mal!« sagt er.

Und was er nun vorliest, lässt mich wieder einmal daran zweifeln, dass es Zufälle gibt. Der Bericht ist nur eine kurze Notiz. Es heißt dort:

»Hyderabad. Bei der monatlichen Fraktionssitzung der Congresspartei war am Montag Sonja Ghandi zugegen. Die Fraktionsführerin lobte das Engagement des Chief Ministers vor allem wegen des Indhira Hausprogrammes durch das 2 Millionen Familien der Adivasi und Dalits ein eigenes Haus errichten können und der unbeirrten Weiterarbeit am Indhira Sagar Projekt, auch Polavaram Projekt genannt. Nicht zugegen war der Abgeordnete Dr. Samuel Raj aus Tenali. Da er offenbar seinen Pflichten als Abgeordneter mehrfach nicht nachgekommen war, gibt es Kräfte in der Partei, die eine Untersuchung fordern.«

Ich bin platt. Ja, das ist er. Dr. Samuel Raj, wobei der ‚Dr.' auf sehr fragwürdige Weise eher erschlichen denn erarbeitet worden ist. Samuel hatte also nicht nur sein kirchliches, sondern auch sein politisches Konto überzogen.

19 Bedeutsame Träume

Träume. Der Swami hatte sie gelehrt, auf ihre Träume zu achten. Also merkte sie sich jenen großen Mann, der ihr im Traum erschien. Ein Linienbus hielt oben am Hauptweg. Sie hatte noch vor Augen, wie er eine dicke, gelbe Sandwolke hinter sich herzog und in dem Moment, als er hielt, davon umhüllt wurde. Der große Mann stand plötzlich vor ihr, wie aus einer Wolke des Himmels. Er hielt das Buch in der Hand, sah sie an und nannte ihren Namen. Dann war sie aufgewacht.

Jetzt, viele Monate später, wurde Pongal gefeiert. Heute war der dritte Tag. Lea hatte einmal gehört, dass die

Perser dieses Fest vor 500 Jahren nach Indien gebracht hatten. Es war ein fröhliches Fest. Wenn der Reis im Topf dampft und aufkocht, dann nannte man das »Pongal«. Daher kam der Name dieses bei Stammesleuten und Hindus gleichermaßen beliebten Erntefestes. Schon viele Tage vorher begannen die Vorbereitungen.

Der erste Tag des Festes war dann der Sonne geweiht. Sie gab Leben und Wachstum. Man reinigte die Straßen, Höfe und Häuser. Überflüssiges wurde weggeworfen, Schmutz verbrannt.

Der zweite Tag gehörte den Menschen. Man besuchte sich gegenseitig. Kinder reisten in ihr Elternhaus, Nachbarn saßen zusammen und genossen Tee, Gebäck und gutes Essen am Abend. Vor allem das traditionelle Pongalgericht, der überkochende Reis, gehörte unbedingt dazu.

Der dritte Tag war den Tieren gewidmet. Das Vieh wurde gewaschen und gereinigt. Manche schmückten ihre Tiere und bemalten die Hörner der Rinder. Schon am Abend vorher wurden Blumenornamente auf den Boden vor die Häuser gemalt. Die Kreide, weiß für die Ränder, farbig für die Flächen, wurde früher selbst hergestellt, inzwischen jedoch fertig gekauft. Blumen, Obst und Kuhdung wurden auf den Ornamenten wie Opfergaben abgelegt.

Und dann war da noch etwas, das Lea hasste. Zwar liebten die Männer in den Dörfern es sozusagen ganzjährlich, doch jetzt, an Pongal, waren sie geradezu fanatisch verrückt danach.

Hahnenkampf. Die Männer des Dorfes trafen sich irgendwo außerhalb auf einem Feld. Die Hähne, stolze, schöne Tiere von tiefem rot über schwarz, weiß oder mehrfarbig gefiedert, wurden an einem Bein festgebunden und aufeinander losgelassen. Dabei richteten sie ihre Kämme aggressiv in die Höhe und gingen sofort brutal aufeinander los. Lea hatte es als Kind einmal erlebt, war dann jedoch niemals wieder dorthin gegangen. Sie wäre allerdings von den Männern auch nicht geduldet worden. Hahnenkampf war Männersache. Damals war sie tief erschüttert gewesen. Es wurden Wetten abgeschlossen. Die Männer gestikulierten und schrieen. Einige qualmten Bedees, jene zu kleinen Zigaretten gerollte Blätter eines Busches, der hier überall wuchs. Manche hatten bereits ziemlich viel Toddy intus und am Abend würden sie völlig alkoholisiert sein und möglicherweise selbst wie die Hähne aufeinander losgehen. Und was Lea am furchtbarsten fand: An die Zehen der Hähne wurden kleine, scharfe Messer gebunden. Die ersten Runden dienten dem Aufheizen der Stimmung, bei Tieren und Menschen. Dann aber wurde es ernst. Hähne verloren ihr Leben, Familien wegen hoher Wetteinsätze ihr Geld. Wessen Kampfhahn tödlich getroffen wurde, ging deprimiert nach Hause. Oder ertränkte seinen Kummer im Schnaps.

Manchmal wurden die Hahnenkämpfe von der Polizei aufgelöst. Sie waren verboten und standen unter Strafe. Weder Tierquälerei noch illegale Wetten waren in Indien erlaubt. Insgesamt überlebten in den abgelegenen Dörfern jedoch eher die Tiere als das Gesetz.

Am dritten Tag von Pongal geschah, was sie im Traum gesehen hatte.

Sie war hinauf zur Durchgangsstraße gegangen, dorthin wo der kleine Laden seine Waren anbot. Seife, Mehl, Gewürze, Gemüse, Farbpulver... alles, was man zum Leben brauchte und nicht selbst produzierte, wurde verkauft. Beliefert wurde der Laden aus Bhadrachalam. Lea war gerade dabei zu bezahlen. Das Geld war knapp geworden, seit die Einnahmen aus den Opfergaben im Tempel ausblieben. Lea hatte das von ihrer Tante geerbte Land verpachtet und lebte von der Pacht. Gerade reichte sie der Frau im Laden das Geld für den Einkauf, da kam der Bus. ‚Straße' war eigentlich übertrieben. Eine Straßendecke gab es nicht. Nur Sand. Und der staubte. Sofort fiel Lea ihr Traum ein. Alles sah genauso aus, wie sie es gesehen hatte. Als der Bus mit aufheulendem Motor stoppte, wurde er von einer gelben Staubwolke umhüllt. Und als die sich etwas gelegt hatte, stand dieser Mann vor ihr. Er war groß, in Weiß gekleidet und hatte das Buch in der Hand.

Lea blieb wie versteinert stehen und starrte den Mann an. Erst als zwei andere Männer hinter ihm auftauchten, erholte sich Lea von ihrem Schock. Jener Zweite war Abudas.

»Wandanalu!« fröhlich reichte er ihr die Hand.

Lea war erleichtert. Was wäre geschehen, wenn nur dieser Traum-Mann vor ihr gestanden hätte? Sie wüsste nicht, wie sie sich verhalten hätte. Nun aber war alles ganz leicht.

Abudas stellte seine Mitreisenden vor.

»Das ist der Ayyagaru!« sagte er, »Samuel Raj aus Bhadrachalam.«

Lea war fasziniert.

Der Ayyagaru war mindestens zwei Köpfe größer als sie. Er war stark, groß und seinen Augen nach zu schließen auch klug. Freundlich sah er auf Lea herab.

»Du also bist Lea Rani«, sagte er und seine Stimme klang warm und verbindlich. »Ich habe schon viel von dir gehört und freue mich, dir zu begegnen.«

Lea war sofort von diesem Mann fasziniert. Ihn umgab eine Aura der Stärke, des Sieges.

»Und das hier ist Jacob«, ergänzte Abudas und zeigte auf den jungen Mann mit einem frechen Bärtchen unter der Nase.

»Jacob ist von der Küste, jedoch schon seit zwei Jahren mit dem Ayyagaru unterwegs. Demnächst soll er eine theologische Ausbildung machen. Er liebt die Stammesdörfer!«

Lea mochte diesen jungen Mann sofort. Er hatte eine so offene und fröhliche Art.

»Wir werden gut zusammen arbeiten!« sagte er und hatte einen kräftigen Händedruck. Lea wurde plötzlich gewahr, dass sie nun zwei, nein, dreimal die Hände der Ankömmlinge geschüttelt hatte. Was war das? Nicht mit den aneinander gelegten Handflächen und auf Abstand, sondern mit einem Händedruck der rechten Hand grüßten sich diese Leute. Lea hatte eine große Nähe empfunden und fragte sich, ob das nicht ein wenig zu schnell gegangen war.

»Wollen wir hier herumstehen, bis der Bus losfährt und uns wieder einstaubt?«

Der Ayyagaru klemmte sich die Bibel unter den Arm und drängte zum Aufbruch.

»Nein, nein! Kommt mit zu meinem Haus.«

Lea ging voran, den schmalen Weg von der Straße hinab ins Dorf am Fluss und in ihr etwas abseits gelegenes Haus.

»Setzt euch!« schnell bot sie den Gästen ihren alten Holzstuhl und eine Pritsche an.

Der Ayyagaru setzte sich in den Stuhl.

»Ich mache euch Tee!«

Lea ging ins Haus und hockte sich über die Feuerstelle. Schnell war der Topf auf dem Feuer und bald kochten Wasser und Milch mit Teeblättern darin. Sie reichte das dampfende Getränk mit einigen trockenen Keksen, die sie noch im Haus hatte. Die Männer schlürften aus den heißen Bechern.

»Setz dich zu uns!«

Lea wollte gerade wieder zurück ins Haus gehen, um etwas zum Essen zu bereiten und die Gäste zu bewirten wie es der Gastfreundschaft angemessen war, da rief der Ayyagaru sie zurück.

»Wir wollen mit dir reden! Ich will mit dir reden.«

Lea war gespannt. Sie kam zurück und stand nun vor dem Stuhl des Ayyagaru.

»Setz dich doch«, sagte dieser.

Lea setzte sich auf eine Matte unter das Vordach ihrer Hütte.

»Du bist nun«, ergriff Samuel wieder das Wort, »wenn ich Abudas und Jesudos glauben soll, schon einige Jahre Christin. Erzähle mir und uns doch von dir und deinem Leben hier an der Sabari!«

Es war nicht das erste Mal, dass Lea ihre Geschichte zu erzählen hatte. An wie vielen Herdfeuern, an wie vielen Brunnen, in wie vielen Hütten und auf wie vielen Feldern hatte sie zumeist mit Frauen gestanden und ihre Geschichte erzählt? Sie wusste es nicht. Zu Beginn war es hart gewesen. Die Leute in Arukuru hatten sie gemieden. Vor allem, dass Kumari nichts von ihr wissen wollte, tat ihr sehr weh. Lea war in den ersten Monaten nach ihrer Taufe und der Zerstörung des Tempels vor allem in die Nachbardörfer gewandert. Sie hatte dort Kontakt zu den Frauen gesucht und von ihrem neuen Glauben erzählt. Es kam ihr vor, als ob sie durch lauter offene Türen ging. Immer mehr Frauen und dann auch einige Männer setzten sich ihr zu Füßen und hörten aufmerksam zu. Lea wusste selbst noch nicht viel vom christlichen Glauben und oft konnte sie die Fragen nicht beantworten. Aber was sie wusste, erzählte sie. Jesus ist stärker als die Götter. Der Vater im Himmel hat alles gemacht und die Götter sind von Menschenhand gemacht. Gott will, dass wir an ihn glauben und ihm gehorchen. Er will totale Hingabe nur an ihn. Er kann und will Kranke gesund machen und böse Geister vernichten. Das war eigentlich schon alles, was Lea wusste. Sie erzählte die zwei, drei Geschichten aus der Bibel, die sie von den drei Predigern gehört hatte – und das war´s.

»Ich habe immer nur gestaunt«, sagte sie nun zu den drei Männern vor sich, »was Gott mit meinen wenigen Worten und Beispielen bewirkt hat. Mehrmals habe ich für kranke Menschen gebetet. Meistens wurden sie gesund. Einmal war da eine Frau, die tobte herum und schrie mit tiefer, männlicher Stimme schlimme Beschimpfungen heraus. Ich habe für sie gebetet, ihr die

Hände auf den Kopf gelegt und da fiel sie um wie tot. Dann aber war sie wieder aufgewacht und der böse Geist hatte sie verlassen. Ähnliches ist mir dann immer wieder passiert.«

Abudas konnte sich ein ‚Halleluja' nicht verkneifen, mit der Betonung auf dem ‚le'. Wahrscheinlich war dieses Wort ein wichtiger Jubelruf dieser Glaubensbrüder.

»Erzähl weiter!« bat Jacob und konnte offenbar nicht genug Wundergeschichten hören.

»Nun, ich habe viele solche Wunder erlebt. Mit jedem dieser Erlebnisse hatte ich mehr zu erzählen. Und die Geheilten nebst deren Familien erzählten es weiter. So sind viele kleine Gemeinden und Familienzentren entstanden.«

»Wie viele?« Samuel Raj schien jetzt hoch interessiert zu sein und hellwach.

»Ich weiss nicht genau«, antwortete Lea. »Ich war in allen Dörfern entlang des Flusses, so von Kunavaram bis Chatti, meinem Heimatort. Fast überall gibt es jetzt christliche Familien. Und dann war ich noch in den Bergen dort oben.« Sie zeigte Richtung Westen, dort wo hinter den Bergen Bodunuro lag und viel, viel weiter westlich Bhadrachalam.

»Vielleicht sind auch einige Familien von der anderen Seite der Sabari dabei gewesen, etwa aus Somulogudem oder V.R.Puram. Ich bin mir nicht sicher.«

Abudas mischte sich ein.

»Das könnte sein. Als Jesudos und ich vor wenigen Monaten in V.R.Puram waren, sind uns dort Christen begegnet und wir haben mit vier oder fünf Familien eine Andacht gefeiert. Sie erzählten uns von Verwandten, die ihnen den Glauben gebracht und begeistert von einer ehemaligen Priesterin berichtet hatten.«

»Und, wie viele Familien und Dörfer sind es? Lea, was schätzt du so?« wieder bohrte der Ayyagaru und wollte Zahlen wissen.

»Ich weiß es wirklich nicht. Vielleicht so tausend Leute? Oder mehr. Vielleicht dreihundert Familien?«

»Aber wer kümmert sich denn um die?« fragte nun der Jüngste in der Runde, Jacob.

»Wer feiert mit ihnen Andacht? Wer liest ihnen aus der Bibel vor? Wer betet für sie und mit ihnen? Wer steht ihnen bei, wenn sie Gegenwind bekommen?«

»Na ich«, sagte Lea, »ich tue was ich kann. Leider haben wir noch keine Bibeln. Selbst ich habe noch keine!«

Jacob staunte:

»Ohne Bibel tausend Leute! Oh Gott! Wie sehr ist diese kleine Frau gesegnet!«

Er sagte das mehr zu sich selbst als zu den anderen und Lea war es peinlich. Ja, Gott hatte sie wirklich gesegnet.

Nur in Arukuru selbst war es schwierig gewesen. Die Leute hatten ihr zuerst nicht getraut. Allerdings wurde sie von ihnen ganz genau beobachtet. Lea hatte oft den Eindruck, sie warteten immer noch auf etwas. Und inzwischen wusste sie auch, worauf die Leute all die Monate gewartet hatten. Was sie am meisten freute, sie wusste es von Kumari, ihrer alten und neuen Freundin.

Die hatte eines Tages nach ihr gerufen.

Sie war schwanger, zum zweiten Mal. Diesmal war es schwierig. Schon viel zu früh setzten die Wehen ein und Kumari musste sehr verzweifelt gewesen sein. Warum sonst rief sie ihre alte Freundin, der sie doch niemals wieder begegnen wollte, zu sich. Sie schickte einen der Jungs, die damals den Zaun Leas eingerissen hatten. Lea war zu Tränen gerührt. Sie deckte sofort ihren Teig ab, den sie gerade knetete und eilte zu Kumaris Hütte. Ihre Freundin sah furchtbar elend aus, das Gesicht blass, unter den Augen tiefe Ringe. Sie stöhnte.

»Lea ! Ich kann nicht mehr! Ich werde sterben!«

Lea war geschockt. Sie wusste selbst nicht, was sie trieb, sie sagte plötzlich:

»Kumari, du wirst nicht sterben! Gott wird dir helfen!«

Und dann hatte sie für Kumari gebetet. Noch während des Gebetes waren Zweifel in ihr aufgestiegen. Ob Jesus ihrer Freundin wirklich helfen wollte? Schließlich war sie gegen ihn. Kumari hatte außerdem das Dorf gegen Lea aufgewiegelt. Sie hatte... Lea betete trotzdem weiter. Und war beschämt worden.

Am nächsten Tag war es Kumari besser gegangen. Die Schmerzen wurden erträglich, die Wehen hörten wieder auf und die werdende Mutter konnte wieder essen. Drei Wochen später kam ein gesundes Mädchen zur Welt.

Und das war das Ende der Isolation für Lea gewesen.

»Lea«, hatte Kumari ihr gestanden, »es tut mir leid! Bitte verzeih mir, ich habe dir und deinem Gott Unrecht getan.« Dann verriet sie Lea, wieso sie sich mit der Bitte um Hilfe an ihre alte Freundin gewandt hatte. Ganz einfach: Lord Shiva hatte versagt. Er hatte weder ihr geholfen noch seine ehemalige Priesterin bestraft. Also hatte er keine Macht. Zumindest war er nicht so stark wie Lea's neuer Gott, dieser Jesus.

Das war der Durchbruch.

Immer mehr Leute aus Arukuru kamen und baten Lea um Hilfe. Sie sollte Streit schlichten, sollte für krankes Vieh beten und vor allem kranke Menschen besuchen. Lea war unglaublich froh und dankbar. Nur einen Schmerz trug sie noch mit sich herum. Davon erzählte sie den Dreien jedoch noch nichts. Da ging es um ihren älteren Bruder. Wie gern hätte sie den für Jesus gewonnen. Doch er wollte nicht. Er war zornig auf sie und wenn sie ihn besuchte, musste sie meistens mit seiner Frau und den Kindern Vorlieb nehmen.

»Du hast uns verraten!« war der immer wiederkehrende Vorwurf ihres Bruders.

»So etwas haben wir auch erlebt!«

Jacob hatte ihrer Erzählung konzentriert zugehört und wollte jetzt offenbar auch etwas erzählen. Aber Samuel nahm den Faden auf, den sein Schüler begonnen hatte.

»Richtig«, sagte er, »wir waren in einem Dorf unten am Fluss, Koyda heißt es. Dort hatte uns die Dorfgemeinschaft angewiesen, in einer bestimmten Hütte zu übernachten. Sie stand etwas abseits vom Dorf. Nun, wir haben gut geschlafen. Am nächsten Tag predigten wir auf der Straße. Es blieb aber kaum jemand stehen, um zuzuhören. Alle schienen uns nur aus sicherer Distanz zu beobachten. Als der Abend anbrach, bat man uns erneut, in dieser Hütte zu übernachten. Gerne nahmen wir an. Drei Nächte schliefen wir dort. Dann war der Bann gebrochen und die Leute kamen zu unserer Andacht.«

Selbst Abudas hatte diese Geschichte offenbar noch nicht gehört.

»Was war denn da los? Was hat denn euer guter Schlaf damit zu tun, ob Leute kommen oder nicht?«

Nun war Jacob schneller als der Ayyagaru:

»Ganz einfach! Die Hütte, in der wir schlafen sollten, war angeblich verhext. Dort hat nie jemand übernachten können. Die Erbauer, zwei junge Leute, sind am Tag nach der ersten Nacht verschwunden und nie wiedergekommen. Ein älterer Mann, der dann dort einzog, lag am nächsten Morgen tot auf seiner Matte. Eine Familie mit einer Tochter wurde nach der zweiten Nacht in der Hütte krank und alle starben zwei Wochen später mit hohem Fieber. Und ein Wanderarbeiter, der dort nur übernachten wollte, wurde von einer Schlange gebissen und war am nächsten Morgen tot. Also sagten die Leute, dort sei ein böser Dämon.«

»Das ist aber fies«, sagte Abudas, »euch in diese Hütte zu schicken!«

»Es diente dem Lob Gottes!« grinste Samuel. »Wir haben bestens geschlafen.«

Lea holte neuen Tee. Die drei machten es sich bequem. Während Lea drinnen Reis kochte, ein würziges Gemüse und Eier zubereitete, unterhielten sich die Männer draußen bis es dunkel wurde. Lea zündete eine Öllampe an. Nur einige Wortfetzen konnte sie von drinnen verstehen. »Tausend Leute!« und »So viele Dörfer!« waren dabei.

Vor dem Essen beteten sie. Später am Abend kamen fast dreißig Leute zusammen und sie feierten eine Andacht. Der Ayyagaru sprach über die Geschichte von den fünf Broten und zwei Fischen. Die Leute hingen an den Lippen des Meisters. Es war faszinierend, wie der reden konnte. Ein toller Mann!

Leas Gedanken aber schweiften wieder einmal davon und folgten dem Ruf des Fisches. Was mag wohl aus jenem Mann auf dem Motorrad geworden sein? Ob sie ihm je wieder begegnen würde? Inzwischen war sie mit dem Gedanken versöhnt, dass er wohl ein Engel, ein Bote Gottes gewesen sein musste. Denn immerhin war er der Auslöser ihres Interesses am Fisch gewesen. Trotzdem wäre es ihr lieber, wenn sie ihm doch irgendwann einmal leibhaftig gegenüber stehen würde. ‚Vergiss es!' sagte sie zu sich selbst. ‚Du würdest weder ihn noch er dich erkennen! Inzwischen bist du viel zu alt für so etwas!'

Als die Gemeindeglieder gegangen waren und die drei gegessen hatten, rief der Ayyagaru Lea zu sich.

»Lea«, sagte er, »warum schließt du dich nicht unserer Kirche an?«

Lea hatte so etwas schon vermutet. Sie wusste, dass Abudas und Jesudos sich dem Ayyagaru angeschlossen hatten. Warum also nicht auch sie?

»Du wirst zusammen mit deinen Gemeinden und Familien Teil der Lutherischen Kirche des barmherzigen Samariters. Du bekommst ein Gehalt als Bibelfrau und wir ordinieren dich später zur Diakonin. Du kannst die gesamte Frauenarbeit unserer Kirche übernehmen. Inzwischen sind wir fast zehntausend Gemeindeglieder, denn auch die Brüder im Süden haben sich mit mir verbunden.«

Warum Lea zögerte und irgendetwas in ihr sie warnte, wusste sie nicht. Doch Samuel schien es zu spüren.

»Du bekommst auch Kontakt mit unseren Partnern in Übersee«, versprach er. »Mein Freund Helmut und seine Leute sind tolle Christen. Die setzen sich für uns ein und bezahlen die Kinderheime. Und wir besorgen dir und allen Familien hier eine Bibel.«

Lea verdrängte ihr komisches Gefühl. Eine Bibel für alle! Das war gut. Auch wenn viele nicht lesen konnten, so war die Bibel doch das Symbol Gottes und ein Buch voller Kraft.

»Lass mich dir morgen sagen, was ich mache!«

Sie war froh, die Kraft aufgebracht zu haben, diesem starken Mann zu widerstehen. Nun hatte sie noch etwas Luft für die Entscheidung und konnte sie im Gebet vor Gott bringen.

Am späten Abend bevor sie einschlief, hörte sie schrille Hahnenschreie. Irgendwo im Dunkel der Nacht kämpften Hähne um ihr Leben. Irgendwo lieferten sich gefiederte Konkurrenten erbitterte Schlachten auf Leben und Tod. Blutiges Pongal.

In dieser Nacht hatte sie einen weiteren Traum. Von Hähnen und Kampf um Leben und Tod war darin nichts zu sehen. Nein, es war ein friedlicher Traum. Sie sah sich mit einem weißen Mann im Gespräch. Sie standen, umringt von vielen anderen, Weißen und Indern, an einem See. Auf dem See wuchsen lila Seerosen. Am Ufer tränkte ein Jugendlicher eine Herde im schlammigen Wasser. Das Fell der Wasserbüffel glänzte schwarz im Abendlicht. Auf einigen der Rinderrücken saßen weiße Kongas und pickten den Tieren Parasiten aus dem Fell. Es war ein schöner Traum.

Am nächsten Morgen erzählte Lea dem Ayyagaru von diesem Traum und gab die Zusage, mit ihm zusammen zu arbeiten.

Der Niedergang

20 Wenn Hoffnungen sterben

Die Nachricht kam völlig überraschend. Ramanamma lag im Koma.

Ramanamma, auf der ihrer aller Hoffnung ruhte, kämpfte ums Überleben. Sie, die ehemalige leitende Mitarbeiterin einer südindischen Kirche und Ehefrau Samuels, war zur ersten Bischöfin der jungen Kirche an der Godavari geweiht worden. Sie sollte die Kirche in eine gute Zukunft führen - und nun lag sie im Sterben.

Jacob saß in seinem Büro am Computer. Er war stolz auf seine Anschaffung und fühlte sich wie ein Pionier, der in dieser Region als Erster einen Schritt ins Land der Moderne gemacht hatte. Das Kinderheim und die Schule in Kukunuru hatten sich unglaublich entwickelt. Über 400 Schüler und Schülerinnen kamen aus dem Umfeld der Schule, 110 Kinder lebten im Internat. Die Ergebnisse der Examen waren überdurchschnittlich gut gewesen. Der Staat war dabei, das Institut mehr und mehr anzuerkennen. Nicht lange und dann würden die Behörden auch Gehälter von Lehrern übernehmen und dadurch die Kirche und die deutschen Partner enorm entlasten. Lehrmittel wurden schon jetzt subventioniert, eben auch dieser erste Computer. Jacob selbst hatte sich daran in die wichtigsten Programme einweisen lassen und konnte nun Buchführung und Korrespondenz viel schneller erledigen. Darüber hinaus wurden kleine Arbeitsgruppen gebildet, so dass auch die Klassen 9 und 10 eine Einweisung in die neue Technik bekamen. Jacob war sich sicher, dass dies die Zukunft war, auch wenn sein Computer im Moment weit und breit der Einzige war. Allerdings musste er einräumen, dass die Benutzung dieser modernen Technik hier auf dem Dorf schwierig war. Der Strom fiel häufig aus oder er wurde aus dubiosen Gründen einfach abgeschaltet. Wie oft hatte Jacob deshalb geflucht und geschimpft, weil ihm seine Dokumente abstürzt waren. Aber immerhin, gelegentlich gab es Strom auch für mehrere aufeinanderfolgende Stunden. So wie jetzt, als Jacob die erschütternde Nachricht erhielt.

»Gestern kam ein Anruf aus Deutschland.«

Pastor K. David besuchte einen Verwandten, der im Kinderheim arbeitete und sah kurz bei Jacob vorbei.

»Helmut rief an und erzählte, dass Ramanamma einen Herzanfall bekommen hat. Sie liegt im Krankenhaus und ist aus dem Koma nicht aufgewacht«.

Sofort musste Jacob an den Ayyagaru denken. Was würde der nun empfinden, was würde der tun? Zwar hatten die beiden über viele, viele Jahre eine Ehe in Distanz geführt, Jacob wusste jedoch, dass die beiden sich wirklich liebten. Und Samuel hatte alle seine Hoffnung in seine Frau gesetzt. Sie war zur ersten lutherischen Bischöfin Indiens oder gar Asiens ernannt worden und von einem schwedischen Bischof konsekriert. Sie war die Vertreterin der jungen Kirche in Gremien, bei Kirchentreffen und den Partnern in Übersee. Nun lag sie im Koma.

Jacob beschloss, sofort zurück nach Bhadrachalam zu fahren. Er war ohnehin nur zwei- oder dreimal im Monat in Kukunuru, führte hier die Geschäfte, kümmerte sich um die Mitarbeitenden und saß mit ihnen zusammen, um den Monat zu planen. Deepa hatte nicht aufs Dorf gewollt. Er hatte das sofort akzeptiert, zumal sie vor wenigen Monaten ihr erstes Kind bekommen hatten, einen Jungen. Also hatte Jacob den Ayyagaru überredet, in Bhadrachalam bleiben zu können und war damit durchgekommen. Allerdings wurde es so nichts mit der Gemeindearbeit, denn nun musste Jacob weiter im Kirchenbüro arbeiten. Dauernd war er unterwegs. Samuel schickte ihn ‚von Pontius zu Pilatus' und manchmal hatte Jacob das Gefühl, er allein müsse sämtliche Kontakte zu Behörden, Ämtern, Kirchen, Lieferanten und Institutionen wahrnehmen. Samuel verließ das Bürogebäude nur selten. Nur wenn es in der Stadt Empfänge gab oder Hochzeiten, ging er hin. Und mit dem Polizeichef traf er sich oft, wenn man bösen Zungen glauben wollte, um beschlagnahmten Whisky zu vernichten. Jacob hatte tausende von Kilometern per Zug oder Bus zurückzulegen, manchmal unter schlimmsten Umständen und sogar ohne Sitzplatz. Er schlief selten und wenn, dann kurz. Doch er beklagte sich nicht. Die Kirche brauchte ihn.

Mit Ramanamma verstand er sich hervorragend. Sie war wie eine Mutter zu allen Pastoren und Mitarbeitern. Sie war das Herz der Kirche. Für sie würden die meisten freiwillig durchs Feuer gehen. Nun lag sie im Koma.

Er packte seine Tasche zusammen und verabschiedete sich vom Heimleiter.

»Du wirst dafür sorgen, dass die Drainagegräben wieder gereinigt werden!« sagte er.

Der Angestellte nickte.

Bei seinem nächsten Besuch würde Jacob überprüfen, ob die Gräben wirklich gereinigt waren. Man musste alles kontrollieren. Selbstständige Arbeit war für viele der Mitarbeitenden ein Fremdwort.

Jacob schwang sich auf sein Motorrad und fuhr los. Auf der Südseite der Godavari ging es bis nach Burgampadu, wo die Straße Richtung Norden bog, um dann bei Sarapaka auf die lange Brücke in die Tempelstadt zu führen. Zuerst fuhr Jacob zwischen Tabak und Chillifeldern dahin. Ab und zu kam ein Dorf, manchmal ein bewaldeter Hügel. Er überquerte einige kleinere Nebenflüsse, zuletzt den Kinnarasani, was soviel wie ‚Freudenmädchen' bedeutete. Zweimal, als er nach Norden zur anderen Seite des breiten Stromes hinüber sah, konnte er einen weißen Kirchturm mit rotem Dach erkennen. Jedesmal, wenn er diese weithin sichtbaren Kirchen sah, freute er sich über die große Verbreitung des Evangeliums in der gesamten Region. Und er war daran beteiligt! Er und hundert andere, nein, Tausende. Längst hatte er begriffen, dass es gar nicht nur die wenigen Kirchengründer waren, die den Glauben verbreiteten. Und schon gar nicht der Ayyagaru, der jetzt nur noch in die Dörfer kam, wenn er Besucher dorthin begleitete. Vor allem die ganz normalen Christen in den Dörfern luden ihre Nachbarn und Arbeitskollegen zum Glauben und zur Kirche ein. Viele Gemeinden wurden auch von Fischern gegründet. Die zogen den Fluss hinauf und hinab und erzählten von ihren Glaubenserlebnissen. Vor allem die Berichte von Heilungen beeindruckten die Leute. Zeigten diese doch, welcher Gott wirklich die Macht hatte. Die Pastoren unterstützten die Gemeindeglieder, so gut sie konnten. Aber die eigentliche Kraft der Kirche waren inzwischen die Gemeinden selbst. Und Ramanamma.

Jetzt lag links die immer mehr expandierende Papierfabrik. Eben war Jacob über einen ihrer Abwasserkanäle gekommen. Dicker, weißer Schaum machte das verschmutzte Wasser unsichtbar. Neben einem Sammelbecken dieser Kloake lag ein toter Esel und verweste langsam. Jacob hatte ihn schon letzte Woche dort liegen sehen. Wahrscheinlich hatte er von dem Wasser getrunken. Wie die Menschen, die flussabwärts vor allem von eben diesem Wasser lebten. Nur, dass die Dosis der Kloake hier bei der Einleitung in den Fluss ungleich giftiger war. Dabei hatten sie angeblich neue Filter eingebaut.

Als er auf die Brücke einbog, konnte er endlich Gas geben. Bis eben noch, auf der für den Holztransport inzwischen ausgebauten Asphaltstraße, hatte er ständig Schlaglöcher und defekte Straßenabschnitte zu umfahren. Hier nun, auf der Brücke, verlockte eine glatte Betondecke alle Motorfahrzeuge zu hohen Geschwindigkeiten. Rechts sah Jacob den Ramatempel der Stadt, der sie weit über Andhra Pradesh hinaus bekannt gemacht hatte. Unter sich konnte er vor allem Sandbänke ausmachen, und Felsen auf dem Grund des Flusses. Das Wasser floss in mehreren kleinen Strömen und Rinnsalen. Erst im mehr als vierzig Kilometer flussabwärts entfernten Kunavaram würde der Fluss durch die Vereinigung mit der Sabari so tief werden, dass er für kleinere Schiffe, die Launches, schiffbar wurde.

Vor dem Bürogebäude, das in einer östlichen Siedlung der Stadt lag, stellte Jacob sein Motorrad ab. Er betrat das Haus. Die Tür zum Büro stand offen. Von den zwei oberen Stockwerken kam kein Geräusch. Also waren die Nähschülerinnen wahrscheinlich nicht da. Sonst hätte man das Surren ihrer Nähmaschinen gehört.

Jacob rief etwas ins Büro hinein.

Eine junge Frau kam aus der Küche. Es war Ranja, Haushälterin Samuels und Chefin über die Mädels in der Küche.

»Wo ist der Ayyagaru?«

»Psst, leise! Er schläft jetzt endlich!«

Ranja drängte Jacob aus dem Raum ins Freie.

»Komm, wir sollten ihn auf keinen Fall wecken!«

Als sie hinter dem Haus waren, im von Ramanamma angelegten Garten, wo Palmen, Bananen und gelb blühende, mannshohe Tagetis wuchsen, sprach Ranja etwas lauter.

»Er ist wieder betrunken. Diesmal richtig!«

»Was ist passiert?« fragte Jacob.

»Gestern Nachmittag kam die Nachricht von Ramanammas Herzinfarkt. Ich habe den Anruf entgegengenommen. Es war Helmut. Als Samuel den Hörer auflegte, war er weiß wie eine Wand gewesen und hatte sich gesetzt. Noch nie habe ich ihn so erledigt gesehen.«

»Wo sind die Mädchen der Nähschule?«

Sonst waren sie zwar nicht alle, aber immer einige hier, denn Samuel bestand darauf, dass sie im Haushalt mithalfen und zu seiner Versorgung bereitstanden.

»Der Ayyagaru hat sie weggejagt. Auch mich hat er zuerst angeschrieen und hinausgeworfen. Wir sollten alle verschwinden! Wir hätten hier nichts zu suchen. Er könne keine Frauen mehr sehen, und so was in diese Richtung.«

»Er hat also getrunken.«

»Und wie! Er war für mehr als zwei Stunden in seinem Zimmer verschwunden. Er hat den Fernseher angemacht und die Lautstärke aufgedreht. Aber ich habe ihn dennoch laut weinen hören. Mit Sicherheit hat er getrunken. Viel mehr als sonst!«

»Und dann?«

»Dann ist er wieder aufgetaucht und hat herumgetobt und geschrieen. Sieh mal!«

Sie zeigte auf eine junge, etwa zwei Meter hohe Papayastaude. Der Stamm war auf halber Höhe abgebrochen.

»Er hat randaliert. Vor Wut und Schmerz hat er einen Stuhl zwischen die Pflanzen geworfen. Dabei ist diese Papaya abgebrochen. Dann hat er wieder geheult und versucht, den Stamm aufzurichten. Als das nicht gelang, hat er begonnen, uns anzuschreien. Die Mädchen sind gleich weggelaufen. Sie hatten nur noch Angst. Ich habe versucht, ihn zu beruhigen, aber er hat nur herumgeschrieen. Da bin auch ich gegangen. Ich habe bei einer Freundin übernachtet.«

Es ging das Gerücht, dass Samuel mit Ranja ein Verhältnis hatte. Jedenfalls in der Zeit, als Ramanamma noch im Süden gelebt hatte, waren die beiden manchmal in zweifelhaften Situationen ertappt worden. Allerdings hat niemals jemand darüber gesprochen. Der Ayyagaru hätte ihn oder sie sofort rausgeschmissen und entlassen. Er konnte sehr jähzornig werden, vor allem wenn es ihm an die Ehre ging. Wie die Beziehung der beiden in den letzten Jahren war, seit Samuels Frau hier lebte, wusste Jacob nicht. Er hatte immer wieder gesehen, wie Ramanamma und Samuel Zärtlichkeiten austauschten und sich umarmten. Er konnte sich nicht vorstellen, dass Samuels Affäre mit Ranja auch jetzt noch andauerte.

»Und wie lange schläft er schon?«

»Ich schätze drei bis vier Stunden. Heute Morgen ist er sehr früh unterwegs gewesen, wie immer. Aber die Morgenandacht, auf die er sonst immer bestanden hatte, musste ausfallen. Er schickte alle wieder weg. Nur sein Schwiegersohn, Benjamin, musste kommen. Dessen Frau hat mir später erzählt, dass Ben für den Ayyagaru ein Flugticket nach Deutschland buchen musste, für übermorgen. Dann ist er auf seinem Zimmer verschwunden und bis jetzt nicht wieder aufgetaucht.«

Jacob konnte sich denken, warum. Samuel musste seinen Rausch ausschlafen.

»Ich gehe zu Benjamin«, sagte er, zog seine Schuhe wieder an und ging die wenigen Meter zum Büro seines Kollegen.

Benjamin telefonierte gerade mit einem Reisebüro.

»Morgen Nacht erst?« verstand Jacob. »Sonst sind alle Flüge ausgebucht?«

Noch ein paar Sätze, dann legte er auf.

»Jacob, gut dass du endlich da bist!«

Benjamin reichte ihm die Hand. Jacob respektierte ihn als gebildeten und engagierten Mitarbeiter der Kirche. Allerdings hatte er privat keinen Kontakt zu seinem Kollegen, obwohl sie sozusagen als Dreierspitze die Kirche leiteten: Der Ayyagaru, Benjamin und Jacob. Deepa verstand sich nicht gut mit Benjamins Frau. Sie lästerte immer wieder über den Umgang der beiden mit ihrer Tochter. Sie putzten diese heraus wie eine kleine Prinzessin und verwöhnten sie nach Strich und Faden. Deepa konnte es nicht ertragen, wenn die Kleine wieder einmal vortanzen sollte, angeblich die besten Noten in der Schule hatte und, wo immer es ging, in den Mittelpunkt gestellt wurde. Selbst die englischsprachige Schule, die Benjamin und seine Frau gegründet hatten und nun leiteten, hatten sie nach ihr benannt. »Die werden eines Tages noch die Quittung dafür kriegen!« hatte Deepa gesagt. Was sie damit meinte, wusste Jacob nicht genau. Er fand Benjamins Tochter zwar ziemlich zickig, aber auch niedlich.

»Hat es geklappt?«

»Ja, ich habe für ihn einen Flug mit der Lufthansa gebucht, direkt nach Frankfurt.«

»Dann muss er jetzt bald losfahren, sonst schafft er es nicht.«

»Stimmt. Ich habe auch den Zug von Khamman nach Madras gebucht und in zwei Stunden kommt der Jeep.«

Also konnte der Ayyagaru es noch schaffen.

»Hast du ihn getroffen?« fragte Ben und sah aus, als ob er die Antwort fürchtete. »Welchen Eindruck machte er?«

»Er schläft. Ich habe nur Ranja getroffen. Sie ist im Haus und hat mir erzählt, dass er völlig betrunken war.«

»Stimmt. Aber erzähle es nicht den Pastoren oder gar den Mädels aus der Nähschule! Die tratschen es überall herum.«

»Zu spät«, sagte Jacob, »die hat er als erste traktiert und dann die Papaya.«

»Und, wer weckt ihn nun? Er muss sich fertig machen!« Benjamin übergab Jacob einen Umschlag.

»Da ist Geld drin, der Pass und ein paar Unterlagen für die deutschen Partner. Am besten, du gibst es ihm.«

Zuerst wollte Jacob sich wehren. Immer bekam er die unangenehmen Aufgaben. Er musste zu allen möglichen Behörden gehen, sich in Vorzimmern den Hintern platt sitzen, Beschwerden vorbringen, Anträge stellen, mit kleinen und großen Geldbeträgen nachhelfen, die weiten Reisen machen, die schwierigen Briefe schreiben und sich mit dem Ayyagaru anlegen. Doch nun war es auch egal. Er war ja extra aus Kukunuru gekommen, um zu helfen.

»Okay«, sagte er deshalb, »ich mache es.«

Er machte es für die Kirche und für Ramanamma. Wofür genau Benjamin seine Arbeit machte, wusste er nicht. Der Ayyagaru hatte ihn eigens aus Bombay kommen lassen, wo er einen lukrativen Job hatte. Zu Beginn dachte Jacob, dass dieser so offene und weltgewandt wirkende Mann auch grundehrlich war. Seit einigen Monaten waren ihm jedoch Zweifel gekommen. Während er, Jacob, nur ein altes Motorrad fuhr, hatte sich Benjamin kürzlich ein Auto gekauft. Jacob und Deepa wohnten in zwei Räumen zur Miete, Benjamin mit Frau, Tochter und Mutter hatte ein ganzes Haus. Und so ging das weiter. Wahrscheinlich war es die Schule, die für Ben soviel abwarf. Allerdings sollte die ja eigentlich für die Kirche wirtschaften. Sorge machte Jacob auch, dass inzwischen niemand außer Benjamin einen wirklichen Überblick über die Finanzen hatte. Auch die komplizierte Finanzierung des kurz vor seiner Gründung stehenden Engineering Colleges kannte wohl nur er genau. Samuel hatte die Visionen, besorgte das Kapital und Benjamin setzte beides um. Und Jacob? Der war der Laufbursche.

Jacob verdrängte diese Gedanken. Trotzdem wurde er sie nicht los. Eigentlich war Ben doch ein netter Kerl! Eigentlich.

»Kommst du dann noch einmal wieder?«

Offensichtlich war Ben daran gelegen.

»Das hatte ich nicht vor, aber wenn du es willst!«

»Ja, das wäre schön und sogar notwendig! Ich habe da noch etwas Wichtiges für dich!«

Jacob verließ das Büro, das neben Schulhof und Kirche lag, betrat die Straße durch die Pforte in der Mauer und ging die kurze Strecke zum Gebäude der Kirchenleitung.

Als er an das Gitter in der Umfriedung des Grundstücks kam, kam Ranja von innen und machte ihm auf.

»Er ist inzwischen aufgestanden.«

Wie gut, dann musste er ihn nicht wecken! Jacob zog wie üblich die Sandalen aus und betrat Samuels Büroraum. Der Marmorboden war kalt und noch ein wenig feucht. Offenbar hatte hier jemand Wasser vergossen.

»Ayyagaru!?«

»Hier bin ich!«

Die Stimme kam von draußen, aus dem kleinen Garten. Jacob ging durch das Büro und den Vorraum der Küche und kam in den Garten. Samuel stand an einem prächtig blühenden Hibiskus und begoss ihn aus einer großen Gießkanne.

»Warte noch! Ich muss diese Arbeit erst beenden!«

Samuel drehte sich nur halb zu Jacob um und ließ sich nicht unterbrechen. Er ging von Pflanze zu Pflanze, füllte zwischendurch die Kanne aus dem Wasserhahn, der aus dem Boden ragte und goss die Pflanzen. Noch nie hatte Jacob das gesehen. Normalerweise tat der Ayyagaru fast nichts im Haushalt. Um Küche, Putzen und Wäsche kümmerten sich die Mädels unter Ranjas Leitung. Und der Garten war allein Ramanammas Sache. Doch nun goss der Meister die Bäume, Sträucher und Blumen. Jacob staunte. Samuel machte einen in sich versunkenen Eindruck. So, als ob er das Gießen nutzen konnte, um zur Ruhe zu kommen.

Jetzt stellte er die Kanne neben den Hahn und gab Jacob einen Wink, ins Büro zu kommen.

»Ich muss mich um den Garten kümmern!« sagte er. »Ramanamma ist ja nicht da.«

»Hast du etwas Neues von ihr gehört?«

»Ich habe vor einer halben Stunde mit Helmut telefoniert. Sie liegt noch im Koma. Die Ärzte sagen, es sei kritisch. Helmut, Oliver und die Stuttgarter Freunde sind bei ihr.«

Samuel sprach bewusst sachlich, konnte jedoch eine Träne im Auge nicht unterdrücken. Jacob war unsicher.

»Benjamin hat gesagt, in knapp zwei Stunden kommt der Jeep und er hat die ganze Reise für dich arrangiert.«

»Danke«, sagte Samuel und aus seinem Mund klang das weich und fremd. Sonst bedankte er sich sehr selten, sondern nahm jedes Engagement als selbstverständlich. Aber jetzt war er ein anderer. Man merkte ihm auch nicht an, dass er vor seinem Mittagsschlaf schon wieder getrunken hatte. Jetzt erschien er völlig nüchtern und fit. Aber eben ungewöhnlich sanft.

»Jacob, ich habe Benjamin etwas für dich zur Aufbewahrung gegeben. Ich wusste ja nicht, ob du vor meiner Abreise nach Deutschland noch kommst. Aber ich möchte, dass du es so lange sicher aufbewahrst, bis ich es brauche.«

»Okay«, sagte Jacob, »was ist es?«

»Geld.«

»Kein Problem, du kannst dich auf mich verlassen!«

»Ich weiß – und ich hoffe!« sagte Samuel.

»In letzter Zeit habe ich immer mehr das Gefühl, dass sich Leute gegen mich stellen. Es wird ihnen nicht bekommen! Doch jetzt ist nur Ramanamma wichtig!«

Samuel hatte diesmal keine Namen genannt. Normalerweise streute er die so ganz nebenbei ein und signalisierte damit, wer bei ihm in Ungnade gefallen war. Wenn man sich dann noch auf dessen Seite schlug, hatte man selbst schlechte Karten.

»Das Geld ist für das Engineering College!« erklärte Samuel nun und bekam dabei trotz seiner Angst um Ramanamma leuchtende Augen.

»Du wirst sehen, das wird uns mit einem Schlag in die Selbstständigkeit führen. Wir werden für jeden Pastor soviel Geld auf der Bank liegen haben, dass wir sein Gehalt mit den Zinsen bezahlen können. Jeder wird ein gutes Haus bekommen, wenn er in Rente geht. Und weit über die Hälfte der Einkünfte des Colleges werden der Kirche zugute kommen!«

Samuel steckte sich eine Marlboro an. Dann rief er nach Ranja. Sie sollte seine Sachen packen.

»Nur vier oder fünf Hemden!« befahl Samuel. »Letztes Mal hast du mir viel zu viele eingepackt. Ich finde immer jemanden, der für mich wäscht!«

Ranja ging sofort in Samuels Schlafzimmer und Jacob hörte sie dort herumwirtschaften.

»Also, du holst das Geld von Ben, nimmst es mit zu dir nach Hause und verwahrst es sicher. Lass es niemanden wissen, auch Deepa nicht!«

Damit war die Unterhaltung auch schon beendet. Samuel ging in seine privaten Räume und half Ranja beim Packen – hoffentlich nur das.

Jacob wünschte ihm noch eine gute Reise und bat, Ramanamma und die Partner, vor allem Helmut und Oliver, zu grüßen. Dann ging er wieder zu Benjamin.

Der schloss zuerst die Tür zum Büro, ging dann an seinen Stahlschrank und öffnete ihn. Dann stellte er einen mittelgroßen grauen Hartschalenkoffer auf den Schreibtisch.

»Hier. Der Ayyagaru hat dir wahrscheinlich schon gesagt, dass du das aufbewahren sollst!«

Jacob war geschockt, als er den Koffer vom Tisch nahm. Er war schwer und offenbar voll.

»Wie? Der ist ganz voll mit Geld?«

»Ja«, antwortete Ben, »aber nur Samuel weiß, wieviel da drin ist. Er hat auch den Schlüssel behalten.«

»Und warum sollst nicht du das Geld verwahren?«

Jacob verstand nicht recht, wieso gerade er das viele Geld zu sich nach Hause nehmen sollte. Er hatte weder Stahlschrank noch Safe. Außerdem regelte doch Ben die Finanzen für Kirche und College, gehörte zu Samuels Familie und hatte sowohl sichere Schränke als auch einen Safe. Letzterer war allerdings zu klein für den Koffer.

»Ich vermute, das Geld ist bei dir sicherer!« sagte Ben. »Bei mir könnte man es eher suchen.«

Dabei beließ er es.

Jacob bekam ein mulmiges Gefühl. Wer weiß, was das für Geld war und woher der Ayyagaru es hatte! Aber er sagte nichts. Immerhin würde das College bald das Ende aller finanziellen Sorgen der Kirche bedeuten. Die deutschen Partner waren strikt dagegen, das wusste Jacob. Sie waren bisher nicht einmal bereit, das Gelände zu besuchen, auf dem es gebaut wurde. Und Jacob verstand sie sogar, war doch dieses Projekt im Vergleich zu den kleinen Kinderheimen und Schulen ein Gigant. Und es würde viel Aufmerksamkeit erfordern. Die Deutschen hatten Angst, dass diese dann von den Gemeinden abgezogen würde. Und überhaupt, sie glaubten den Rechnungen des Ayyagaru nicht. Aber die Pastorenschaft glaubte ihm und Jacob auch. So nebenbei hatte Samuel bemerkt, es könne ja auch sein, dass die Partner aus Übersee nur neidisch seien. »Wenn wir selbstständig sind!« hatte er gesagt, »dann brauchen wir sie nicht mehr und sie bekommen Probleme mit ihren Spendern für die Bildungsprojekte.«

Jacob glaubte Samuel in dieser Sache nicht. Trotzdem verstand der es, die Pastorenschaft durch solche Bemerkungen auf seine Seite zu ziehen.

Jacob nahm den Koffer vor sich auf das Motorrad und klemmte ihn mit seinem Körper fest. Soviel Geld! Gut, dass es in Indien kaum Raubüberfälle gab wie in Amerika. Und noch besser, dass niemand wusste, was in dem Koffer war. Niemand außer Samuel.

21 Wenn der Zweck die Mittel heiligt

Am frühen Abend, als wir vom Hofgang kommen und unser Flachmannfreund die Zelle gerade schließen will, kommt mir eine Idee.

»Krishna, kannst du mal übersetzen?«

Ich bin jetzt wirklich gespannt, ob es klappt.

»Kein Problem!« sagt er und kommt zurück zu mir an die Tür.

»Bitte frage doch den Constabler, ob er Informationen über den Mann von heute Morgen bekommen kann. Du weißt schon, jenen kräftigen Typen, der mich fast verprügelt hätte.«

Wahrscheinlich haben sie den Mann für heute weggeschlossen, denn ich habe ihn weder beim Mittag-, noch beim Abendessen wiedergesehen.

Krishna redet mit dem Wachmann.

»Gib mir mal fünfzig Rupien!« raunt mein Übersetzer mir zu. Wie gut, dass nur mein Rasierer fehlt und nicht auch das Bargeld aus meinem Koffer. Ich gebe ihm einen Fünfziger und der Schein wandert von Krishnas Hand in die Tasche einer Uniformjacke. So selbstverständlich, als sei dies der ganz normale und von den Göttern vorherbestimmte Lauf des Geldes.

»Alles klar!« sagt Krishna als mein auf Honorarbasis arbeitender Informant die schwere Tür schließt. »Morgen früh hast du alles, was er rauskriegen kann.«

Ich setze mich auf mein Bett und bedenke die nächsten Schritte. Wobei wahrscheinlich nicht ich sie gehen kann, sondern ich werde sozusagen gegangen. Inzwischen macht hoffentlich Herr Schröder seine Arbeit ordentlich. Vor allem darauf setze ich, was meine Freilassung angeht. Etwas Angst macht mir der schnelle Abgang von Sri Ramulu Raj, dem Geheimdienstmann. Ich bin mir sicher, dass ich den noch wiedersehe und er seinen Hai-Hunger noch nicht gestillt hat. Krishna scheint mir ‚sauber' zu sein – soweit man das von einem Terroristen sagen kann. Obwohl, allzu offen sollte ich dennoch nicht sein. Er könnte meine Informationen an seine Leute weitergeben und das würde wahrscheinlich eher schaden als nützen.

Zwar ist es mir nicht egal, was mit meinem Rasierer geschieht, aber inzwischen macht es Spaß, meinen Anwalt Appa Rao ein wenig unter Druck zu setzen. Auf ihn baue ich, was meine Freilassung angeht, am allerwenigsten.

Mich wundert, dass bisher keiner meiner Freunde aus der Kirchenleitung aufgetaucht ist. Die müssten doch längst wissen, was passiert ist. Jacob, wieso hat er noch nicht reagiert? Als ich verhaftet wurde, war er in Orissa. Seine Kontakte dort hat er in einsamen Gegenden, die zum ‚Tribal Belt' gehören, jenem Gebirgsgürtel, der vielen Adivasistämmen noch als eigenes Territorium geblieben ist. In den meisten Regionen dort gibt es keinen Handyempfang. Vielleicht weiß Jacob also noch nicht einmal, dass ich hier bin. Na ja, vielleicht ist es alles nur eine Frage der Zeit.

Morgen will ich erst einmal herausbekommen, was der kräftige Essraumtyp gegen den Ayyagaru hat. Endlich kann ich mal wieder selbst aktiv werden.

Ich habe mich gerade hingelegt, da sagt Ashok etwas. Diesmal redet er allerdings nicht im Schlaf, sondern mit Krishna. Sie unterhalten sich kurz. Dann wendet sich Krishna an mich:

»Oliver, Ashok will mit dir reden.«

Ich bin nun wirklich neugierig. Bisher hat der sich aus allem herausgehalten. Vielleicht kommt ja nun heraus, ob Ashok pakistanischer Spion, Paßfälscher oder womöglich doch ein Giftmörder ist.

»Kein Problem!«

Ich richte mich wieder auf und setze mich auf mein Bett. Und dann beginnt Ashok das erste Mal, seit wir hier zusammen einsitzen, mehr als zwei Sätze mit mir zu reden. Als ich höre, was Krishna da übersetzt, bin ich sofort wieder hellwach.

»Mehrmals habe ich in euren Unterhaltungen den Namen Polavaram herausgehört«, beginnt er. »Kannst du mir sagen, was du darüber weißt und was du damit zu tun hast?«

Nun wird es spannend. Warum interessiert sich Ashok dafür? Was hat er damit zu tun? Aber zunächst bin ich dran.

»Ja«, antworte ich, »ich kenne das Projekt.«

Und dann sage ich in Kürze, was bereits alle wissen und was seit Anfang 2005 in den Medien diskutiert wird: Die Regierung unter der Kongress Partei plant ein riesiges Kanal- und Bewässerungsprojekt. Sie will die Flüsse Krishna und Godavari miteinander verbinden und so riesige Flächen bewässern. Das soll Nahrungsmittel für Millionen sichern. Vor allem aber sollen die Großstädte Vijayawada und Vishakhapatnam, kurz Vizag genannt, und deren Industrie mit Wasser und Energie versorgt werden.

Das größte Projekt innerhalb dieses Vorhabens ist ein riesiger Staudamm bei Polavaram, also zwischen Bhadrachalam und Rajamundhri. Der 47 Meter hohe und 1.600 Meter breite Damm soll die Godavari aufstauen. Durch den Rückstau entsteht auf einer Fläche von über 63.000 ha ein riesiger Stausee. Das betroffene Gebiet ist größer als das Überschwemmungsgebiet der Jahrhundertflut von 1986. Damals sind über zweihundert Menschen ertrunken. Sein Leben verlieren wird durch diesen Stausee hoffentlich niemand. Dafür stehen allerdings Hof, Land und Besitz, eigenes Einkommen, Heimat und Freiheit auf dem Spiel. Mindestens 276 Dörfer mit etwa 400.000 Menschen sollen umgesiedelt werden. Die meisten von ihnen sind Adivasis, Stammesangehörige. Die Gesamtkosten des so genannten Indira Sagar Staudammes, im Volksmund Polavaram-Projekt, wurden mit 4,2 Milliarden Dollar veranschlagt, sind aber schon jetzt extrem gestiegen.

Was ich da so sachlich berichte, klingt distanziert. Dabei ist es alles andere als das für mich. Was da geschieht, schmerzt mich sehr.

Ich bin tiefer in diese Sache verwickelt, als ich jetzt zunächst zugeben kann. Es war Ende 2004, also schon nach der Anzeige gegen uns in Dehli. Ich war auf dem Rückweg nach Deutschland und machte wie meistens Station in der Landeshauptstadt Hyderabad. Dort kaufe ich zum Schluss meiner Besuche gerne ein, gehe noch mal günstig zum Frisör und ruhe mich einen Tag lang aus. Diesmal fand ich im Hotel eine Zeitung. The Hindu, eines der seriösesten Blätter Indiens, titelte mit einer für mich alarmierenden Schlagzeile: »Green Signal for Polavaram«.

Der Artikel schockierte mich. Das seit vielen Jahren von der Regierung geplante Staudammprojekt wurde jetzt durch Gerichtsbeschluss freigegeben. Begierig las ich die Details. Und war erschüttert. Ich wusste, dass schon die Engländer Pläne und Gedanken eines solchen Staudamms in der Schublade hatten und sie mehrfach wieder aufgetaucht waren. Auch hatte Samuel Raj manchmal, wenn er seinen Visionen freien Lauf ließ, solche gigantischen Pläne. Wenn es nach ihm gegangen wäre, hätte die Kirche das mit deutschen Geldern gemacht. Doch nun war es offensichtlich erneut und nachhaltig auf dem Tisch. Und ausgerechtet Samuels Partei war dabei federführend.

Wieder in Deutschland begann ich mit intensiven Recherchen. Über einen Freund bekam ich damals noch vertrauliches Material der Regierung zum Projekt. Darin enthalten waren nicht nur die Pläne zur technischen Umsetzung, sondern auch zur Umsiedlung und Entschädigung der betroffenen Einwohner. Alle Orte, die Anzahl der Familien und viele Details waren vermerkt. Über 60 Prozent der Betroffenen waren Adivasis. Mehr als die Hälfte unserer Kirchengemeinden waren betroffen und fast alle Kinderheime.

Ich recherchierte und informierte Indienfreunde in Deutschland. Menschenrechtsorganisationen und Natur schutzverbände schlugen daraufhin Alarm. Sie schlossen sich dem in Indien zunächst mangels Informationen nur langsam entstehenden Widerstand an und unterstützten ihre indischen Partner in der Region. Da inzwischen bereits die Anzeige gegen uns in New Delhi lief und der Geheimdienst uns wahrscheinlich schon im Visier hatte, mussten wir vorsichtig sein. Es reichte, dass wir der Spionage in einem Atomkraftwerk bezichtigt wurden. Da musste nicht auch noch ein Staudamm hinzukommen – wenngleich beide Verdächtigungen reine Fantasie waren. Wir konnten die Sache nicht als Organisation, sondern nur durch Privatpersonen weiter begleiten. Doch genau das mussten wir tun, damit wir unseren Partnern zur Seite stehen können. Ich habe das übernommen. Ich kann die Schmerzen um die Vertreibung der Menschen und die Vernichtung einer wunderschönen Naturlandschaft nicht ertragen ohne etwas dagegen oder zumindest zur Linderung zu tun. Doch das muss ich, wie gesagt, nicht gleich erzählen. Ashok ist auch so zufrieden.

»Du weist also Bescheid«, sagt er und Krishna übersetzt jetzt Satz für Satz. »Ich kenne übrigens auch deinen Samuel Raj. Er ist früher eine wichtige und anerkannte Person in unserer Region gewesen. Er hat sich für die Koyas eingesetzt, wie kaum ein Anderer.«

Nun bin ich an der Reihe mit Staunen.

Dieser Mann hat trotz der Sprachbarriere mehr mitbekommen, als ich geahnt habe. Oder hatte Krishna ihm doch zwischendurch, in meiner Abwesenheit, einiges übersetzt? Bis jetzt hat Ashok sich zurückgehalten. Während ich noch meine Giftmörderwitze über ihn machte, hatte er mich schweigend beobachtet.

»Ich wusste nicht«, sagt er weiter, »ob ich Kontakt mit dir aufnehmen sollte. Als der Name Samuel Raj sogar mehrfach fiel, wurde ich eher misstrauisch. Dieser Mann hat seine Leute verraten und sich jetzt sogar gegen sie gestellt. Der Ayyagaru ist in die Politik gegangen und Abgeordneter der Kongresspartei geworden. Und eben diese

Partei betreibt unter ihrem Ministerpräsidenten das Staudammprojekt.«

Den letzten Satz sagt er mehr zu Krishna gewandt, als zu mir. Er weiß wohl, dass mir all das bereits klar ist. Ja, Samuel ist in die Politik gegangen. Jetzt ist er Abgeordneter der Kongresspartei in einem südlich gelegenen Wahlkreis.

»Als der Mann heute Morgen über dich herfiel, dachte ich schon, er wäre auch einer von uns, einer aus dem Widerstand gegen das Projekt. Das scheint aber nicht so zu sein. Ich habe keine Ahnung, was der gegen diesen Samuel Raj hat. Aber ich habe den Eindruck, du scheinst keineswegs auf dessen Seite zu stehen. Stimmts?«

Es stimmt. Wie sehr es stimmt! Aus dem einstigen Freund ist ein Feind geworden, ein mächtiger Feind. Ein Feind, der wie eine Katze seine Spielchen spielt und dann heimtückisch zuschlägt. Selbst ein Hai wäre mir lieber. Den verwechselt man nicht mit einem Schmusetier. Und der schmeichelt einem nicht.

»Also bist du hier, weil du im Widerstand gegen den Staudamm bist?« frage ich Ashok.

Das Thema Samuel Raj ist mir unangenehm. Viele, viele Jahre standen wir Seite an Seite, zu viele Jahre. Wann immer mir seine Fehler und Vergehen vor Augen gemalt werden, sehe ich auch unsere Irrwege und Illusionen.

»Ja«, sagt Ashok. »Ich habe einige Demonstrationen organisiert. Dabei gab es Straßenschlachten mit der Polizei. Vielleicht hast du von der Schlacht an der Brücke von Bhadrachalam gelesen. Wir sind furchtbar brutal zusammengeknüppelt worden und einige von uns wurden schwer verletzt. Die Polizisten hatten es darauf abgesehen, das ist klar!«

Ja, ich hatte von dieser Demo gehört. Über das Internet bekomme ich regelmäßig Zeitungsausschnitte aller Artikel, in denen das Wort ‚Polavaram' vorkommt. Also bin ich jederzeit auf dem Laufenden. Allerdings schien die Provokation damals von beiden Seiten auszugehen. Die Demonstranten hatten Steine auf die Polizei geworfen und viele verletzt. Daraufhin sind sie von den Beamten so stark zusammengeschlagen worden, dass fünf Leute lange in Lebensgefahr schwebten.

»Die Regierung kriminalisiert uns. Dabei nehmen wir nur unsere Grundrechte in Anspruch. Inzwischen sagen sie, wir alle seien Kommunisten und Naxaliten.«

Rama Krishna grinst, als er das Letzte übersetzt.

»So weit seid ihr ja auch in dieser Position nicht von uns entfernt!« sagt er und das Grinsen bleibt in seinem Gesicht.

»Auch die Kommunisten und Naxaliten bekämpfen den Damm. Und ich sage dir, wenn das Ding kommt, dann sprengen die Naxaliten ein kleines Loch hinein – und schon ist das Problem gelöst!«

Ashok reagiert verärgert und ich kann das verstehen.

»Von wegen gelöst! Die Parteien versuchen, die Lage für sich auszunutzen. Denen geht es gar nicht um die Leute, sondern um ihren eigenen politischen Einfluss. Und die Naxaliten schüren den Hass gegen die Regierung aus dem gleichen Grund.«

»Immerhin tun die wenigstens was!«

»Aber was?! Sie jagen in Gullavai den Rohbau des Gemeindebüros in die Luft, verkriechen sich dann in ihre Camps und wir kriegen den Druck der Polizei zu spüren. Du hast gut Reden! Hast in England studiert und im Prinzip alle Möglichkeiten. Ich und meine Freunde müssen dort leben!«

»Ja eben!« argumentiert Krishna.

Er vergisst jetzt im Eifer das Übersetzen und ich muss ihn ermahnen, es um meinetwillen zu tun.

»Auch ich will doch, dass die Leute dort leben können. Es gibt diverse Alternativvorschläge für den Damm. Die sind genauso effektiv, erfordern aber nur wenige Umsiedlungen. Es weiß ohnehin jeder, dass die Regierung ihre Versprechen nicht halten wird!«

»Leider weiß das nicht jeder«, antwortet Ashok. »Viele glauben der Regierung und je mehr sie mit Geld um sich wirft, desto mehr lassen sich überzeugen. Anfangs war der Widerstand viel größer als jetzt. Jetzt, wo auch schon die Kanäle, die Mustersiedlungen und andere Anlagen zu sehen sind und viel Geld geflossen ist, glauben sowieso die meisten, dass Widerstand keinen Zweck mehr hat!«

»Eben deshalb muss man Zeichen setzen. Wie Gullavai!«

»Eure Zeichen verderben alles. Ihr fangt sogar an, Dorfbewohner zu bedrohen. Mir hat ein Bauer erzählt, dass Naxaliten ihm angedroht haben, seinen Hof anzuzünden, wenn er den Widerstand aufgibt und das Geld der Regierung nimmt. Das ist doch kein Weg!«

Die beiden reden sich in Rage. Ich ermahne Krishna mehrfach, ins Englische zu übersetzen. Wahrscheinlich deshalb spricht er plötzlich nur noch Englisch und versucht, auch mich zu überzeugen.

»Wieso kein Weg? Wisst ihr, in Bristol gibt es ja die Schlucht des Avon, vielleicht hast du schon mal ein Bild von der Suspension-Hängebrücke gesehen«, spricht er mich direkt an.

Ja, habe ich. Sogar das Original habe ich unter meinen Füßen gehabt und folglich weiß ich jetzt, dass die Sache mit Bristol stimmt und Krishna dort zumindest gewesen sein muss. Er erzählt schon weiter:

»Auf der einen Seite der Schlucht, direkt am Abgrund, haben Vogelfreunde ihre Fernrohre aufgebaut. Sie können damit in die Nester an der gegenüberliegenden Steilwand sehen. Dort nisten sehr, sehr seltene Mauersegler, die vom Aussterben bedroht sind. Nun sitze ich da bei ihnen und sehe, wie ein Marder sich dem Nest nähert. Ich habe ihn voll im Visier. Was meinst du, wenn ich nun nicht nur das Fernrohr, sondern darunter ein gutes Gewehr habe – werde ich schießen?«

Ich finde den Vergleich etwas hergeholt.

»Du wahrscheinlich schon. Ich aber habe kein Gewehr!«

»Siehst du. Das ist das Problem. Da stirbt eine Art aus und du siehst ohnmächtig zu.«

Ohne Aufforderung übersetzt Krishna seine Philosophie für Ashok ins Telugu.

»Ich sehe nicht zu«, sage ich. »Immerhin mobilisiere ich internationalen Widerstand.«

»Und ich sehe auch nicht zu«, ergänzt Ashok, nachdem Krishna ihm sein Gleichnis übersetzt hat. »Ich organisiere lokalen Widerstand, Demonstrationen und rechtliche Schritte.«

Krishna schüttelt den Kopf.

»Ihr steht an der Schlucht, schreit laut herum und werft mit Steinen! Nicht einmal vertreiben könnt ihr den Marder damit. Ihr erreicht ihn nicht. Man muss ihn ausschalten.«

Mir wird die Diskussion zu heiß und ich versuche, wieder von der Avon an die Godavari und vom Mauersegler zur Stammesbevölkerung zu kommen.

»Woher kommst du genau?« frage ich Ashok.

»Ich komme aus Rudramakota, einem kleinen Dorf in der Nähe von Elerupadu.«

Auch dieses Dorf kenne ich. Dort lebt Pastor Jesudos mit seiner Familie.

»Bei uns hat die Regierung die Leute überredet, das Geld zu nehmen und zu verschwinden. Die meisten haben es genommen, jedenfalls die Nontribals.«

Nontribals, das sind jene, die keine Stammesabstammung haben. Die von der Regierung versprochene Entschädigung für sie: Geld fürs Land und Geld fürs Haus. Die Tribals, also die Stammesbevölkerung, sollen dagegen Land fürs Land und Haus fürs Haus bekommen. Stolz behauptet die Regierung, dies sei die beste Entschädigung, die es je gegeben habe. Auch ich habe bereits gehört, dass man mit der Auszahlung der

Nontribals in Rudramakota und anderen Dörfern bereits begonnen hat. Lockruf des Geldes!

»Das Ergebnis war, dass die größten Bauern das Geld nahmen. Einige kauften sich sofort einen Farbfernseher oder ein Motorrad, viele verteilten es an die Familie und nur wenige kauften davon neues Land außerhalb des Überschwemmungsgebietes. Das ist inzwischen sowieso kaum noch zu bezahlen. Die Regierung hat inzwischen in Zusammenarbeit mit der Papierfabrik Eukalyptusplantagen angelegt. Man will, bevor das Wasser kommt, drei Ernten einbringen. So kann man einiges der gezahlten Entschädigungen wieder rausholen – und am ende kostet dem Staat dieses Land kaum etwas.«

Was er sagt, stimmt. Ich habe die Plantagen gesehen. Inzwischen gibt es hunderte solcher Eukalyptuswälder auf beiden Seiten des Flusses. Wo bisher Chilli, Reis, Tabak, Bananen, Hirse oder Erdnüsse wuchsen, gedeihen nun die schlanken, unseren Pappeln ähnlichen Bäume. Sie entziehen der Erde alles, was diese fruchtbar macht, vor allem Wasser. Immerhin verrät die Regierung mit diesem Projekt, dass sie selbst mit 12 Jahren Bauzeit rechnet, denn so lange wird es dauern, um drei Ernten zu bekommen. Den Leuten dagegen machen viele der Beamten damit Angst, dass das Wasser schon in Kürze kommt.

Ashok erzählt uns seine Geschichte.

Er hat sich gegen jene im Dorf gestellt, die schnell ihr Land verkauft haben. So bekam er seinen ersten Ärger. Dann war er der ARS beigetreten, einer von den NGOs (Nicht-Regierungsorganisationen) unterstützten Initiative der Selbstorganisation von Adivasis. In den meisten Dörfern gab es Arbeitsgruppen. Die organisierten Eingaben, Demos und mit Unterstützung der NGOs auch Gerichtsprozesse. Ashok war sehr aktiv und leitete bald die Koordination eines ganzen Distriktes.

Den zweiten Ärger hatte es gegeben, als der Kreisdirektor eine Informationsveranstaltung in einem Dorf durchführen wollte. Ashok führte die Demo gegen die Regierungsvertreter an. Als die mit dem Jeep ankamen, konnten sie den kaum verlassen. Hunderte Dorfbewohner waren gekommen und schrien ihren Protest hinaus. Der hochrangige Beamte kam nicht zu Wort. Er wurde einfach niedergeschrien. Ins Dorf traute er sich auch nicht. Dort hatte die ARS zusammen mit den Kommunisten ein Schild aufgestellt, das Vertretern der Regierung den Zutritt zum Dorf bei Androhung von Schlägen verbot. Also zog der Beamte frustriert wieder ab. Er konnte froh sein, dass er nicht gelyncht wurde.

Ashok war den Leibwächtern dieses Mannes irgendwie aufgefallen, weil er die Leute zu beruhigen versuchte. Also war klar, dass er der Anführer war. Woher sie seinen Namen hatten, weiß er bis heute nicht. Jedenfalls waren am nächsten Tag Polizisten gekommen, hatten ihn abgeholt, ins Revier nach Kukunuru gebracht und dort zwei Nächte eingesperrt. Ein Verwandter hatte den Polizisten Geld zugesteckt und so war er wieder freigekommen. Bis zur Demo in Bhadrachalam. Dort hatte es die blutige Straßenschlacht gegeben. Ashok war an der Schlacht zwar nicht direkt beteiligt, gehörte jedoch zu den Veranstaltern der Demonstration. Man fischte ihn aus der Menge, schlug ihm mit einem Schlagstock gegen den linken Oberarm, legte ihm Handschellen an und verfrachtete ihn in einen vergitterten Kleinbus. Die anderen wurden nach einigen Tagen freigelassen, er selbst wurde nach Hyderabad überführt.

»Hier sind die Politischen, hat man mich aufgeklärt. Und nun sitze ich mit euch zusammen in dieser Zelle und weiß nicht, wie das alles weitergeht.«

Als er fertig ist, habe ich mich bereits auf meinem Bett ausgestreckt. Ich bin müde. Wegen der inzwischen fortgeschrittenen Tageszeit, aber auch wegen seines Berichtes. Mir vergeht langsam der Humor. Irgendwie ist es alles so mühsam und negativ. Der Staat, Samuel Raj, der Geheimdienst – sie alle scheinen am längeren Hebel zu sitzen. Nun habe ich einen der Menschen kennengelernt, von denen ich schon so viel gelesen hatte. Ashok tut das im Land, was ich als Ausländer nicht tun kann, aber von Herzen bejahe. Er wehrt sich gegen das Unrecht, das seinem Volk angetan wird. Er wehrt sich mit legalen Mitteln gegen die Vertreibung, gegen die Vernichtung der Natur und gegen die Bevormundung einer Regierung, die demokratische Regeln und Gesetze mit Füßen tritt. Aber nun sitzt er hier. Wie ich auch. Und Krishna. Im Grunde sind wir alle Verlierer. Wir folgen einer Idee und scheitern an der Realität. Wir haben verschiedene Sichtweisen von Widerstand, aber wir sitzen trotzdem hilflos hier im Knast. Es ist doch ein wenig wie bei den Mauerseglern in Bristol. Wir können nicht das Geringste tun.

Ich bin wirklich müde.

»Lasst uns schlafen, Freunde.«

Krishna verlässt den Stuhl, legt sich den Lunghi um und klettert in sein Bett. Ashok geht noch mal zum Klo hinter die Mauer und legt sich dann ebenfalls hin. Und ich drehe mich auf die Seite, schaue die Wand an und wundere mich.

Eben noch voller Misstrauen, eben noch vorsichtig und fremd. Und nun sage ich ‚Freunde'. Vielleicht sind wir ja doch keine Verlierer, jedenfalls nicht nur.

22 Sterben und Auferstehen

Es war wie im Traum. Lea stand bis zum Bauch im Wasser. Vor ihr ein weißer Mann, jünger als sie selbst.

»Ich taufe dich im Namen des Vaters…«.

Sie wurde untergetaucht, dabei behutsam festgehalten. Als sie wieder auftauchte, prustete sie etwas.

»... und des Sohnes«, wieder ging es hinein ins Nass. Sterben und Auferstehen, so hatte der deutsche Besucher dieses Untertauchen in seiner Rede vor der Taufe gedeutet. Und ein drittes Mal: »... und des Heiligen Geistes!«

Dreimal Sterben war schlimm. Dreimal wieder Auferstehen prima! Lea war irgendwie froh, aber auch irritiert.

Eigentlich war sie doch schon getauft! Schon damals, als sie den christlichen Glauben neu entdeckt hatte, wurde sie von Jesudos und Abudas getauft. Sie hatte das dem Ayyagaru deutlich zu verstehen gegeben. Der hatte jedoch darauf bestanden, dass sie hier und heute noch einmal getauft werden sollte.

»Du brauchst die Taufe im Geist!« hatte er argumentiert. Sie wusste, dass davon auch etwas in der Bibel stand, dachte jedoch bisher, dass eine Taufe ausreichen würde.

»Außerdem sollten wir unseren Partnern bei ihrem Besuch auch etwas bieten!« Samuel lachte, als er das sagte. »Immerhin sind sie zehntausend Kilometer gereist, um eine lebendige und wachsende Kirche zu sehen!«

Lea hatte sich nicht weiter widersetzt. Warum auch? Der Ayyagaru musste es besser wissen. Alle hatten ihn als Präsidenten der Kirche akzeptiert. Er pflegte die Kontakte nach Deutschland und zu den indischen Kirchen, er beschaffte das Geld, er legte die Bibel sachkundig aus, er war dabei, eine Verfassung für die Kirche zu erarbeiten, er bestimmte die Riten und Gebräuche, er war Richter in Streitigkeiten, er kümmerte sich um Pastoren mit Problemen und er komponierte sogar die Lieder selbst. Warum sollte sie sich diesem Mann widersetzen? Er sorgte wie ein Vater für seine Familie, die Kirche. Lea und alle anderen Pastoren waren sich da einig. Einer für alle, alle für Einen!

Die Deutschen waren mit einer ganzen Gruppe gekommen. Sie bereisten das Gebiet und besuchten Gemeinden und Kinderheime. Heute waren sie für einen Tag und eine Nacht in Arukuru. Und jetzt war es wie im Traum.

Ob der Ayyagaru das so arrangiert hatte? Wie hätte er das können? Oder wäre es auch ohne ihn passiert, weil es Gottes Führung war? Sie wusste es nicht. Jedenfalls erkannte sie sofort ihren Traum wieder: Vor ihr der Weiße. Er war ihr als Oliver vorgestellt worden, ein netter junger Mann. Daneben, ebenfalls im Wasser, stand Samuel Raj. Am Ufer waren noch mehrere Europäer, darunter auch einige Frauen, und natürlich Gemeindeglieder aus Arukuru. Über fünfzig von ihnen hatten sich heute bereits taufen lassen. Das war in ihrem Traum nicht vorgekommen, war jedoch besonders schön. Andere Details waren dafür umso näher am Traum von damals. Lea hatte sie gleich gesehen, als sie an diesen als Wasserrückhaltebecken angelegten See kamen: Die lila Seerosen auf dem dunklen Wasser. Auch den Jungen am Ufer mit seinen Wasserbüffeln hatte sie sofort entdeckt. Sogar das mit den Kongas, die Parasiten aus dem Fell der Büffel pickten, passte.

Es war schon merkwürdig, was hier geschah!

Nach der Taufe bekamen alle Täuflinge christliche Namen und wurden mit dem Zeichen des Kreuzes auf der Stirn gesegnet. Die Namen wurden in ein Buch eingetragen, schon, damit die Täuflinge sie in der Aufregung nicht vergaßen.

Es waren komische Namen dabei. Herman, Erwin, Renata, Oliver, Uli – Samuel hatte einfach die Namen der Besucher genommen. Er behauptete, dass es christliche Namen seien, da die Gäste ja aus dem christlichen Abendland kämen. Doch Lea hatte diese Namen noch nie in der Bibel entdeckt. Andere klangen genauso komisch, standen jedoch in der Bibel: David, Benjamin, Hanna, Ruth, Johannes, Lukas...

Besonders gefreut hatte Lea sich über die Taufe zweier Freunde. Ihre Freundin Kumari hatte den Namen Mariama bekommen und die alte Prasanna hieß nun Sarah. Kumari hatte ein gesundes Mädchen zur Welt gebracht und inzwischen ein weiteres Kind bekommen. Lea freute sich sehr darüber.

Oft saß sie mit ihrer Freundin vor der Hütte.

Gemeinsam zeichneten sie dann Ornamente auf den Boden und erzählten sich dabei ihre Geheimnisse. Kumari war die Erste, der Lea von jenem Mann auf dem Motorrad erzählt hatte, in den sie sich damals vor mehr als zehn Jahren verliebt hatte. Kumari hatte zwar etwas gelacht, sie aber nicht ausgelacht.

»Was, und da hoffst du immer noch?!«

Sie konnte es wohl nicht fassen. Und es war ja auch ziemlich verrückt.

»Ich weiß nicht.«

Lea war es doch ein wenig peinlich. Immerhin war sie jetzt über dreißig. In Kürze sollte sie zur Diakonin der Kirche eingesegnet werden und die Leitung der gesamten Frauenarbeit übernehmen. Das war eine große Verantwortung. Da musste man schon erwachsen sein und sollte nicht mehr den Träumereien einer Siebzehnjährigen nachhängen.

»Immerhin«, sagte sie, »hat mich dieser Fisch auf dem Motorrad ja auf die Spur meines neuen Glaubens gebracht. Vielleicht ist es für Gott ja auch gar nicht unmöglich, dass ich den Fahrer mal wieder treffe. So viele Christen gibt es ja nun auch nicht!«

Kumari lachte und malte einen Fisch auf den Boden.

»Guck mal, der sieht aus wie ein Plattfisch!«

Nun kicherten beide, als wären sie siebzehn.

»Ich habe keine Ahnung, wieviele Christen es gibt. Wenn es überall so schnell so viele neue gibt wie hier, dann sind es bald wohl doch ziemlich viele! Aber dein Motorradchrist ist ja dann auch schon um einiges älter! Wie willst du ihn denn erkennen, wenn du ihn triffst und er sein Motorrad mit dem Fisch nicht dabei hat?«

Kumari hatte Recht. Selbst wenn der Mann von der Bhoomi Ponduga-Straßensperre noch einmal auftauchte, würde sie ihn wahrscheinlich nicht erkennen.

»Vielleicht ist es ja der Ayyagaru!« spottete Kumari.

Sie war eine der Wenigen, die den Präsidenten kritisch sahen. Er war ihr zu stolz und zu dominant.

»Mach keine Scherze!« lachte Lea. »Dann müsste ich ja die Bischöfin unserer Kirche werden!«

Lea lachte, als sie sich an diese Szene vor der Hütte erinnerte.

Aber jetzt musste sie sich beeilen. Sie hatte wie andere getaufte Frauen auch, die Versammlung kurz verlassen und war hinter eine undurchdringliche Hecke aus schlanken Säulenkakteen gegangen, um sich trockene Sachen anzuziehen. Die Kakteen blühten weiß und rosa und streckten ihre riesigen Blütenkelche dem Licht entgegen. Sie stopfte die nassen Kleider in die geflochtene Tragetasche und eilte zurück zum Seeufer. Gerade sprach der Ayyagaru einen Segen und löste die Versammlung auf. Alle gingen Richtung Dorf zurück. Alle, bis auf den Ayyagaru, Oliver und ein anderer Mann aus der deutschen Gruppe. Die drei standen an der Kakteenhecke und rauchten eine Zigarette. Samuel machte das immer heimlich, obwohl alle wussten, dass er starker Raucher war. Die Drei unterhielten sich. Sie schienen gut befreundet zu sein. Lea hoffte sehr, dass auch sie eines Tages einmal nach Deutschland käme. Sie konnte sich dieses Land überhaupt nicht vorstellen. Zwar hatte ihr Samuel davon erzählt, doch klang alles so unwirklich. Es sei dort kalt, es regne oft, dafür sei jedoch alles total grün, gerade und sauber. Aber vielleicht würde sie ja eines Tages auch einmal dorthin kommen. Wer weiß?

Jetzt jedenfalls musste sie sich beeilen, denn die Gäste wollten am Abend bei ihr essen. Da war noch viel zu tun.

*

Fünf Jahre später, 1986.

Draußen regnete es. Seit über einer Woche war der Monsun da. Diesmal war es schlimmer als sonst. Einige Gewitterstürme hatten mehrere Hütten im Dorf abgedeckt, dicke Äste durch die Gegend gewirbelt und zwei alte, große Bäume umgeworfen.

Wieder hockte Lea in ihrer Hütte und kochte. Es gab heute jedoch nicht Huhn oder Lamm wie bei den deutschen Gästen, denen man gerne das Beste servierte. Es gab einfach nur Reis mit Gemüse. Sie war allein im Haus.

Sie lebte wie immer, einfach und schlicht. Dabei kannte sie inzwischen auch einen anderen Lebensstil. Sie war nun Leiterin der Frauenarbeit. In dieser Funktion hatte sie einige große Frauentreffen in anderen Kirchen besucht. Dort hatte sie in Hotels übernachtet, war sogar einmal geflogen und hatte zwischendurch Zeit zum Einkaufen in den Großstädten Südindiens. Chennai, Hyderabad, Bangalore – niemals hätte sie früher geglaubt, dass sie einmal so weit über Arukuru hinaus käme. Trotzdem war sie froh, wieder an ihrer Sabari zu sein und die Godavari in der Nähe zu wissen. Ja, es war interessant in den großen Städten, schön dagegen und zum Wohlfühlen war es nur hier, in ihrer Heimat am Fluss.

Und das galt auch für den Rest der Welt. Nach ihrer zweiten Taufe, inzwischen bezweifelte sie, dass dieses zweite Mal wirklich nötig war, hätte sie nie gedacht, dass es so schnell gehen würde. Ging es aber. Der Ayyagaru stellte eine Delegation für einen Deutschlandbesuch zusammen. Und die Leiterin der Frauenarbeit musste mit. Also beantragte sie mit Benjamins Hilfe einen Pass und bekam später wie die anderen ein Visum. Der Schwiegersohn Samuels, der inzwischen Finanzchef der Kirche war, sagte:

»Lea, du hast wirklich Glück! Nur wenige Koyas haben die Chance, ihr Land zu verlassen!«

Es hatte ein bisschen herablassend geklungen. Vielleicht war es aber gar nicht so gemeint.

Ja, und dann war sie in Deutschland. Oliver wollte später immer wieder von ihr wissen, was sie denn so empfand, als sie seine Heimat das erste Mal besucht hatte. Sie wusste es nicht. Jetzt, im Nachhinein kam ihr diese Reise wie ein Traum vor, so als wäre das alles gar nicht echt gewesen. Es war, wie Samuel beschrieben hatte: Ziemlich kalt, es regnete oft, es war alles total grün, gerade und sauber. Vor allem die Straßen kamen ihr traumhaft vor. Die Autos glitten darauf fast geräuschlos hin, ohne Hupen, ohne Scheppern, ohne Büffelstopps. Einfach paradiesisch. Die Menschen waren freundlich. In einer flachen Küstenregion servierte man so oft Tee, dass es fast wie Zu Hause war. Nur die Gottesdienste waren etwas steif und manchmal kamen wenige Leute. Na ja, und die Läden. Deutschland war unglaublich reich! Aber am eindrucksvollsten fand sie die glatten Straßen!

Als sie jetzt so vor ihrer Feuerstelle hockte und an die Küchen ihrer Gastgeberinnen in Deutschland denken musste, da wunderte sie sich wieder, wie die Deutschen das hier bloß aushielten. Palmenblätter statt Teller, die rechte Hand statt Messer und Gabel, abgekochtes Wasser statt Coca Cola, Bastmatte und Schneidersitz statt Tisch und Stuhl, Pritsche statt Bett und Matratze, wandern statt fahren, offene Sandalen statt feste Schuhe, scharfe Saucen statt Ketchup, Reis statt Kartoffeln, Brunnenwasser statt Dusche, Büsche statt Toilette – wie bloß überstanden die Deutschen das hier im Stammesland?

Es regnete immer noch.

Das Holz war nicht richtig trocken. Es qualmte. Lea musste sich die Augen reiben. Draußen war es inzwischen dunkel geworden. Vorhin war Kumaris Mann, oder aktueller: Mariamas Mann, bei ihr gewesen.

»Wir müssen aufpassen!« hatte er gesagt.

»Der Fluss hat die Oberkante seines Ufers fast erreicht.«

Lea wusste, wie das aussah. Gefährlich, bedrohlich. Der liebliche Strom war zum Ungeheuer geworden. Mindestens zwanzig Meter tief und sehr breit schoss er dahin. Wassermassen ohne Ende. Die Godavari war noch schlimmer. Sämtlicher Bootsverkehr war längst eingestellt. Wenn das Flussbett voll war, hielt nichts, gar nichts das Wasser zurück. Es riss und zerrte an den Steilufern wie ein wildes Pferd am Zügel. Es schnappte sich sämtlichen Unrat, Lehm und Sand, Bäume, Planken, nicht genügend vertäute Boote, alles. Wie eine unersättliche und nicht zähmbare Riesenschlange zischte das Wasser schlängelnd um die Kurven. Hier und da schwappte es gefräßig in die Spalten des Ufers, lief dann auf die Felder, bildete Seen. Und Lea wusste, wenn es so weit war, wurde es wirklich gefährlich.

Dabei musste es hier unten gar nicht soviel regnen. Es reichte, wenn oben in den Bergen oder weit im Nordwesten, wo die Godavari herkam, viel Regen fiel. Dann kam das Wasser den Fluss heruntergerauscht. Weiter unten, noch vor der Stadt Polavaram und ganz in der Nähe ihres ehemaligen Tempels Perentapalli, gab es eine Enge zwischen den Bergen. Hier war der Fluss auch in den trockenen Monaten über dreißig Meter tief, jedoch sehr schmal. Diese Passage schafften die Wassermassen nicht so schnell. Also gab es einen Rückstau. Und der konnte verheerende Folgen haben.

»Wir werden heute Nacht Wachen aufstellen!« hatte Mariamas Mann ihr noch zugerufen, als er sie kurz vor der Dämmerung verlassen hatte. Das war vor einigen Stunden gewesen. Lea hatte keine Angst. Trotzdem wäre sie jetzt lieber mit anderen zusammen gewesen. Allein leben, dachte sie, hat seinen Preis! Vor allem in solchen

Nächten. Sie hatte sich das nicht ausgesucht, sondern einfach niemanden gefunden. Oder hatte sie sich letztlich doch dafür entschieden, allein zu bleiben? Zuerst ihr unbändiger Lernwille, verbunden damit, dass sie überaus wählerisch war und alle Bewerber abschmetterte. Dann ihre Priesterkarriere und nun ihr Leben als eine Mischung aus Wanderpredigerin, Frauenrechtlerin, Pastorin und Hausfrau. Kein Wunder, dass sie allein war! Oder war es doch Berufung? Wahrscheinlich.

Zum Glück wurde das Gemüse nun doch langsam weich. Der Reis vom Mittagessen musste nur noch einmal warm gemacht werden. In Wasser ging das schnell.

Wasser. Es war Segen und Fluch zugleich.

Die Taufe, hier im Essen, auf den Feldern, im Brunnen. Wasser war Segen. Aber auch Fluch. Es kam durch das Dach aus Palmwedeln. An mehreren Stellen tropfte es in die Hütte hinein. Mindestens alle zwei Jahre musste das Dach neu gedeckt werden, eine teure und aufwendige Angelegenheit. Jedes Blatt kostete 2 Rupien, und mindestens 500 Stück wurden benötigt, um eine Hütte dieser Größe zu decken. Das Wasser zerstörte alles. Vor allem, wenn es unkontrolliert aus dem Fluss kam.

Lea hoffte inständig, dass es diesmal nicht wieder über die Ufer trat. Wenn das geschah, brachte es Sand mit, der dann auf die Felder gespült wurde und diese unfruchtbar machte. Sie zu reparieren, war weitaus mühsamer und teurer als die Dächer zu erneuern. Am Nachmittag hatten sie bei Prasanna, also Sarah, ein Gebetstreffen gehabt. Etwa zwanzig Christen aus der Gemeinde Arukuru hatten Gott darum gebeten, sie vor einer Überschwemmung zu schützen. Danach war sie etwas ruhiger gewesen. Trotzdem würde sie heute Nacht kaum schlafen können. Gut, dass draußen am Fluss eine Wache aufgestellt war.

Es kam gegen ein Uhr. Lea war eingeschlafen. Da sie auf einer Pritsche lag, hatte sie zunächst nichts gemerkt.

Doch dann ging das Licht der Petroleumlampe aus. Irgendwie musste sie davon wach geworden sein. Es war still. Nur ein leises, unheimliches Rauschen war zu hören. Es kam vom Fluss. Dazu klapperte Geschirr, irgendwo in der Kochecke. Blech stieß aneinander wie vom Wind bewegt. Doch es gab keinen Wind in der Hütte.

Lea setzte sich auf und stellte die nackten Füße auf den Boden. Erschrocken zog sie sie wieder zurück. Die Füße standen im Wasser.

Nun war sie hellwach.

Sie tastete sich zum Regal über der Kochstelle. Dort müssten noch Streichhölzer sein. Sie hatte dort auch zwei der Feuerzeuge deponiert, die ihr deutsche Besucher geschenkt hatten. Da war eines davon! Sie ließ die Flamme aufleuchten. Und erschrak.

Die Hütte stand unter Wasser.

Der Boden war zehn bis zwanzig Zentimeter hoch mit einer braunen, kalten Brühe bedeckt. Einige Töpfe und Becher schwammen darin herum. Manchmal stießen sie aneinander und schepperten. Die Feuerstelle war schwarz, jede Glut erloschen. Lea streckte sich nach ihren Sachen aus, die sie an ein Bambusgeflecht gehängt hatte. Eilig legte sie einen alten Sari an. »Ich muss meine Sachen nach ganz oben unters Dach packen!« dachte sie. Von irgendwo draußen hörte sie laute Schreie. Da rief jemand um Hilfe. »Keine Zeit für meine Sachen«, ging ihr durch den Kopf. »Ich muss sehen, wer da in Not ist.«

Sie versuchte, ihre Taschenlampe zu finden.

Hoffentlich ist die nicht ins Wasser gefallen! Nein, da war sie! Ein Glück! Lea nahm die Lampe und leuchtete sich den Weg zur Tür aus. Auch unter dem Vordach stand das Wasser. Und jetzt erst begriff sie das Ausmaß der Katastrophe. Die Hütte stand auf einem Sockel von über einem halben Meter Höhe. Darum herum war überall Land unter. Lea rutschte aus und rutschte bis zu den Hüften in das schlammige Wasser hinein, bevor sie sich abfangen konnte. Der mit Kuhdung versetzte Lehm war zur Rutschbahn geworden. Sie konnte kaum Halt finden.

Und wieder hörte sie die Schreie. Dann sah sie etwas weiter unten, dort, wo früher ihr Shivatempel stand, ein Licht.

»Ist da jemand?!« rief sie.

Im Hintergrund hörte man nur das Rauschen des Flusses.

»Ja, hier!« tatsächlich, es kam eine Antwort.

»Hier, direkt am Weg!«

Einen Weg hätte man auch dann nicht sehen können, wenn es hell gewesen wäre. Das Wasser stand über einen Meter hoch. Bereits alle Felder mussten unter Wasser stehen. Und vom Dorf dürften nur noch die Häuser ganz oben am Weg, wo der Bus fuhr, trocken sein.

Lea war total geschockt. Doch jetzt war keine Zeit für lange Überlegungen. Sie musste helfen – jener Person dort hinten und sich selbst.

»Ich komme!« rief sie hinüber.

Wo der Weg war, konnte sie ahnen, denn er war von Palmen gesäumt. Die schlanken Bäume hoben sich ein wenig vom bewölkten Nachthimmel ab. Doch wie sie es anstellen sollte, diese Person dort hinten zu erreichen, wusste sie auch nicht. Ein Boot hätte man jetzt haben müssen. Aber das hatten nur die Fischer – und die waren unten am Fluss. Unten? Es gab ja gar kein Unten mehr. Wo also waren die Fischer nun?

Lea versuchte erneut, ins Wasser zu gehen. Doch es hatte keinen Zweck. Es war zu tief. Zwar konnte sie ein wenig schwimmen, doch wie weit und wie lange sollte sie das in dieser Brühe versuchen? Nein, sie musste irgendetwas wie ein Floß oder so finden.

Doch nun rief die Frau wieder. Ja, es war eine Frau. Und Lea erkannte sogar die Stimme. Es war ihre beste Freundin, Mariama.

»Bleibe wo du bist!« rief die. »Ich komme zu dir!«

»Mariama!« Lea rief, so laut es ging. »Kumari, schaffst du das auch wirklich?!«

»Ja, ich schaffe es! Warte!«

Es dauerte fast eine Stunde, jedenfalls gefühlt. Mit Schrecken merkte Lea, dass sie bald selbst im Haus nicht mehr würde stehen können. Schon jetzt ging ihr das Wasser bis zum Knie. Sie saß auf der Pritsche zwar noch trocken, sah jedoch im Schein der Lampe, dass nur noch wenige Zentimeter fehlten und dann würde auch die Pritsche von der Brühe überspült werden. Noch einmal ging sie ins Wasser und suchte zusammen, was sie erreichen konnte. Die Kleidung schlug sie in eine Decke ein und warf das Bündel auf den Dachboden, wo sie ihre Reisvorräte und das Trockengemüse aufbewahrte. Dann nahm sie die Basttasche und steckte Kleinigkeiten hinein, die überall herumlagen, bereits im Wasser schwammen oder im Regal an der Wand lagen: Ein Kerzenständer, mehrere Becher, der Kamm, eine Schatulle mit Schmuck. Ihren Pass und wichtige Papieren steckte sie in eine Plastiktüte. Zum Glück lag auch die Bibel, die der Ayyagaru ihr geschenkt hatte, oben auf dem Regal. Auch sie steckte Lea mit in die Plastikfolie, rollte diese zusammen und klemmte das ganze Bündel in den Unterrock. Das wollte sie auf keinen Fall verlieren. In die Tasche tat sie noch zwei Fotos mit Rahmen, rollte den Kirchenkalender zusammen, legte den kleinen Spiegel hinein und verschnürte die Tasche dann mit einem Schal. Das ganze Päckchen legte sie zu den Sachen aufs Dach. »Was, wenn das alles überschwemmt wird?« dachte sie. »Aber das konnte nicht sein – oder?«

Lea hörte, wie in der Nähe jemand stöhnte.

»Kumari, bist du es?«

Sie bemerkte gar nicht, dass sie aus Gewohnheit den alten Namen benutzte.

»Ja! Ich habe es gleich geschafft!«

Nun reichte der Strahl von Lea's Taschenlampe bis zu ihrer Freundin. Die saß auf einer Art Floß. Oder war es das Teil eines Daches? Ja, es waren mehrere zusammengebundene Balken mit Ästen und Bambusmatten dazwischen.

Mariama sah elend und müde aus.

»Wo sind deine Kinder?«

Lea war entsetzt. Wo waren Sohn und Tochter ihrer Freundin?

»Keine Angst!« Mariama klang erschöpft aber doch froh. »Mein Mann hat sie rausgeschafft. Sie müssten den Hügel noch vor dem Wasser erreicht haben.«

Lea zog das Floß mit einem Feuerhaken zu sich heran. Sie beugte sich hinüber und nahm Mariama in den Arm.

»Wie gut, dass wir zusammen sind!«

Mariama erzählte ihr, dass die Wache vom Fluss gekommen war und alle im Dorf gewarnt hatte. Ihr Mann hatte dann die Kinder herausgeführt und wollte zurückkommen, damit sie gemeinsam ihre Sachen einpacken und sichern konnten. Doch er war nicht gekommen. Das Wasser war viel, viel schneller gestiegen, als sie gedacht hatten. Und es war ja stockdunkel. Zuerst hatte Mariama noch gewartet. Als das Wasser jedoch hoch in ihrer Hütte stand, musste sie sich etwas einfallen lassen. Mit einem Messer hatte sie die Schnüre abgeschnitten, mit denen das Vordach der Hütte an den Pfosten befestigt war. Dieses Dach sollte Schatten spenden, war jedoch gegen den Wind ziemlich stabil gebaut und mit Bambusbändern zusammengeschnürt. Mariama hatte es geschafft, im Licht ihrer Taschenlampe und einer kleinen Öllampe, die sie gerettet hatte, dieses Floß zu bauen. Dann war sie, teilweise im Wasser, teilweise auf dem Floß, langsam den Weg entlang gegangen. Mehrmals hatte sie sich in Ästen verfangen, die in der Brühe schwammen und einmal hing sie sogar an einem Säulenkaktus fest. Zum Glück hatte sie eine Stange dabei, mit der sie sich abstoßen und manches Hindernis zur Seite drücken konnte.

Lea empfand das als große Leistung. Aber viel Zeit für Erklärungen hatten sie nicht.

»Wir müssen weiter!« sagte Lea .

»Warte, ich hole mein Bündel!«

»Du kannst nicht viel mitnehmen!« ermahnte Mariama sie.

Lea holte ihre Basttasche. Die Bibel und die Papiere trug sie am Körper.

Beide Frauen legten sich halb auf das Floß und schoben es vorsichtig in Richtung Weg. Nun hatten sie zwei Lampen und konnten deshalb besser erkennen, was vor ihnen lag. Vor allem Wasser gab es da. Den Weg konnte man ganz gut ausmachen. Lea stieß mit ihrem Knie an etwas Weiches. Sie erschrak.

»Da war was!« rief sie.

Als Mariama leuchtete, sahen sie es auch schon. Es war eine tote Ziege. Das schwarze Fell war mit Schlamm bedeckt und der Kadaver trieb Richtung Straße. Die Frauen stöhnten jetzt beide.

»Lass uns bloß sehen, dass wir zum Hügel kommen!« sagte Lea entsetzt.

Das Wasser stieg also immer noch. Manchmal konnten sie kaum den Boden erreichen, um sich abzustoßen. Einmal dachte Lea, sie würden es nicht schaffen. Hier musste eine Senke sein. Sie mussten schwimmen, jedenfalls mit den Füßen. Plötzlich schrie Mariama laut auf.

»Was ist passiert?«

Lea strahlte sie an und sah es auch schon. Mitten auf dem Floß, dem ehemaligen Schattendach, lag eine Schlange. Es war eine Kobra.

Beinahe geriet Lea in Panik. Ihre Freundin hatte die ganze Zeit zusammen mit einer Kobra auf dem Floß gesessen. Sie hatte nicht nur sich, sondern auch diesem tödlichen Reptil das Leben gerettet.

»Hat sie dich gebissen?!«

Entsetzt leuchtete Lea die Schlange an und lies kein Auge von ihr.

»Nein, ich habe sie eben erst entdeckt!«

Lea war erleichtert.

»Was machen wir denn jetzt?!«

»Keine Ahnung! Sollen wir versuchen, sie mit dem Stab ins Wasser zu werfen?«

»Dann machen wir sie nur aggressiv. Sieh nur, jetzt liegt sie einfach nur da und scheint genauso wie wir Angst zu haben.«

Und wirklich, die Kobra lag nur so da. Sie zischte nicht, sie kroch nicht, sie richtete sich nicht auf. Sie lag einfach zusammengerollt zwischen den Bambusstangen und Palmblättern und sah die beiden menschlichen Mitreisenden an.

»Vielleicht ist sie ja irgendwie gelähmt?« sagte Mariama mit einer Stimme, als wolle sie sich selbst beruhigen.

»Oder von Gott gezähmt!«

Lea dachte an jene biblische Geschichte, wo Paulus von einer Schlange gebissen wurde, sie ihm jedoch nichts anhaben konnte. Trotzdem, gebissen werden wollte sie nicht.

»Wir behalten sie im Auge!« sagte sie. »Wenn sie sich regt, können wir immer noch entscheiden, sie zu ertränken.«

Also ließen sie das Tier nicht aus den Augen. Wieder rutschte Lea in ein Loch. Diesmal ging es so tief hinab, dass ihr Kopf fast unter Wasser verschwand. Hätte sie sich nicht im letzten Moment am Floß festgehalten, wäre sie womöglich darunter gerutscht und nicht wieder hoch gekommen. So aber krallte sie sich mit beiden Händen fest und zog sich hoch. Allerdings hatte sie dabei ihre Taschenlampe loslassen müssen und die war nun verschwunden. Lea legte sich mit dem Oberkörper auf das Floß.

»Leuchte mal!«

Mariama leuchtete. Sie hatte gar nicht gemerkt, dass ihre Freundin fast ertrunken war.

»Was ist denn mit dir los?«

Entsetzt sah Mariama zu Lea hinüber. Die war der Schlange nun bedrohlich nahe gekommen.

»Pass auf die Kobra auf!«

Doch die rührte sich immer noch nicht.

Inzwischen war es etwas heller geworden. Es musste so gegen vier Uhr morgens sein.

Man konnte jetzt die Umrisse der Bäume deutlich erkennen, dazu einige Hausdächer. Nur die oberen Bereiche der Hütten ragten aus dem Wasser. Noch nie hatte Lea von einer derartigen Überschwemmung in Arukuru gehört. Das untere Dorf musste völlig zerstört worden sein. Hoffentlich waren keine Menschen umgekommen!

Aber auch sie waren noch nicht in Sicherheit. Es ging nur sehr, sehr langsam voran. Das große, schwere Dach trug sie zwar, behinderte sie jedoch im Fortkommen. Schwimmen wäre schneller gewesen. Sie mussten das Dach vor sich herschieben. Aber sie trauten sich nicht, es zu verlassen. Besser, etwas zum Festhalten und langsam vorankommen, als ohne Boden unter den Füßen und dann schnell ertrinken!

»Ist sie noch da?«

»Sie ist noch da!«

Wie oft sie so fragten und antworteten, zählten sie nicht. Die Kobra war da, rührte sich jedoch nicht. So als wüsste sie, dass ihr Leben davon abhing.

Es wurde immer heller. Jetzt konnte man am Himmel im Osten einen hellen Streifen erkennen. Bald würde es Tag werden.

Da krähte ein Hahn.

‚Hähne können zwar fliegen und sich auf Bäume setzen', dachte Lea, ‚aber krähen sie dann auch? Oder brauchen sie zum Krähen einen festen, trockenen Standort?'

Der Hahnenschrei kam aus Westen, also von dort, wo irgendwann doch einmal die Straße nach Kunavaram auftauchen müsste.

Noch einmal krähte der Hahn. Und ein drittes Mal.

Und da sah Lea einen großen Mann auf sie zueilen.

Bis eben waren die Blicke der Frauen gen Osten gerichtet, da der Morgen dort anbrach. Jetzt erst nahmen sie wahr, dass in der Richtung, in die sie sich bis jetzt durchgeschlagen hatten, plötzlich ein steiler Anstieg zu sehen war. Selbst die Straße war überschwemmt, wenn auch nur ein wenig. Dahinter ging es hinauf in die Berge. Und der große Mann hatte offenbar dort irgendwo am Abhang gestanden und Ausschau nach Menschen in Not gehalten. Und er hatte sie endlich gesehen.

»Mariama, es ist dein Mann!«

Lea war erleichtert.

»Endlich!«

Mariama sackte in sich zusammen und hing auf dem Floß.

»Ich glaube, so froh war ich noch nie, ihn zu sehen!«

Aber dann richtete sie sich noch einmal auf und rief laut:

»Was ist mit den Kindern? Wo sind sie?«

Als er antwortete, dass sie in Sicherheit seien, ließ sie sich wieder erschöpft auf die Kante des Floßes nieder. Ihr Mann kam durch das Wasser auf die beiden Frauen zu. Es ging ihm bis zur Brust. Er nahm das Floß und zog es an Land.

»Vorsicht!« warnte ihn seine Frau. »Du rettest nicht nur zwei, sondern drei Schlangen.«

Sie zeigte ihm die immer noch zusammen gerollte Kobra.

»Das gibt es doch nicht!«

Als die Frauen in Sicherheit waren, standen zehn oder zwölf Leute um ihr Floß herum. Lea's Basttasche war verschwunden. Die Schlange aber lag noch immer dort. Jetzt schien sie langsam aus ihrer Erstarrung zu erwachen.

»Ich schlage sie tot!« sagte einer der Männer und nahm einen dicken Knüppel.

»Nein, das machst du nicht!« sagte Lea .

Ihre Stimme ließ keine Widerrede zu.

»Sie bleibt am Leben, wie wir!«

Sterben und Auferstehen, Gottes Verheißung galt jeder Kreatur.

23 Der klügere Gauner

Ich schlafe erstaunlich gut. In sieben Tagen gewöhnt man sich an Manches. Mein Lieblingswächter hat wieder Dienst, als die Türen aufgesperrt werden. Er winkt Krishna zu sich heran und gestenreich erklärt er irgendetwas.

»Du kannst ihn treffen!« gibt Krishna mir zu verstehen.

»Wen?«

»Den Typen von gestern, der auf dich losgegangen ist.«

Darauf habe ich nun ganz und gar keine Lust. Ich wollte Informationen, nicht ihm persönlich begegnen. Beim nächsten Mal würde er vielleicht besser treffen und mir die Nase zertrümmern. Ich sage Krishna das. Der tuschelt wieder irgendwas mit dem Constabler.

»Du kannst ihn treffen, ohne dass dir etwas passiert.«

Das klingt schon besser. Okay.

»Aber das kostet extra!«

Krishna zuckt mit den Achseln und ich bin wieder in meinen Vorurteilen bestätigt worden. Die Beamten hier sind so korrupt wie in einem klassischen Indienroman. Wäre mein guter Appara jetzt hier, würde es ihm gar nicht gefallen.

»Ich habe schon für Informationen bezahlt, die ich bisher jedoch nicht bekommen habe.«

Wieder handelt Krishna mit dem Wächter.

»Er sagt, dafür musst du nur noch einmal fünfzig zahlen, wenn du den Mann persönlich treffen willst. Das sei nicht leicht, da er in einem anderen Block liegt. Die anderen fünfzig rechnet er dir an.«

Sehr großzügig. Er kriegt es nicht hin, Informationen zu beschaffen, kann mich aber mit dem Mann zusammenbringen, wenn ich den Betrag verdopple.

»Okay«, sage ich, »wenn es zu einem Gespräch kommt, ohne Schlägerei, dann kriegt er die zweiten Fünfzig.«

Der Wächter willigt ein und seine Augen senden nicht Dollarzeichen, sondern Whiskyblicke zu mir herüber.

Krishna kommt als Übersetzer mit, was inzwischen fast selbstverständlich ist. Er schließt sich uns ungefragt an. Unser Aufpasser marschiert voran, wir hinterher. Ashok ist auch dabei. Langsam entwickeln wir uns zu einem echten Trio. Wir gehen in den Hof. Als sich die letzte Tür öffnet und uns der hellblaue Himmel anstrahlt, muss ich mir die Hand vor die Augen halten. Die Sonne steht noch tief im Osten und scheint direkt in unsere Gesichter. Wir gehen zu den Steinbänken an der Gefängnismauer. Gleich neben der traurigen Palme setzen wir uns. Krishna sieht zur Krone der Palme hinauf und mir fällt auf, dass er das bei unserem letzten Hofgang auch schon gemacht hat. Als suche er Früchte, wo doch wahrscheinlich niemals welche wachsen werden. Der uniformierte Kontaktvermittler gibt einem Kollegen auf der anderen Seite des Hofes ein Handzeichen. Der verschwindet im Nachbarblock.

»Ist das die C-Klasse?«

Krishna gibt meine Frage an den Wärter weiter.

»Nein, das ist die A-Klasse!«

Ich habe es also mit einem Gefangenen der ersten Klasse zu tun. Das hätte ich mir allerdings denken können, denn er war ja in unserem Speiseraum. Also war er kein gewöhnlicher Dieb, aber auch kein Politischer. Ich bin gespannt.

Als der Mann, von einem Beamten begleitet, aus der Tür zum A-Block kommt, sehe ich ihn mir das erste Mal bewusst an. Ja, der Mann ist kräftig. Er wirkt jedoch gleichzeitig gepflegt, gar nicht wie ein ungehobelter Schläger. Er ist etwa so alt wie ich, also Mitte fünfzig, jedoch kleiner und gedrungener. Er trägt eine teuer aussehende dunkle Hose und ein makellos weißes und gebügeltes Hemd. Der Mann sieht anders aus, als seine Kleidung, nämlich reichlich zerknirscht. Langsam schlendern die zwei in unsere Richtung. Es soll wohl eher wie eine zufällige Begegnung aussehen.

An der Bank neben uns bleiben sie stehen. Der Wächter gibt dem Mann ein Zeichen, sich zu setzen. Der setzt sich auf die Betonbank. Mein Flachmann-Wärter wirft seinem Kollegen einen Blick zu und beide gehen ein paar Schritte zur Seite, behalten uns jedoch genau im Auge. So ganz wohl ist mir nicht. Immerhin hatte es im Speisesaal vier Männer gebraucht, um diesen Mann zu Boden zu werfen.

Ich hoffe, soweit kommt es jetzt nicht.

Krishna redet mit dem Mann. Der wird für einen kleinen Moment wütend. Wieder fällt der Name Samuel Raj. Krishna zeigt auf mich. Auch Ashok mischt sich ein. Ich verstehe die Worte ‚Bhadrachalam', ‚Lutheran Office' und ‚German'. Und da scheint der Mann zu begreifen. Seine Miene hellt sich auf, wenn auch zunächst sehr vorsichtig. Aber er wird immer entspannter. Jetzt wendet sich Krishna mir zu.

»Er ist bereit, mit dir zu reden.«

Ich bin erleichtert und stelle mich dem Mann vor. Jetzt lächelt der sogar ein wenig.

»Ich heiße Sudaka«, macht er sich ebenfalls bekannt.

»Ich habe in Bhadrachalam ein großes Bekleidungsgeschäft. Mir scheint, dort haben wir uns bereits einmal getroffen.«

Nun dämmert es mir. Es könnte sein. Vielleicht war ich schon dort und habe mich mit Hemden eingedeckt. Gerne trage ich hier preisgünstige helle Hemden und verschenke sie dann. So spare ich Gepäck. Und nun begreife ich: Wahrscheinlich hat mich der Mann schon vor unserem kurzen Gespräch gestern Morgen mit Samuel Raj in Verbindung gebracht. Wenn Weiße in Bhadrachalam einkaufen, können das nur Gäste im Lutheran Office sein, eben Freunde des Ayyagaru Samuel Raj.

»Entschuldige bitte, dass ich gestern so durchgedreht bin. Ich dachte, du seiest ein Freund von Samuel Raj.«

»Das war ich einmal«, sage ich.

»Ich weiß«, antwortet er und zeigt dann auf Rama Krishna, »dein Freund hier hat es mir erklärt. Nun stehst du auf der anderen Seite. Sonst würde ich jetzt nicht mit dir reden.«

»Verstehe, aber warum bist du derart aggressiv, wenn es um Samuel Raj geht?!«

»Kann ich dir trauen?«

Er kommt mir vor wie jemand, der gerne erzählen möchte, jedoch Angst vor möglichen Konsequenzen hat.

»Ich werde es nicht weitererzählen«, versichere ich ihm, »und Krishna und Ashok werden ebenfalls schweigen.«

»Wenn ich es euch erzähle, belaste ich mich auch selbst, das ist das Problem dabei!« Ich habe so etwas schon geahnt. Wahrscheinlich geht es um krumme Geschäfte.

»Niemand außer uns erfährt davon.«

Ich überlege, ob ich ihm Geld anbieten soll. Doch ich verwerfe das. Zum einen will ich das Spiel der Korruption nicht mitspielen, zum anderen hat der Mann als Besitzer eines großen Ladens Geld genug. Und immerhin ist er im A-Block untergebracht und kann regelmäßig Lamm essen, hat ein Moskitonetz, einen eigenen Fernseher, eine Einzelzelle... Ich muss innerlich lachen, als mir einfällt, was mir der Däne erzählt hat. Inzwischen bin ich froh, dass ich nicht in einer Einzelzelle stecke. So ist es hier wesentlich spannender.

Sudaka beginnt zu erzählen.

»In Badhrachalam arbeiteten wir im Rahmen einer Handwerksschule zusammen. Das Institut hatte eine Art Vorstand. Dazu gehörten Samuel Raj, zwei andere wichtige Leute aus der Stadt und ich. Die Schule arbeitete sehr effektiv und hatte einen guten Ruf. Wir waren eigentlich zufrieden. Samuel jedoch war es nicht. Immer machte er neue Pläne. Immer kam er mit neuen Visionen.«

Ja, so kenne ich ihn. Selten habe ich einen Visionär wie ihn getroffen. Er wollte damals die ganze Region verändern, verbessern. Überall sollten Kirchen ihre Türme gen Himmel strecken und Zeichen der Gegenwart Gottes setzen. Die Koyas sollten zur Schule gehen, Berufe erlernen und endlich aus Leibeigenschaft und Armut befreit werden. In landwirtschaftlichen Kooperativen sollten sie zusammenarbeiten und ihr eigenes Land bewirtschaften. So war Samuel. Er hatte nur große Träume, mit kleinen Zielen gab er sich niemals zufrieden.

»Lange Zeit taten wir seine Träume als Spinnereien ab. Doch irgendwann ließen wir uns anstecken. Er hatte so etwas an sich. Er konnte alle überzeugen und mich wundert es nicht, dass er eine große Kirche ins Leben rief und Tausende ihn verehrten.«

Darin unterscheiden Sudaka und ich uns nun doch. Ich wundere mich inzwischen, dass dieser Mann so viel aufbauen konnte, geschah das doch zumindest in den letzten Jahren mit reichlich fragwürdigen Motiven. Ich wundere mich im Grunde über Gott. Wie konnte er einen solchen Mann derart segnen?

»Allerdings wussten wir, dass er allein das Sagen haben wollte und auch alles Ansehen für sich beanspruchte. Trotzdem ließen wir uns darauf ein.«

Sudaka macht eine Pause, als ob er die Spannung noch erhöhen will.

»Er rechnete uns alles vor«, fährt er dann fort.

»Das überzeugte uns. Sollte er doch die Ehre bekommen, wir würden das Geld verdienen. So jedenfalls hatten wir es uns gedacht. Schon nach zwei Jahren sollte sich unsere Investition bezahltmachen. Im dritten Jahr würden wir die gleiche Summe noch einmal verdienen und dann jedes Jahr zehn Prozent mehr. Also investierten wir unser Geld. Wir machten das an unserer offiziellen Buchführung vorbei. Der Staat muss ja nicht alles wissen. Und die Sache lief ja auch.«

Jetzt weiß ich, wovon Sudaka redet. Ich habe einen der Anteilgeber für das Engineering-College vor mir. Der Arme! Er wollte sein Schwarzgeld waschen, setzte es auf das falsche Pferd und war am Ende der Verlierer. Ein besserer Betrüger als er es war, hatte ihm eine bittere Lektion erteilt. Mein Mitleid hält sich in Grenzen.

»Im ersten Jahr lief es gut«, erzählt Sudaka weiter. »Samuel Raj hat die Genehmigung vom Staat bekommen, weil er zehn Prozent der Studienplätze für Stammesangehörige vorsah. Das Land war noch ein Problem. In unserer Gegend dürfen nur Adivasis Land kaufen. Doch für Samuel war das kein Hindernis. Die Präsidentin der Kirche, eine ehemalige Stammespriesterin, und einer der einheimischen Pastoren, unterzeichneten die Kaufverträge. Dann wurde gebaut, von unserem Geld. Woher Samuel Raj den Rest hat, weiß ich nicht. Vielleicht von seinen deutschen Freunden. Eine riesige Summe hat er sich jedenfalls von der Andhra Bank geliehen.«

Ich kenne die Geschichte schon und weiß, was kommt. Krishna und Ashok dagegen staunen nicht schlecht. Nun weiß ich sie ganz und gar auf meiner Seite.

Samuel hatte den Traum, die Kirche finanziell unabhängig zu machen. Von dem Geld, das mit dem College verdient werden konnte, sollten die Pastoren bezahlt werden. Zunächst lief es auch gut, jedenfalls wie Samuel es darstellte. Die Teilhaber bekamen etwas vom Gewinn, die Kirche Geld auf Postsparkonten. Über tausend Studenten brachten viel Geld, zumal sie auch kräftig zur Kasse gebeten wurden, um überhaupt einen Platz am College zu bekommen. Das Ganze muss man sich wie eine technische Fachhochschule vorstellen. Ausgebildet werden die Studenten in Elektrotechnik, Informationstechnologie, Metallverarbeitung usw. Es entstand eine riesige Anlage mit allem, was in Indien dazu gehört: Klimatisiertem Computerterminal, große und viele Klassenräume, Bücherei, Fuhrpark mit Busservice, Veranstaltungshalle, Pausenhof, diverse Werkhallen, Studentenwohnheime und Wachdienst. Ein Projekt, das den Sachwert des gesamten Kircheneigentums bald weit überstieg. Allerdings war das meiste Kapital nur virtuell vorhanden, doch das wusste niemand. Samuel Raj hat mit Hilfe seines Schwiegersohnes und inzwischen auch seines leiblichen Sohnes die Kontrolle über das Unternehmen. Die allerdings entglitt ihm offenbar mehr und mehr.

Im zweiten Jahr bekamen die Teilhaber nichts mehr, die Kirche auch nicht. Das Geld wurde investiert und an Banken zurückgezahlt, um neue Darlehen zu bekommen. Die wiederum wurden ebenfalls investiert. So ging es weiter. Bis Samuel nur noch Feinde hatte.

»Mich hat er beim Polizeichef angeschwärzt. Mit dem war er dick befreundet, noch aus der Zeit der Prohibition. Damals hatten sie gemeinsam den beschlagnahmten Whisky ‚vernichtet'. Und nun vernichteten die beiden Saufbrüder mich und meine zwei Mitstreiter. Jemand aus dem College bezichtigte mich der Steuerhinterziehung. Ich bin sicher, dass der Chef selbst dahinter steckte, da ich ihm Druck gemacht hatte, mich auszuzahlen. Ich musste vor Gericht. Man pfändete meinen Laden und steckte mich für 18 Monate ins Gefängnis. Das Verfahren wurde blitzschnell durchgepeitscht. Nur wenn politische Macht dahinter steht, ist das in Indien möglich. Und die hat er ja nun, zumindest noch.«

Jetzt war klar, was Sudaka meinte, als er sagte, er würde sich selbst belasten. Gauner waren sie alle. Sie alle hatten mit messerscharfen Krallen gegriffen, was zu bekommen war. Aber der Größte, Stärkste und Cleverste von ihnen hatte gesiegt, jedenfalls vorläufig. Ich muss an die Hahnenkämpfe denken, die ich gesehen habe. Nur einer geht als Sieger vom Platz.

Inzwischen hat sich der Hof gefüllt. Immer mehr Gefangene sind aus unserem Block gekommen und haben sich rauchend und schwatzend auf dem kleinen Areal verteilt. Unser Wärter kommt und sagt etwas zu Krishna.

»Wir müssen die Sache beenden«, sagt Krishna.

»Sudaka muss in seinen A-Block zurück. Die Gefangenen dürfen nicht gemeinsam auf diesem Hof sein.«

Ich vermute, ich hätte das Gespräch mit einem weiteren Schein noch verlängern können. Doch ich will nicht. Mit diesem Mann habe ich nichts zu schaffen. Wir haben recht spät mitbekommen, dass Samuel und diese Kumpane die Sache mit dem College ausbrüteten. Damals war es offenbar in Mode, dass man ein Engineering-College gründete, wenn man etwas auf sich hielt. Damit konnte man Geld machen und als Wohltäter im indischen Bildungssystem berühmt werden. Vor allem Letzteres hatte unseren Freund wohl gereizt. Inzwischen ist dieser Boom verebbt. Indiens Wirtschaft wächst in anderen Bereichen. Die Colleges machen sich gegenseitig Konkurrenz und manchen mangelt es an studentischem Nachwuchs. Mit Recht hatten wir uns damals vehement gegen dieses Projekt gewehrt und es zu verhindern gesucht. Ohne Erfolg. Samuel Raj zog es durch. Die Pastoren unterstützten ihn in Hoffnung auf viel, viel Geld. Das war der Anfang vom Ende.

Sudaka verschwindet im A-Block. Wir sitzen noch etwas unter der Jammerpalme und ich muss meinen zwei Zimmerkollegen noch ein paar Fragen beantworten. Da ich das reichlich wortkarg mache, geben sie bald auf. Ashok sagt, dass er zurück in die Zelle will, Krishna schaut wieder zur Palme empor, zuckt mit den Achseln und schließt sich ihm an. Sie gehen. Ich sitze noch auf der harten Bank, genieße die nun höher stehende und wärmer werdende Sonne und sinniere über diese Palme. Sie lehnt sich, als wäre sie sehr müde, mit dem oberen Teil des Stammes an die Außenmauer des Gefängnisses.

Zwei der Blätter ragen über die Mauer ins Freie. Wie sehr sie leiden muss: Die Freiheit sehen, doch nicht erreichen! In Deutschland ist es jetzt Winter. Hier auch. Aber hier scheint die Sonne und ich sitze unter einer Palme. Wie man sich einen Indienaufenthalt Zu Hause so vorstellt: Sonne und Palmen.

24 Ein Koffer voller Geld und Gerüchte

Die Menge der Bündel im Koffer raubte ihm den Atem. Monatelang hatte er dieses Geld unter dem Bett gehabt. Deepa hatte er gesagt, dass der Koffer dem Ayyagaru gehöre. Sonst wusste niemand außer Ben davon, dass er den Koffer in seiner Wohnung hatte. Es war viel Geld, so viel, wie er niemals würde verdienen können.

»Mit diesem Geld werden wir die Kirche vollkommen unabhängig machen!« sagte Samuel, als er Jacob den Inhalt des Koffers zeigte. Samuel war extra, was noch nie dagewesen war, zu ihm in die kleine Wohnung gekommen und hatte den Koffer sehen wollen.

»Es ist mein eigenes Geld und das von Freunden aus Bhadrachalam. Sie sind an unserem College beteiligt.«

Jacob wusste, dass Samuel mit einigen Geschäftsleuten aus der Stadt dick befreundet war. Der Besitzer eines großen Bekleidungsgeschäftes gehörte dazu und auch der Polizeichef.

Samuel nahm einige Bündel aus dem Koffer.

»Damit gehst du und bezahlst den Bauunternehmer!« sagte er. Dann schloss er den Koffer wieder, schob ihn eigenhändig unter Jacobs Bett und steckte den Schlüssel ein.

»Behalte du ihn! Das ist sicherer. Wir werden in den nächsten Monaten immer wieder einmal etwas Geld daraus benötigen.«

Als Samuel gegangen war, saß Jacob noch wie benommen auf seinem Bett. Soviel Geld!

Zum Glück hatte Deepa das nicht mitbekommen. Sie würde sich jetzt richtig quer stellen. Sie hatte hohe Ansprüche an sich selbst, was ihr Christsein anging und forderte auch von anderen, konsequent nach biblischen Grundsätzen zu leben. Eigentlich war Jacob da ganz ihrer Meinung. Er nahm kein Geld für Gefälligkeiten und hielt nichts von Korruption. Noch nie hatte er sich bestechen lassen oder einen Vorteil aus seiner Position in der Kirchenleitung gezogen. Doch hier ging es um die Zukunft der Kirche. Da musste man sich arrangieren. Und der Ayyagaru war der Chef. Ihm die Orientierung an christlichen Maßstäben abzusprechen, lag Jacob fern. Auch wenn sich immer mehr Zweifel regten.

Jacob steckte die Geldbündel in eine Stofftasche, prüfte noch einmal, ob der Koffer ganz hinten unter dem Bett lag, verließ die Wohnung und schloss das Vorhängeschloss der Haustür sorgfältig ab. Jetzt, da er wusste, wieviel Geld er unter dem Bett hatte, bekam er plötzlich Angst, dass es ihm abhanden kommen könnte.

Er machte sein Motorrad startklar und fuhr los.

Als er an der Schule von Ben vorbeikam, dachte er an Ramanamma.

Sie war hinter der Schule begraben worden.

Ein riesiger Gedenkstein aus dunklem Marmor, von einer Umfriedung umgeben, war über ihrem Grab errichtet worden. Jacob brauchte ihn nicht, um sich an sie zu erinnern. Immer würde sie als liebevolle, gütige und doch starke Frau und Bischöfin in seinem Herzen bleiben. Auf einer großen Frauenkonferenz, die von Lea geleitet wurde, hatte Ramanamma einmal gesagt, dass für jedes Kind, das geboren werde, ein Baum gepflanzt werden solle. Und für jeden, der sich taufen ließ, sollte das Gleiche geschehen. Ja, so war sie. Sie liebte die Menschen und die Natur. Vielleicht hatte der Ayyagaru deshalb ihren täglichen Gießdienst im Garten der Kirchenzentrale übernommen. So sentimental war er sonst nicht. Aber die Pflanzen erinnerten ihn wahrscheinlich an seine verstorbene Frau.

Samuel Raj war nach Deutschland geflogen. Er hatte jedoch nicht mehr mit seiner Frau reden können, denn sie war aus dem Koma nicht mehr aufgewacht, bevor sie starb. Mit einer Lufthansamaschine wurde ihr Leichnam nach Indien gebracht. In einem langen Autokorso wurde der Sarg vom Flughafen bis nach Bhadrachalam überführt. Helmut war aus Deutschland gekommen, alle Bischöfe und Leiter der benachbarten Kirchen waren da und zehntausende Christen aus der ganzen Region. Mehrere Tage lang waren sie am Sarg Ramanammas vorbei gezogen und haben sich von ihr verabschiedet. Dann hatte man sie hinter der Schule, sozusagen im Garten der Hauptkirche, beerdigt. ‚Easter garden' hatte Samuel den Platz genannt.

Jacob fand, ‚Ostergarten' war eine schöne Bezeichnung für einen Friedhof.

Jetzt war er, nachdem er den kleinen Krishnatempel in der Siedlung passiert hatte, auf der Hauptstraße angekommen. An der Tankstelle vorbei fuhr er nach rechts und dann immer geradeaus. Noch knapp dreißig Kilometer und er wäre im kleinen Dorf Gangolu. Dort, auf dem Hof eines großen Bauern, hatte Samuel vor über zwanzig Jahren mit seiner Missionsarbeit begonnen. Es war daraus eine große Kirche entstanden. Und nun würde ein anderes Kapitel aufgeschlagen werden. Die Kirche würde eine große Institution bekommen, die ihr das nötige Kapital zur Verfügung stellte.

Jacob bog am Ortsausgang nach rechts in einen Feldweg. Nach kurzer Zeit erreichte er das College. Überall wurde gebaut. Bereits fertig war die Mauer um das Grundstück. Damit wurde immer und überall begonnen, denn ohne Mauer würden sich andere auf dem Land festsetzen, ihre Felder anlegen oder Hütten bauen. Und dann war es manchmal schwer, sie zu vertreiben.

Inzwischen war das riesige Hauptgebäude mit seinen zwei dreistöckigen Flügeln fast fertig. Die Konferenzräume in der Mitte und das große Treppenhaus mussten jeden Besucher beeindrucken. Vorne rechts würde später noch das mit einer Glasfront versehene und natürlich mit Klimaanlage ausgestattete Computer-Trainingszentrum entstehen. Hinter dem Hauptgebäude waren bereits vier der Ausbildungshallen fertig. Zwei weitere waren geplant. Dazwischen gab es einen Park mit einer großen Bühne, die für Festivals und Versammlungen geeignet war. Hier würde in Kürze die Einweihung des Colleges gefeiert. Schon jetzt schrieben die Zeitungen darüber. Sogar der Ministerpräsident war eingeladen worden und hatte seine Teilnahme zugesagt.

Wirklich beeindruckend, was der Ayyagaru da auf die Beine stellte, dachte Jacob.

Er wurde vom Wachmann durchgewunken, weil man ihn hier bereits kannte.

»Ist der Bauunternehmer da?«

»Ja, er ist hinten an der letzten Halle.«

Jacob fuhr um das Hauptgebäude herum. Er fand den Chef der Baufirma sofort. Während etwa zehn Kulifrauen Sand und Steine in Schalen auf dem Kopf in das im Rohbau fertige Gebäude schleppten und vier oder fünf Maurer die Innenwände zogen, stand der Bauunternehmer mit einem anderen Mann in der Halle, hatte einen großen Plan in der Hand und gab Anweisungen.

Der Geldtransfer verlief ohne Probleme.

Jacob nahm den Mann beiseite und gab ihm das Geld. Keine Rechnung, keine Quittung. Der Ayyagaru hatte ihm gesagt, dass es völlig diskret laufen müsse.

Erleichtert fuhr er wieder los. Das wäre geschafft.

Zu Hause angekommen war auch Deepa mit dem Kleinen wieder im Haus. Der Ältere war noch in der Vorschule, die bis nachmittags um vier ging. Sofort nahm

Jacob seinen erst vor wenigen Wochen geborenen zweiten Sohn auf den Arm und küsste ihn.

»Warst du in der Zentrale?« fragte Deepa.

Irgendwie kam Jacob der Ton ihrer Frage merkwürdig vor.

»Nein, ich habe für Samuel etwas ins College gebracht!«

»Und, bleibst du jetzt ein wenig zuhause?«

Deepa konnte manchmal ungemütlich werden. Im Grunde akzeptierte sie Jacobs dauernde Reiserei. Seit sie allerdings zwei Söhne hatten, legte sie mehr Wert auf seine Anwesenheit. Dazu musste sie Jacob allerdings nur selten ermahnen. Er liebte seine Kinder über alles und nutzte jede Gelegenheit, Zeit mit ihnen zu verbringen.

»Bleibst du jetzt hier? Oder will der Chef dich wieder irgendwohin schicken?!«

Jacob war sich ziemlich sicher, dass er zunächst hier bleiben würde. Es war jetzt später Nachmittag. Da schickte Samuel in der Regel niemanden mehr irgendwohin. Seit Ramanamma tot war, goss der Ayyagaru nach dem Mittag wie in Trance die Pflanzen, dann zog er sich in seine zwei Räume zurück und kam nicht wieder heraus. Jacob und viele andere machten sich inzwischen Sorgen. Samuel trank zuviel. Manchmal, wenn er doch noch einmal auftauchte, brüllte er herum und schikanierte die Mädels oder Besucher. Gefährlich war es, wenn er Entscheidungen zu treffen hatte. Und das kam oft vor, denn jetzt hatte Samuel die Kirchenleitung wieder selbst übernommen. Immer wieder fällte er falsche und dumme Entscheidungen, weil er betrunken war. Wenn er dann wieder nüchtern war, wollte er jedoch seine Fehler niemals zugeben. Also mussten sie vertuscht oder schöngeredet werden.

Ja, seit Ramanamma nicht mehr da war, wurde es mit Samuel immer schwieriger. Auch mit Ranja lief wieder etwas. Dazu kam eine Besucherin aus England, die oft wochenlang im Kirchenzentrum wohnte und mit der Samuel wahrscheinlich auch ein Verhältnis hatte.

Jacob spürte, wie sich seine Kritik und seine Anfragen an seinen Ayyagaru summierten. Zum Glück hatte er genug Aufgaben, die eine engere Zusammenarbeit mit ihm nicht unbedingt erforderten. Vor allem die Schule in Kukunuru war für ihn jedes Mal eine Erholung. Dort konnte er wirklich etwas entwickeln, ohne dass Samuel dazwischen funkte.

Bis heute.

»Am Montag kommt Oliver mit einer Gruppe junger Leute«.

Jakob wußte, dass Deepa die Besucher aus Deutschland gerne sehen und bewirten würde.

»Ich soll sie durch die Dörfer führen!«

Auch dass Deepa ihn gerne mit den Besuchern ziehen lassen würde, wußte Jakob. Mit Oliver verstand er sich sehr gut, wenn er auch immer wieder spürte, wie unterschiedlich sie fühlten und dachten. Aber es machte ihm Spaß, den deutschen Gästen die Gemeinden zu zeigen und mit Oliver zusammenzuarbeiten. Vor allem war es eine gute Gelegenheit, in abgelegene und selten besuchte Dörfer zu kommen. Eine Fahrt auf dem Fluss, oft bis zum Ashram Perentapalli und mit Besuch in Koyda, Arukuru und anderen Dörfern, gehörte meistens dazu. Das war dann wie ein Urlaubstag. Sie erlebten in der Regel viel auf solchen Reisen, auch Abenteuer des Glaubens. So hatte Jacob immer wieder erlebt, dass Menschen, für die die Gäste gebetet hatten, gesund wurden. Manchmal gab es ergreifende Gottesdienste mit vielen persönlichen Segnungen und hunderten Menschen. Jacob liebte auch die alten Stammestänze und Vorführungen für die Gäste. Und viel, viel Spaß hatten sie zusammen, vor allem, wenn Neulinge mitkamen, die man etwas veräppeln konnte. Also begleitete er die ausländischen Gäste sehr gerne. Da konnte man zumindest für eine Weile die Schwierigkeiten in der Kirchenleitung vergessen.

»Aber jetzt«, ergänzte er, »habe ich Zeit für euch!«

»Das ist schön«, sagte Deepa und hatte wieder diesen komischen Ton in der Stimme. »Leider habe ich schlechte Nachrichten für dich und uns.«

Erst jetzt merkte Jacob, dass Deepa sehr ernst war, ernster als sonst.

»Was ist denn passiert?«

»Das weißt du nicht?«

Nein, Jacob wusste es nicht.

»Wie läuft es denn eigentlich in Kukunuru?«

»Wieso? Alles läuft bestens! Wir haben wieder einen Preis bekommen. Der Computer funktioniert und die ersten Schüler machen Kurse daran. Warum fragst du?«

»Nur Schüler?« Deepa hob die Stimme. »Oder auch Schülerinnen?«

Jacob war total irritiert. Was wollte sie nur?

»Natürlich auch Schülerinnen. Mehr als die Hälfte in der Schule sind Mädchen. Wieso fragst du so komisch?«

Deepa schwieg einen Moment und sah nachdenklich zu Boden. Dann sah sie ihm in die Augen, sehr ernst.

»Ich habe von einer Freundin ein Gerücht gehört.«

»Was für ein Gerücht?!«

»Ein schlimmes Gerücht! Wenn es stimmt, ist alles vorbei!«

Jacob war nun völlig durcheinander. Eben noch hatte er sich einen gemütlichen Abend mit seiner Frau und dem Baby ausgemalt, jetzt lief es auf eine Ehekrise hinaus.

»Was ist denn nur los?!«

Jacob wurde langsam ungeduldig.

»Was für ein Gerücht?«

Und dann erzählte sie es ihm.

Sie erzählte, dass eine der Pastorenfrauen ihr erzählt hatte, dass man unter den Pastoren über Jacob rede. Wer genau das tue, war nicht klar. Jedenfalls waren Silas Rao und Elias unter jenen, die es verbreiteten. Das Gerücht war schlimm. Angeblich sollte Jacob zwei ältere Schülerinnen aus Kukunuru sexuell belästigt haben.

»Was! Was soll ich gemacht haben?«

»Du sollst zwei Mädels aus der zehnten Klasse im Büro während des Computerkurses sexuell belästigt haben!«

Jacob musste sich setzen. Das war wie ein Schlag ins Gesicht.

»Wer behauptet so etwas?«

»Die Mädchen sollen es angeblich selbst gesagt haben. Ramja und Paru heißen die beiden. Und du sollst sie aufgefordert haben, mit dir eine Nachhilfestunde zu machen und dann sollst du sie mehrmals angefasst haben und aufgefordert, mit dir zu schlafen.«

Jacob wurde fast schwarz vor Augen. Das war ungeheuerlich! Wer wollte ihn da vernichten?

Etwas anderes konnte es nicht sein.

Er war froh, dass Deepa ihn noch nicht verurteilt hatte. Er sah sie an.

»Deepa, es ist nicht wahr! Deepa, bitte sieh mich an. Es ist total gelogen! Bitte glaube mir. «

»Das würde ich gerne«, sagte seine Frau, »nein, das will ich! Ich glaube nicht, dass du so etwas tun würdest. Was ich aber für möglich halte ist, dass dir jemand schaden will.«

»Aber warum? Wem habe ich etwas getan?«

»Ich weiß es nicht«, sagte Deepa. »Vielleicht sind die Betreuer im Kinderheim sauer auf dich, weil du mit dem Geld so genau bist und sie kontrollierst. Oder du hast Neider unter den Pastoren, die selber gerne das Kinderheim leiten würden. Oder es geht um das Amt des Präsidenten. Das hatte der Ayyagaru dir doch schon in Aussicht gestellt. Alle wissen, dass du der am besten ausgebildete Pastor der Kirche bist und sie leiten könntest. Vielleicht neidet dir das jemand. Vielleicht..., ach ich weiss es auch nicht.«

»Danke Deepa!« sagte Jacob. »Danke, dass du mir glaubst. Ich werde herausfinden, was da läuft, darauf kannst du dich verlassen.«

Sie spekulierten noch eine Weile über dieses furchtbare Gerücht. Wenn es Kreise ziehen würde, bliebe auf jeden Fall etwas an Jacob hängen. Er würde für immer gebrandmarkt sein und sie könnten hier ihre Koffer packen.

»Aber ich werde es herausfinden!« versprach Jacob seiner Frau und sich selbst zum Schluss. »Und ich werde beweisen, dass das alles gelogen ist und die Lügner enttarnen.«

»Hoffentlich, hoffentlich gelingt dir das.«

Deepa klang nicht sehr zuversichtlich.

25 Bischöfliche Karriere

»Willst du Präsidentin werden und später Bischöfin unserer Kirche?«

Die Frage des Ayyagaru kam völlig überraschend.

Lea war gerade bei Benjamin gewesen und hatte ihr Monatsgehalt und das Geld für das kleine Kinderheim in Arukuru abgeholt. Samuel hatte sie rufen lassen.

»Wir brauchen jemanden, der oder die von allen anerkannt wird. Du bist die beste Wahl!«

Lea konnte sich das nicht vorstellen. Zuerst hatte sie gemeint, Samuel sei wieder betrunken. War er aber nicht. Er war völlig klar, saß an seinem Schreibtisch, trank einen Tee und klang ganz normal.

»Aber Ayyagaru, ich bin doch nur Diakonin! Und ich habe keine Ahnung von so etwas. Wie soll ich denn mit den anderen Bischöfen umgehen? Die werden mich nicht akzeptieren, schon weil ich eine Frau bin und dann noch Adivasi! Mit den deutschen Partnern kann ich gar nicht erst reden. Ich kann kein Englisch!«

»Macht nichts!« sagte Samuel. »Wir müssen die Aufgaben eben verteilen. Du wirst vor allem als Bischöfin nach innen, also in Richtung Mitarbeiterschaft und Gemeinden gebraucht. Alle vertrauen dir. Du bist eine von ihnen. Du bist Koya und somit genau die Richtige für die Leitung einer Stammeskirche. Und warum sollen wir dich nicht zur Pastorin ordinieren? Du bist ja fast von Anfang an dabei.«

Lea war sich nicht sicher, überhaupt nicht.

Dieses Amt erschien ihr viel zu groß. Außerdem hatte der Ayyagaru es Jacob versprochen und vor anderen Kirchenführern sogar schon angekündigt, dass der ihn ablösen würde.

»Aber du hast doch bereits Jacob als deinen Nachfolger angekündigt!«

»Das war gleich nach Ramanammas Tod. Da habe ich die Lage noch nicht überblickt. Jetzt aber weiß ich, dass er bei den Gemeinden keinen Rückhalt finden würde. Er ist Nontribal, gehört also nicht zu ihnen.«

Lea überzeugte das nicht. Zum einen hatte Jacob durchaus das Vertrauen aller Mitarbeiter und auch der Gemeinden. Außerdem war er bestens ausgebildet, kannte sich mit den Partnern aus und genoss ihr Vertrauen. Und, das fand Lea nun wirklich merkwürdig, warum argumentierte Samuel jetzt plötzlich mit der Herkunft? Sonst predigte er, dass es in Christus keine Kasten geben dürfe, nun unterschied er Tribals und Nontribals!

Ihr war gar nicht wohl bei der Sache.

»Ich habe aber Verantwortung in Arukuru! Ich leite das Kinderheim, die Gemeinde und die Frauenarbeit. Und ich bin nicht verheiratet!«

»Kein Problem«, sagte Samuel, »gerade weil du keine Familie hast, wirst du dich voll in die Aufgabe hineinbegeben können. Du bekommst dann einen Pastoren an die Seite, der das mit der Leitung in Arukuru machen kann und eine der Bibelfrauen übernimmt die Frauenarbeit.«

»Ich muss es mir überlegen.«

Lea brauchte jetzt Zeit. Die Berufung zur Leiterin der gesamten Kirche kam viel zu plötzlich.

»Ich gebe dir drei Tage!«

Samuel steckte sich eine Zigarette an und wandte sich der Zeitung zu. Lea wusste aus Erfahrung, dass er, wenn er einmal mit dem Lesen der Neuigkeiten begonnen hatte, kaum noch ansprechbar war. Also verließ sie sein Büro.

Der Linienbus fuhr kurz darauf. Es war staubig, unbequem und anstrengend, auf den inzwischen zwar asphaltierten aber völlig zerfahrenen und defekten Straßen mit dem Bus zu reisen. Doch es gab keine andere Verbindung nach Arukuru. Der Bus fuhr immer am Nordufer des Flusses entlang. Bis Arukuru brauchte er fast zwei Stunden.

Unterwegs, sich mühsam festhaltend, schwirrten die Gedanken durch Leas Kopf wie wilde Bienen auf der Suche nach Blüten. Sie fand nur, im übertragenen Sinn, wenig attraktive Blüten. Immer gab es auch ein ‚aber'. Einerseits war es vielleicht ganz schön, auch einmal in der Stadt zu wohnen. Andererseits wollte sie nach wenigen Stunden Bhadrachalam immer so schnell es ging zurück nach Arukuru. Dort war das Leben ruhiger und menschlicher. Einerseits wäre es sicher gut, die Möglichkeit zu haben, etwas für die Kirche zu entscheiden. Sie würde das Bischofsamt im Sinne Ramanammas weiterführen. Sie würde vor allem die seelsorgerlichen, sozialen und missionarischen Akzente ausbauen. Und gerne würde sie Ramanammas Programm ‚Baum für Kind und Taufe' umsetzen. Andererseits fürchtete sie, dass der Ayyagaru die Macht nicht aus der Hand geben würde.

Sie würde mit Sicherheit manches anders machen als er. Es könnte leicht Ärger geben. Wie damals, nach der großen Überschwemmung.

Das ganze Dorf war vernichtet worden. Während sie selbst und die meisten anderen zwar alles verloren hatten, jedoch mit dem Leben davonkamen, waren mehrere hundert Menschen, darunter auch vierzehn Kirchenmitglieder, in den Fluten gestorben. Nicht nur in Arukuru, überall entlang der beiden Flüsse wurden die Dörfer vernichtet. Die Menschen taten ihr leid, vor allem aber trauerte sie um zwei von ihnen. Die alte Prasana, die später den christlichen Namen Sarah trug, wurde erschlagen in den Trümmern ihrer Hütte aufgefunden. Man fand sie erst, nachdem das Wasser abgelaufen war. Ein Balken des einstürzenden Daches hatte sie getroffen. Später hörte Lea von ihrem Bruder, dass in Chatti die alte Kräuter-Bhanu ertrunken war. Sie hatte nicht genug Kraft, sich auf einen Hügel zu retten. Lea war tief betroffen, als sie davon hörte. Wer würde jetzt dafür sorgen, dass die Menschen in Chatti die richtigen Tees, Salben und Tinkturen bekamen, wenn sie krank waren?

Nach der Jahrhundertflut hatte die Kirche ein Hilfsprogramm durchführen können. Aus Deutschland kamen große Summen. Schon nach zwei Tagen, das Wasser war noch längst nicht abgelaufen, erhielten die Menschen in Arukuru Decken, Küchengerätschaften, Reis, Linsen, Mehl, Zucker und andere Lebensmittel. Als das Wasser weg war, ging es um die Frage, wie die Hütten wieder aufgebaut werden konnten. Und da hatte der Ayyagaru Lea's Meinung nach einen großen Fehler gemacht. Als sie ihn darauf hinwies, hatte er getobt. Ein Samuel Raj machte keine Fehler, nur die anderen!

Er wollte unbedingt eine Siedlung mit Steinhäusern bauen. Und tatsächlich war es ihm mit kirchlicher Hilfe aus Deutschland gelungen, dreißig Häuser bauen zu lassen. Die allerdings waren klein, stickig und von schlechter Qualität. Die Bewohner hatten sie schnell wieder verlassen oder sofort eine der traditionellen Hütten daneben gebaut. In fünf dieser Häuser, inzwischen renoviert, war heute das Kinderheim untergebracht.

Später hatte der Ayyagaru behauptet, die Hilfsorganisation des Kirchenbundes in Madras habe verschuldet, dass die Häuser so schlecht waren und die Leute dort nicht einzogen. Den Deutschen hatte er erzählt, der von dort zur Kontrolle entsandte Bauleiter habe ein Mädchen geschwängert und sich dann aus der Verantwortung gestohlen. Deswegen würden die Leute in ihrem Stolz die Häuser ablehnen. Lea wusste es besser. Niemand war durch diesen Mann aus Madras belästigt worden. Samuel wollte sich selbst aus der Affäre ziehen und gleichzeitig die Zusammenarbeit mit dem Kirchenbund verhindern. Darauf hatten die Partner bestanden, vor allem bei Katastrophen. Aber der Ayyagaru ließ sich nicht gerne in die Karten schauen. Er wusste ohnehin alles besser. Nun, vielleicht hatte er ja Recht.

Lea verstand allerdings nicht, warum der Ayyagaru immer nur mit einem einzigen Bauunternehmer arbeitete. Die Qualität war schlecht. Wahrscheinlich war es eine Sache des Preises.

Bei den Katastrophen war immer viel Geld geflossen. Unter den Pastoren gingen die wildesten Gerüchte um. Manche sagten, dass Samuel eigentlich noch viel mehr bekam, als er an die Mitarbeiter weitergab. Doch das war nicht bewiesen und Lea bezweifelte es auch. Sie konnte sich nicht vorstellen, dass der Ayyagaru die Deutschen dermaßen hinterging. Immerhin war doch vor allem Helmut sein bester Freund. Im Übrigen wusste sie, dass die Partner immer auf ordentliche Abrechnungen bestanden und auch ein indischer Buchprüfer aus Madras die Finanzen überprüfte.

Wenn Samuel die Kirche nach außen vertreten würde, sie jedoch für die inneren Angelegenheiten zuständig wäre, dann müsste das sehr genau abgestimmt werden. Samuel würde kaum nach Arukuru ziehen. Also musste sie nach Bhadrachalam. Dort müsste ihrer Meinung nach die Bischöfin ohnehin residieren und Ramanamma hatte das ja auch getan. Außerdem würde der Ayyagaru das Geld verwalten, zusammen mit seinem Schwiegersohn. Das könnte große Probleme geben.

Als Lea, durchgeschüttelt und müde, den Bus verließ, hatte sie noch keinen Entschluss gefasst. Sie musste zunächst eine Nacht darüber schlafen.

Sie war eine jener Bewohner der neuen Häuser, die sich eine Hütte daneben gebaut hatten. Der Bus hielt am Weg zum unteren Dorf. Dieses war, allerdings viel weiter oben an der Straße, inzwischen wieder aufgebaut worden. Lea hatte noch etwa zehn Minuten bis zu ihrem Haus zu gehen. Nach kurzer Zeit kam sie an ihrer schönen Kirche vorbei. Vor einigen Jahren, als im Rahmen eines Kirchbauprojektes mehrere Kirchen gebaut wurden, bekam auch Arukuru ein Gotteshaus. Und das war besonders schön. Lea war es gelungen, andere als die von Samuel bestellten Handwerker zu verpflichten. So war die Qualität ihrer Kirche viel besser als die der Kirchen in anderen Gemeinden. Die Fenster und Türen schlossen wirklich, die Elektrik funktionierte, wenn auch häufig der Strom ausfiel, und die Farben wurden auch in der Regenzeit nicht gleich abgewaschen. Das durch einen kürzeren Turm eingesparte Geld hatte Lea für eine große, breite Treppe ausgegeben. Diese führte von der Straße zur unter dem Turm liegenden großen, geschnitzten Eingangstür und dann in den geschmackvoll dekorierten Innenraum.

Lea freute sich auf die Kinder, die sie gleich sehen würde und vor allem auf Mariama, mit der sie sich unbedingt schnell treffen wollte. Sie würde über das Angebot des Ayyagarus als erstes mit ihrer besten Freundin reden.

In jener Nacht träumte sie von Swami Bhal Ashoka und war plötzlich wieder dessen Schülerin Adama in Perentapalli. »Du wirst eine gute Dienerin Gottes sein!« sagte der Swami zu ihr. Dann gab er ihr einige kleine Fotos von sich, segnete sie und entließ sie aus der Ausbildung. Sie ging hinunter zum Fluss, wo das Linienschiff von Rajamundhri nach Kunavaram angelegt hatte. Für die Fahrt bezahlte sie mit einem Bild des Swamis. Geld brauchte sie keines.

Am nächsten Morgen fühlte sie sich benommen. Was bedeutete dieser Traum? Genauso war es damals passiert, als sie den Ashram verließ. Warum nur kam ihr das jetzt in den Sinn, wo sie doch nicht Priesterin Shivas sondern Bischöfin Jesu werden sollte. War der Traum ein Wink, die Aufgabe anzunehmen? Oder sollte sie sich in irgendein Boot setzten und davonfahren? Das läge auf der Linie, die Mariama warnend vertrat.

»Mit dem kommst du nicht klar!« hatte sie gestern Abend gesagt. »Er wird dich als Strohpuppe nutzen und nachher verbrennen.«

Lea fand, dass Mariama viel zu schnell und drastisch urteilte. Ja, Samuel Raj würde das Sagen behalten wollen, auch wenn sie Bischöfin oder Präsidentin war. Doch vielleicht war gerade dies der Sinn des Traumes. Auch der Swami hatte immer das letzte Wort, war letzte Autorität. Vielleicht sollte sie sich nun wieder ganz direkt und unmittelbar einer solchen Autorität unterordnen.

Davonfahren? Ja, das war es vielleicht auch. Sie sollte ihre Sicherheit verlassen und zu ihrer Bestimmung aufbrechen. Aber nicht fliehen, sondern sich der Herausforderung stellen. Das musste es sein. Lea beschloss, es zu wagen.

In den nächsten zwei Tagen bekam sie für ihren Entschluss viel Unterstützung von Pastoren und Bibelfrauen. Und am dritten Tag stand sie vor Samuel in der Kirchenzentrale.

»Ayyagaru, ich mache es!«

»Du wirst es nicht bereuen!«

*

Wenige Wochen später wurde sie zur Pastorin ordiniert. Kurz danach wählte man sie auf der Synode zur Präsidentin der Kirche. Es kamen viele Gratulationen und Delegierte zur gottesdienstlichen Einführung: Vom indischen Kirchenbund, von den Nachbarkirchen, von den deutschen Partnern und vielen anderen. Eine ehemalige Stammespriesterin wird Präsidentin einer lutherischen Kirche, das war offenbar in der ganzen Welt etwas Besonderes. Ja, das war es. Etwas sehr Besonderes!

26 Ein kleiner roter Spielzeugdrache

Der achte Tag. Hätte man mir vor meiner Abreise aus Deutschland erzählt, dass ich so lange in einem indischen Knast sitzen würde, ich wäre nicht gefahren. Nun aber ist es nicht so schlimm, wie ich gedacht hätte.

Die Verpflegung in der B-Klasse ist nicht schlecht, wenn auch wie immer sehr scharf gewürzt. Es gibt sogar eine zweite Portion und zum Nachtisch eine oder zwei der überaus leckren und in Deutschland in dieser Süße völlig unbekannten Bananen oder Apfelsinen.

Gestern ist nichts mehr geschehen, was erwähnenswert wäre. Am Nachmittag bin ich in der Zelle geblieben, während Krishna und Ashok sich draußen im Hof aufhielten.

Ach ja, es ist doch noch etwas passiert, etwas, das mich total überraschte und womit ich nicht im Traum gerechnet hätte. Gegen Abend kam mein Lieblingswächter. Er blickte grimmig drein, als er die Tür geöffnet hatte und mich am Tisch sitzen sah. Ich schrieb gerade etwas in mein Tagebuch. Ohne zu zögern hielt mir der Constabler eine Plastiktüte hin und sagte etwas. Es klang nicht besonders freundlich. Ich nahm die Tüte und im selben Moment wusste ich, was es war. Mein Rasierapparat!

Ich war wirklich platt und bin es noch. War also mein Rechtsanwalt doch sein Geld wert! Wenn auch, seinem

Gesicht nach zu schließen, der Wächter lieber den Apparat behalten hätte, Appa Rao hat sich durchgesetzt. Gegen ihn und seine Anwaltskunst hat niemand eine Chance, selbst die schwärzesten Schafe nicht! Oder hat er doch mit einigen Scheinchen nachgeholfen, sozusagen schwarze Schafe mit einer Geldwäsche weiß werden lassen? Vielleicht hat er aber auch an die Ehre Indiens und das Image indischer Beamter appelliert. Jedenfalls habe ich nun meinen Rasierer wieder.

Während ich mich rasiere, schwirren mir viele Gedanken durch den Kopf. Ich weiß nicht, wie ich darauf komme. Doch ich spüre irgendwie, dass heute ein wichtiger Tag beginnt. Vielleicht spielt der Abend gestern dabei eine Rolle, diese letzten Momente allein auf der Steinbank unter der kümmerlichen Palme. Ich bin innerlich aufgewühlt, als wir in den Frühstücksraum gehen. Wieder ist der Steuerpreller Sudaka nicht dort. Entweder man serviert ihm im A Block sein Essen direkt in der Zelle oder sie haben auch dort eine Kantine und vorgestern war er nur ausnahmsweise in unserem Block.

Als ich Krishna von meinem Gefühl erzähle, nickt er.

»Na ja, wer weiß schon, was passiert«, sagte er hintergründig. »In Indien weiß man das nie.«

Nach dem Frühstück gehen wir auf den Hof.

Wir setzen uns auf die Steinbank und sehen drei Gefangenen zu, die Fußball spielen und sich den Ball gegenseitig zukicken. Für Kricket, das die meisten Inder viel mehr lieben, ist hier kein Platz.

Wieder sieht Krishna am schlanken Stamm der Palme empor. Ich folge seinem Blick. Der Baum sieht aus wie immer, bis auf den kleinen Papierdrachen. Krishnas Blick saugt den geradezu in sich auf. Dann nickt er und sagt wie zu sich selber:

»Stimmt, in Indien weiß man nie!«

Es ist ein roter, kleiner Drache mit langem, weißem Schwanz. Er hat sich in den Blättern, die über die Mauer ragen, verfangen. Schlaff hängt er herunter und wird vom Wind hin und her geworfen. Der Drache sieht hilflos aus wie die Palme selbst. Er bewegt sich, ist jedoch hoffnungslos gefangen.

Ich wundere mich, dass dieser, von irgendwelchen Kindern selbstgebastelte Spielzeugdrachen überhaupt die Aufmerksamkeit Krishnas erweckt. In Hyderabad gibt es davon Tausende. Drachensteigen scheint hier das beliebteste Kinderspiel zu sein. Überall flattern sie im Wind, die hängen gebliebenen und abgestürzten Minidrachen: In Bäumen, Stromleitungen und Eisenbahnanlagen, an Telefonmasten, Werbeplakaten und Baugerüsten. Was also gibt es daran Besonderes?

Krishna Rao ist irgendwie verändert. Er wirkt ungeduldig.

»Was machst du«, fragt er mich, »wenn du hier rauskommst?«

»Ich weiß nicht, wahrscheinlich fliege ich umgehend zurück nach Deutschland.«

»Du wirst also nicht bleiben und an der Seite eurer Kirche gegen das Polavaramprojekt kämpfen?«

»Mit Sicherheit nicht«, sage ich, »wenn ich etwas dagegen tun kann, dann besser zu Hause wo ich die internationalen Organisationen und Medien darauf aufmerksam machen kann.«

»Aber hier brauchen dich deine Brüder! Und nur hier kann man etwas ausrichten!«

»Mag sein, aber nicht ich als Ausländer. Am Ende lande ich wieder hier und dann für länger!«

Länger als was? Ich weiß ja noch gar nicht, wie lange ich jetzt hier bleiben muss! Krishna wirkt jetzt nachdenklich.

Und seine nächste Frage überrascht mich.

»Wenn du fliehen könntest? Würdest du dann gehen?«

»Ich kann aber nicht fliehen! Sieh dich doch um. Da kommt niemand raus!«

»Aber wenn...?«

»Dann würde ich es trotzdem nicht tun. Ich würde nie wieder nach Indien reisen können, wahrscheinlich käme ich gar nicht raus aus dem Land und außerdem wäre so etwas ja auch wie ein Schuldbekenntnis.«

Inzwischen habe ich Krishna von der Anzeige gegen uns erzählt. Er weiß also, um was es geht. Er meint, das sei eine typische Verleumdung, wie es sie vor allem auf der politischen Bühne vielfach gebe. Die Drahtzieher wüssten genau, dass all das so nicht stimmte, dass jedoch die Behörden solchen Anzeigen nachgehen müssten und es oft auch öffentlich würde. Sie wollten damit vor allem die Beschuldigten verunsichern, vertreiben und zur Zurückhaltung zwingen. Und wenn etwas in der Zeitung stehe, bliebe immer etwas hängen! Er, Krishna, wisse ein Lied davon zu singen.

»Du würdest also nicht fliehen, selbst wenn es ganz einfach wäre?«

»Richtig, da wäre ich ja dumm!«

Krishna schweigt. Wir sitzen nebeneinander und schweigen beide für mehrere Minuten.

»Ich hoffe, du kommst bald frei!« sagt er dann und es klingt ehrlich.

»Du hoffentlich auch«, erwidere ich, »auch wenn der Vorwurf des Terrorismus und Anstiftung zum Mord wesentlich gewichtiger ist.«

»Da mach dir mal keine Sorgen!« sagt Krishna zu meiner Überraschung und wirft wieder einen schnellen Blick nach oben auf den Papierdrachen, der an der Palme hängt.

Mein Flachmannfreund schlurft auf uns zu. Er sagt etwas zu Krishna und zeigt dann auf mich.

»Du hast schon wieder Besuch!« sagt Krishna. »Der Besucher war schon einmal hier.«

Ich vermute, es ist Herr Schröder vom Konsulat. Sofort folge ich dem Wächter in das Verwaltungsgebäude. Nach drei Gittertüren sind wir dort, wohin wir wollen.

Aufschließen, öffnen, zuschließen. Und das zweimal. Ich finde es absurd, dass Krishna von Flucht redet.

Mein Besucher ist schon da. Ich befinde mich allerdings nicht im offiziellen Besucherraum, sondern in jenem separaten Verhörzimmer, das ich schon kenne. Ganesha glotzt mich wieder geduldig an und hebt den Rüssel zum Gruß. Oder kneift er ein Auge zu, so als wolle er sagen: »Siehst du, so sehen wir uns wieder! Willkommen in der Folterkammer!«

Sri Ramulu Raj sitzt auf dem Stuhl hinter dem Schreibtisch und steht jetzt auf.

»Schön, dass Sie sofort gekommen sind!« sagt er, steht dabei auf und reicht mir höflich die Hand.

Sofort bin ich ruhiger. Beim Öffnen der Tür, als ich plötzlich im Angesicht des Haies stehe, bekam ich einen Schreck. Jetzt aber, nach dieser freundlichen Begrüßung, verfliegt die Angst und ich finde es gemein von mir, dass ich Ganesha den Gruß mit der Folterkammer unterstellt habe.

»Bitte setzen Sie sich!«

Nun kommt es mir fast vor, als sei das Gesicht des Geheimdienstmannes sogar physiologisch verändert und er blickt mich ganz und gar nicht gefräßig, sondern freundlich an. Aus dem Hai ist ein freundlicher Karpfen geworden.

»Mir liegen jetzt die Berichte unserer Leute aus Kovvur und dem Stammesgebiet vor«, sagt er. »Um es kurz zu machen: Alle Verdachtsmomente gegen Sie haben sich als üble Nachrede erwiesen, fast alle.«

Ich bin platt. So schnell geht das? Kaum zu glauben.

»Nur eine Anschuldigung ist noch nicht zufriedenstellend aufgeklärt.«

Ich sage nichts, bin vielmehr gespannt, was nun kommt. Aber er fängt mit den aufgeklärten Vorwürfen an.

»In keiner der Unterlagen vom Wachdienst des Atomkraftwerkes tauchen Sie auf. Das Gelände wird lückenlos mit Videokameras überwacht, jedoch keine der Aufzeichnungen zeigt Sie oder auffällige Personen. Wie also sollen Sie diese Anlage ausspioniert haben!?«

»Ich weiß ja nicht einmal, wo sie steht!«

Ich bin erleichtert, denn der Vorwurf der Spionage ist damit erledigt. Abwegig! Unsere Kontrahenten hatten wirklich eine blühende aber auch dumme Fantasie. Warum sollten wir ein Atomkraftwerk ausspionieren? Deutschland war führend in der Nukleartechnik, wozu sollten wir Werksspionage in Indien betreiben?!

Diesmal steht bereits Mineralwasser auf dem Tisch. Sri Ramulu schenkt mir ein Glas davon ein. Ich bedanke mich.

»Auch der Vorwurf mit der Aufwiegelung der Koyas zur Bildung eines eigenen Staates erscheint jetzt in einem anderen Licht. Sie wissen ja, dass im Moment viel Unruhe in der Region herrscht, da dort über 270 Dörfer durch einen riesigen Stausee bedroht sind. Unsere Behörden im Bundesstaat Andhra Pradesh haben in diesem Zusammenhang ausführliche Untersuchungen in jenen Gruppierungen eingeleitet, die für ein unabhängiges Telangana kämpfen. In die aktivsten Gruppen haben wir auch Kontaktleute eingeschleust.«

Ich bin erstaunt, wie offen der Mann mit mir umgeht.

»Niemand von denen hat jemals von Ihnen im Zusammenhang mit separatistischen Bestrebungen etwas gehört. Sie und Ihre Freunde sind zwar in der Region bekannt, aber nur als Unterstützer der lutherischen Kirche und der Kinderheime und Schulen.«

Auch da bin ich jetzt erleichtert.

Beunruhigt bin ich nur, weil die Regierung offenbar noch massiver in den Widerstand gegen den Staudamm eingreift als ich schon wusste. Es besteht die Gefahr, dass immer mehr Bürgerrechtler und Naturschützer als militante Gegner des Projektes kriminalisiert werden. Ashok wird sicher interessieren, dass es V-Leute des Geheimdienstes in den Widerstandsgruppen gibt. Außerdem wundert mich, dass der Beamte voraussetzt, dass ich das Projekt kenne. Er scheint tief in unsere Akte eingestiegen zu sein.

»Die Sache mit dem Geld«, sagt er dann, »lassen wir auch fallen. Selbst wenn Sie größere Beträge nach Indien gebracht haben, wäre das nicht nachweisbar. Alle Befragten haben versichert, dass sie niemals Geld oder Geschenke von Ihnen erhalten haben. Somit gehen wir davon aus, dass die Beträge für die Sozialarbeit eingesetzt wurden, wie Sie behaupten.«

»Mit Sicherheit«, sage ich. »Wir haben immer nur die offizielle Kirche gefördert und keine Einzelpersonen begünstigt. Darüber gibt es auch genügend Unterlagen in der Kirchenzentrale von Bhadrachalam.«

»Das haben wir ebenfalls geprüft«, sagt mein Gegenüber und blättert dabei in seinen Akten.

»Allerdings ist es nicht so einfach, an diese Unterlagen heranzukommen. Der Geschäftsführer der Kirche verweigert die Herausgabe. Er behauptet, sie seinen verlorengegangen. Die Akten, die dem Gericht bereits vorliegen, geben nicht genügend Auskunft über die Transaktionen der vergangenen Jahre.«

»Das kann ich mir denken! Die alten Akten würden eben nicht uns, sondern eher die Ankläger belasten!«

Es rutscht mir ein wenig unkontrolliert heraus. Aber es stimmt. Alle Gelder sind über all die Jahre an die Kirche gegangen und wurden auch gemäß diverser Buchprüfungen für die Zwecke eingesetzt, wofür sie gegeben wurden. Die Projekte sind so gelaufen, wie es verabredet war. Schwierig wurde es erst nach der letzten Abrechnung der Katastrophenhilfe und dem Umgang mit dem Geld für landwirtschaftliche Projekte. Letzteres war vom Ayyagaru für das College eingesetzt worden.

»Ich weiß«, nickt Sri Ramulu nun.

Er hat wirklich Ahnung von dem, was läuft.

Ich staune.

»Ich habe die Prozessakten hier in Hyderabad und auch in Khammam eingesehen. Dort war ich selbst, während meine Kollegen in den letzten Tagen die Leute vor Ort befragt haben. Allerdings geben die Akten wegen finanzieller Transaktionen nichts her. Dort geht es vor allem um die Frage, wer die rechtmäßige Kirchenleitung zugesprochen bekommt. Die Verfahren richten sich gegen einen Pastor Elias und die angeblich von einer Kirchenversammlung gewählte Kirchenleitung. Betrieben werden die Verfahren von einem Abgeordneten der Congress Partei Dr. Samuel Raj. Der behauptet, die rechtmäßige Leitung der Kirche habe ein Pastor Israel Rao.«

Ich staune wirklich. Dieser Mann ist klug und dabei überaus fair.

»Ja«, sage ich, »allerdings verschweigt Samuel Raj, dass er persönlich die Spaltung in der Kirche herbeigeführt hat, indem er eine neue Leitung, eben unter Pastor Israel Rao, eingesetzt hat. Pastor Elias ist tatsächlich rechtmäßig von den Gemeindevertretern, wir nennen das Synode, gewählt worden. Samuel Raj hat ihn in Indien und selbst in Deutschland in vielen Gremien und Veranstaltungen als Präsident vorgestellt. Dann aber hat ihm nicht gepasst, dass die neue Leitung die Macht für sich beanspruchte und er hat sie sozusagen entmachtet.«

Ich würde gerne noch mehr erzählen. So etwa, dass der indische Kirchenbund ganz auf der Elias-Seite steht und dessen Leitung anerkennt, oder dass Samuel Raj ohnehin längst die Leitung abgegeben hat, oder Geschichten von Friedens und Versöhnungsverhandlungen, die alle schief gegangen sind, weil der Ayyagaru sie boykottiert hat. Doch ich komme nicht dazu.

»Das tut hier nichts zur Sache!« Der Beamte aus Dehli unterbricht mich. »Das sind interne Angelegenheiten der Kirche und die Gerichte werden entscheiden. Meine Recherchen beziehen sich nur auf die Anklagen gegen Sie und Ihre Kollegen aus Deutschland.«

»Okay, aber genau in diesen Auseinandersetzungen liegen ja die Gründe für die aus der Luft gegriffenen Anzeigen!«

Ich spüre, wie mich das Gespräch erregt. Viele Wunden der letzten Jahre schmerzen bei der geringsten Berührung.

»Eingereicht wurden die Anzeigen vom Sohn Samuel Rajs und von seinem Schwiegersohn. Und niemand sonst als er selbst steckt dahinter.«

»Auch das interessiert mich nicht weiter«, weist mich der Geheimdienstmann nun etwas ungeduldig zurecht. Einen kurzen Moment lang scheint sein Gesicht wieder einem Hai zu ähneln, doch schnell wird er wieder freundlich.

»Ich verstehe ja Ihre Gefühle! Sie sind offensichtlich diffamiert worden. Doch ich habe nichts zu tun, als die Anzeige zu prüfen. Und das habe ich getan.«

Ich beruhige mich etwas. Warum soll ich auch mit diesem Mann die internen Angelegenheiten der Kirche und Partnerschaft besprechen? Er hat Recht, diese Angelegenheiten sind nicht seine Sache.

»Also, das mit dem Geld ist nicht nachweisbar. Besser noch, soweit sichtbar, ist alles dorthin geflossen, wo es hingehört: In die sozialen Projekte.«

Er schenkt sich nun selbst ein Glas Mineralwasser ein und trinkt einen Schluck.

»Deshalb ist auch die nächste Anklage vom Tisch, nämlich dass die Menschen mit Geld zur Konversion zum Christentum gebracht wurden. Meine Kollegen vor Ort haben eher das Gegenteil von den dortigen Christen gehört. Danach sollen sie durch ihren neuen Glauben sogar Nachteile auf sich genommen haben. Außerdem spenden sie Geld für die Gehälter der Pastoren, die Gemeindearbeit und manchmal auch Kirchbauten. Sie bekommen kein Geld, sondern sie geben welches! Das hat meine Kollegen jedenfalls geradezu erstaunt und sie haben keinerlei wirkliche Beweise gefunden, dass Übertritte zum Christentum im Zusammenhang mit Geld standen.«

Ich bin erleichtert. Wir haben befürchtet, dass die andere Seite irgendwelche Leute aus ihren Gemeinden besticht, derartige Aussagen zu machen. Das war offenbar nicht passiert oder eben diese Leute sind nicht befragt worden.

»Bleiben noch zwei Vorwürfe«, fährt mein Gegenüber fort, »und die betreffen die Aufwiegelung der Tribals gegen Nontribals und der Hindutribals gegen Christentribals.«

Nun bin ich gespannt. Das Ganze ist überaus sensibel und schwierig. Die Botschaft des Ayyagarus und seiner Kirche war immer: ‚No casts in Christ! Kein Kastensystem bei Christus!' Symbole wie die Fußwaschung und das Reichen der Hände sollen diese Botschaft unterstützen. So die Theorie.

In der Praxis jedoch gestaltet sich die Umsetzung davon sehr, sehr schwierig. Das Kastensystem sitzt tief im Denken, Fühlen und Handeln der Gesellschaft. Es zu überwinden ist ein langer Weg, vergleichbar mit dem der Überwindung der Apartheit in Südafrika.

Die Kirche hat diesen Weg betreten und ist bereits, ohne jeden Zweifel, ein ganzes Stück vorangekommen. Trotzdem gibt es Rückschläge. Die Koyas sind stolz. Samuel Raj hat diesen Stolz geschürt und sie darin gestützt, eine Stammeskirche zu bilden. Das wieder konnten die Nontribals unter den Mitarbeitenden nicht hinnehmen. Also kam und kommt es zu Auseinandersetzungen innerhalb der Kirche.

Und die gibt es leider auch zwischen Christen und Hindus, wie in vielen anderen Bundesländern auch, vor allem in Orissa. Dort mussten Christen bereits sterben, weil militante Hindu-Fundamentalisten deren Häuser und Kirchen verbrannten. Gewissermaßen also stimmt es, was in der Anzeige steht: Durch die Förderung der christlichen Kirche geschieht auch Trennung und Polarisierung. Allerdings sind nicht wir es, die das schüren, sondern jene, die daraus Vorteile ziehen wollen. In vielen Dörfern sind das Großgrundbesitzer, die verhindern wollen, dass sich ihre Kulis organisieren, in Orissa sind es jene Hindus, die Indien ausschließlich unter Hindus aufteilen wollen, und in unserem Fall ist es unser früherer Freund.

»Mit diesen Vorwürfen ist es nicht so einfach«, sagt jetzt Sri Ramulu. »Mein Bild ist da noch nicht rund. Grundsätzlich gibt es Zerwürfnisse zwischen den genannten Gruppen. Ich habe zu prüfen, was das mit Ihrem Einfluss zu tun hat. Wie sehen Sie das?«

Ich bin sehr positiv berührt. Wie konnte ich diesen Mann als Hai bezeichnen? Ein Hai fragt nicht, bevor er frisst. Sri Ramulu jedoch fragt mich um meine Sicht der Dinge. Ich sage sie ihm. Es wird ein sehr konstruktives Gespräch daraus. Er befragt mich sogar über Inhalte der christlichen Botschaft. Fast habe ich den Eindruck, er interessiert sich nicht nur aus beruflichen, sondern auch aus privaten Gründen dafür. Mir wird jetzt wieder heiß, allerdings nicht aus Ärger, sondern vor freudiger Erregung. Vielleicht hat hier ja noch einer seine Finger, oder besser, seinen Geist im Spiel! Es wäre ja nicht das erste Mal.

Vor vielen Jahren habe ich so etwas an der innerdeutschen Grenze in Berlin erlebt. Mein Freund wurde von einem verbissen aussehenden Volkspolizisten der DDR in die Verhörzelle geführt. Über eine Stunde blieb er dort drin. Ich dachte schon, mein Freund würde wegen der illegal über die Grenze gebrachten theologischen Bücher ernsthafte Probleme bekommen. Als er dann jedoch durch die Sperre kam, grinste er mich an. Seine Bücher trug er bei sich.

»Er hat mit mir über den Glauben diskutieren wollen!« hatte er strahlend erzählt. »Der Vopo hat die christlichen Bücher gesehen und mit mir über Gott und Jesus geredet!«

Ob hier auch so jemand vor mir sitzt? Jemand, der im Herzen die Sehnsucht nach Klarheit trägt? Jemand, mit dem Gott auf dem Weg ist? Ich kann es kaum fassen. Je länger wir reden, desto intensiver sprechen wir über das, was ich glaube und was Jesus vorgelebt und gelehrt hat.

Das Gespräch dauert fast zwei Stunden. Der Wächter muss sogar Tee bringen. Tee im Verhör, das glaubt mir zu Hause niemand! Am Ende steht Sri Ramulu Raj auf, kommt um den Schreibtisch herum und reicht mir die Hand.

»Ich danke Ihnen!«

Sein Händedruck ist fest und freundschaftlich.

»Sie haben mir sehr geholfen. Ich werde einen Bericht schreiben. Was dann daraus wird, liegt nicht in meiner Hand. Nur dieser letzte Punkt mit der Aufwiegelung ist noch kritisch, doch ich hoffe, ihn so darzustellen, dass es nicht Ihr Schaden wird.«

»Wie lange werde ich auf das Ergebnis warten müssen? Ich vermute, man wird mich erst freilassen, wenn ein Richter darüber entschieden hat.«

»Das stimmt. Wahrscheinlich werden Sie sich noch ein bis zwei Tage gedulden müssen.«

»Kann ich damit rechnen, dass ich völlig rehabilitiert bin und auch in Zukunft ein Visum für Indien bekomme?«

Das ist es, was mir von Anfang an Sorge bereitet hat.

»Kein Problem«, antwortet er, »wenn Sie hier freigesprochen werden, gelten Sie als völlig unbescholten!«

Er klopft von innen an die Tür.

Der Wächter, der uns auf seine Anweisung hin allein gelassen hat, öffnet die Tür und tritt zur Seite, um Sri Ramulu Raj vorbei zu lassen. Der sagt etwas zu ihm. Dann gibt mir der Wächter durch einen Wink zu verstehen, dass ich ihm folgen soll. Wir gehen hinter dem Mann aus Delhi her. Im Hof, bevor er in den Gang einbiegt, der dann zur Pforte nach draußen führt, dreht er sich noch einmal um. Er winkt mir überaus freundlich zu. Ich habe einen Fürsprecher gefunden.

Als wäre mir eine Last von der Schulter genommen, gehe ich neben meinem Aufpasser über den Hof bis zum B-Block. Der kleine rote Papierdrachen hängt noch immer in der Palme – so, als warte er auf etwas Besonderes.

Die Krise

27 Luft ablassen und umkehren

»Ich muss kochen, muss mit den Mädels der Nähschule auf dem Boden schlafen, muss putzen, darf für ihn einkaufen, muss seine Telefonate annehmen, wenn er nicht da oder betrunken ist und bin doch die Präsidentin!«

Lea musste ihrer Wut einfach einmal freien Lauf lassen. Inzwischen lebte sie seit einigen Monaten in der Kirchenzentrale. Von ‚residieren' konnte dabei nicht die Rede sein.

Sie hatte Jacob zufällig in der Stadt getroffen. Nun saßen sie in einem einfachen Restaurant und aßen ein Mittagsmenü mit Reis und Gemüse. Zum Glück verstand sie sich gut mit Jacob. Der hatte ihr anvertraut, was er über die Gerüchte wegen der angeblichen sexuellen Belästigung herausbekommen hatte. Sie war geschockt. Zwei der wichtigsten Pastoren hatten ihr Spielchen mit Jacob getrieben. Allerdings vermutete Jacob, dass er damit noch nicht am Ende der Verschwörungskette angekommen war. Die Eltern der beiden Mädchen und auch die Mädchen selber hatten abgestritten, dass Jacob sie belästigt hatte. Allerdings war die Nachricht darüber schon in der lokalen Presse erschienen. Jacob hatte manche Beschimpfung ertragen müssen. Er überlegte, ob er wirklich weiterhin in Kukunuru arbeiten konnte. Vielleicht musste er doch wieder ganz und gar in Bhadrachalam bleiben. Oder sich ganz aus der kirchlichen Arbeit zurückziehen.

»Das mit Bhadrachalam überlege dir gut!« sagte Lea mit erregter Stimme. Wieder brach ihr Temperament mit ihr durch.

»Der Ayyagaru duldet niemanden neben sich. Mich fragt er schon gar nicht. Dabei leite ich und nicht er die Kirche! Selbst wenn ich die Gemeinden besuchen will, verhindert er das häufig. Und wenn er es erlaubt, fahre ich mit dem Bus und zahle es aus eigener Tasche. Den Jeep nutzt er für sich selbst oder er lässt ihn für Ranja fahren. Mit der hat er wieder ein Verhältnis, hofiert sie, wo er nur kann und kauft ihr teure Saris und Schmuck. Und sie ist nicht die Einzige! Ich dagegen bekomme keine einzige Paisa zu sehen. Alles Geld verwaltet Benjamin. Wofür es ausgegeben wird, bestimmt nur er. Und er handelt nur und allein auf Samuels Anweisung.«

»Aber hat er dir nicht versprochen, dass du die Kirche vor allem nach Innen leiten sollst, während er die Außen vertretung macht?«

Lea spürte, dass Jacob ihr zwar vieles, aber nicht alles glaubte.

»Das betrifft dann doch auch das Engineering-College. Da hast du doch auch die Besitzurkunden für das Land unterschrieben!«

»Ja, stimmt«, sagte Lea und mochte am liebsten nicht daran denken, welches Theater das gegeben hatte. Jemand musste die Dokumente unterschreiben, jemand mit Stammeshintergrund. Und am Ende war es an ihr und Silas Rao hängengeblieben.

»Aber das hat doch nichts zu sagen! Du weißt ja selbst, wie schnell man hier mit etwas Geld auch solche Dokumente ändern lassen kann.«

»Aber inzwischen müsste doch das College einen ganz guten Gewinn abwerfen!«

»Ja, müsste. Doch ich weiß nicht mehr als du auch.«

»Ich weiß gar nichts mehr«, meinte Jacob resigniert. »Ben und Samuel geben mir keinerlei Informationen mehr, seit das mit den Kukunuru-Gerüchten läuft. Ich hatte noch einen Koffer mit Geld von Samuel, für das College. Den musste ich ihm wiedergeben. Seitdem weiß ich nichts mehr über Finanzaktionen.«

»Ich weiß noch weniger als nichts... aber ich bin ja auch nur die Präsidentin!«

Beide aßen schweigend weiter. Die rote Gemüsesauce verfärbte ihren Reis. ‚Rot wie Blut' dachte Lea. ‚Oder die Liebe.'

»Das schwierigste ist die Sache mit dem Alkohol. Ich weiß nicht mehr, was ich machen soll. Spätestens ab mittags ist er nicht mehr zu gebrauchen. Ich habe das Gefühl, dass es inzwischen nicht mehr nur um den Verlust Ramanammas geht. Er scheint irgendwie dem ganzen Leben nicht mehr gewachsen zu sein.«

»Ich glaube, er ist inzwischen alkoholkrank«, sagte Jacob. »Er bräuchte eigentlich eine Therapie. Helmut hat ihm bereits die Adresse der anonymen Alkoholiker in Hyderabad gegeben. Aber da geht der Ayyagaru nie hin! Dazu ist er viel zu stolz. Eher richtet er sich zugrunde!«

»Stimmt, und uns gleich mit! Als ich von ihm einen der vielen Räume in der Zentrale für mich wollte, hat er mich ausgelacht und beleidigt. Den bräuchte ich nur, wenn ich mir einen Liebhaber zulegte, mit dem ich allein sein wolle, sagte er. Sonst könne ich auch mit den Mädchen im Raum neben der Küche schlafen. Und was das Schlimmste ist«, wieder vergaß Lea vor Aufregung das Essen, »er hetzt die Pastoren gegen mich auf. Offenbar kann er genau das, weswegen ich Präsidentin werden sollte, nicht ertragen: Dass ich beliebt bei den Leuten bin!«

Jacob nickte.

»Das hast du gut erkannt, Lea. Immer, wenn jemand beliebt ist, wird Samuel eifersüchtig und macht demjenigen das Leben schwer. Da bist du nicht die Erste!«

»Aber ich lasse das nicht mehr lange mit mir machen. Ich gehe zurück nach Arukuru!«

Die Reaktion ihres jüngeren Gesprächspartners auf diese Ankündigung kam so schnell, dass sie sofort wusste, dass Jacob es sich schon lange vor ihrem Gespräch überlegt haben musste.

»Auch ich überlege, ob ich meine Koffer packe.«

Nun war Lea wirklich überrascht. Von Jacob hatte sie das nicht erwartet. Der machte doch bisher immer einen ausgeglichenen und zufriedenen Eindruck. Und Samuel war doch wie ein zweiter Vater für ihn, und die Kirche sein Leben! Wo und wie sollte Jacob mit seiner Familie denn sonst leben? Und wovon?

Für sie sah es anders aus. Sie hatte Land. Sie hatte ihre Gemeinden und konnte notfalls auch ohne den Ayyagaru klarkommen, wenn es auch unglaublich schade wäre, da die Stärke der Kirche gerade auch in ihrer inzwischen erreichten Größe lag. Und ob es Gottes Weg war? Warum hatte er sie dann zur Präsidentin berufen? Oder war das gar nicht Gott, sondern Samuel gewesen?

Am Abend dieses Tages, als sie wieder auf dem Boden zwischen den Mädels lag und versuchte einzuschlafen, beschloss Lea, Bhadrachalam wieder zu verlassen. Ob sie nun Präsidentin blieb oder nicht!

*

Zwei Tage später bat sie um ein vertrauliches Gespräch mit dem Ayyagaru. Sie sagte ihm, dass sie zurück nach Arukuru gehen wolle. Zuerst tobte er. Sie blieb dabei. Dann versuchte er es mit Versprechen. Er wolle ihr ab jetzt immer den Jeep geben und sie sollte auch Geld zur Verfügung haben. Sogar einen eigenen Raum würde sie bekommen. Sie glaubte ihm nicht. Vieles davon hatte er schon mehrfach versprochen, doch nichts hatte sich geändert. Zum Schluss bettelte er.

»Lea, du kannst nicht gehen! Ich brauche dich! Du ruinierst mein Image. Die Pastoren würden das nicht verstehen. Die Partner in Übersee haben dich überall als Vorbild hingestellt: Die zweite Frau nach Ramanamma in der Kirchenleitung, die ehemalige Stammespriesterin und die zukünftige Bischöfin! Und die Presse hier hat dich ebenfalls groß herausgebracht. Wenn du gehst, würde man das mir anhängen!«

Doch Lea blieb hart.

»Ich bleibe gerne Präsidentin, aber mit Dienstsitz in Arukuru!«

Zum Schluss des Gespräches wurde der Ayyagaru wieder wütend und bedrohte sie sogar.

»Du wirst es bereuen!«

Apruppt stand er auf und ging in sein privates Zimmer. Was er dort tat, konnte Lea sich denken.

Lea blieb am Schreibtisch sitzen.

Einen Moment überlegte sie noch, ob sie nachgeben sollte. Samuel tat ihr leid. Er war inzwischen ein einsamer Mann geworden, trotz seiner Machtfülle, trotz seiner Berühmtheit, trotz des Geldes, trotz seiner Geliebten. Vielleicht gab es noch einige von den treuesten Pastoren, die ihn wirklich liebten. Die meisten fürchteten ihn. Furcht und Liebe, diese Mixtur war ohnehin die beste Beschreibung der Beziehung zum Ayyagaru. Sie alle hatten ihm viel zu verdanken. Die meisten waren wirtschaftlich von ihm abhängig, denn er leitete die Kirche wie einen Familienbetrieb. Furcht und Liebe, ja, das beschrieb die Beziehung am besten. Und die Liebe erstarb langsam. Was würde geschehen, wenn auch die Furcht verging?

Ihr war nicht wohl bei der Sache. Trotzdem wollte Lea nicht aus Furcht bleiben. Sie hatte ihr Leben bisher gemeistert. Sie hatte eine zwar nicht lange aber doch selbst erkämpfte Ausbildung geschafft. Gott hatte sie gebraucht, um tausende Menschen mit dem Evangelium zu erreichen. Sie hatte das Vertrauen der Gemeinden. Sie hatte viel geschafft, hatte sogar um ihr Leben gekämpft und gesiegt – im Angesicht einer tödlichen Kobra. Warum sollte sie da Angst vor dem Ayyagaru haben?

Oder sollte sie aus Mitleid bleiben? Aus Dankbarkeit und Mitleid? Nein! Nach diesen Monaten mit ihm in einem Haus hielt sich ihr Mitleid in Grenzen und die Dankbarkeit war dahin. Er hatte sich zum Diktator und Ekel entwickelt. Auch wenn er sich in Richtung Öffentlichkeit und gegenüber den Partnern als weltmännisch und freundlich gab, sie hatte sein wahres Gesicht kennengelernt. Also würde sie gehen.

Sie stand auf, packte im Raum neben der Küche ihre Sachen in den mitgebrachten Koffer, verabschiedete sich herzlich von den Mädchen und ziemlich reserviert von Ranja und ging. Der nächste Bus würde sie dorthin bringen, wo sie wirklich zu Hause war, nach Arukuru an der Sabari.

28 Alles verlieren und alles gewinnen

Es wurde Zeit.

Wenn er jetzt nicht ginge, würde er es nie tun.

Lea war zurück nach Arukuru gegangen. Jacob war zufällig Zeuge eines Telefonates, das Samuel mit Helmut, dem Leiter der deutschen Partnerorganisation gehabt hatte. Der hatte angerufen, um sich noch einmal zu vergewissern, dass das Geld für die landwirtschaftlichen Projekte zweckbestimmt verwandt wurde. Natürlich hatte Samuel das bestätigt. Jacob jedoch wusste, dass dieses Geld zumindest vorübergehend komplett für die Finanzierung des Colleges eingesetzt worden war. Das war schon mal die erste Lüge dieses Gespräches.

Die zweite war noch dreister und was Jacob da hören musste, war genauso schmutzig wie der Hörer des grünen Telefons, den Samuel in der Hand hielt.

»Die Pastorenschaft hat Lea das Vertrauen entzogen!« hatte Samuel gesagt. »Es war ans Licht gekommen, dass sie verheiratet ist.«

Schweigen.

»Ja, ja, ich wusste das schon lange, weil sie es mir anvertraut hatte! Aber jetzt, da sie Bischöfin werden sollte, mussten es auch die Pastoren wissen!«

Wieder sagte Helmut am zehntausend Kilometer entfernten Telefon etwas. Jacob konnte sich denken, wie erstaunt er war. Dann sprach Samuel wieder.

»Nein, nein, sie könnte durchaus verheiratet sein, auch als Bischöfin. Doch nicht mit einem Moslem. Und genau das ist ihr Mann! Er hat zwei Frauen. Mit einer lebt er, die andere hat er über all die Jahre finanziell unterstützt, Lea. Das Farmland in ihrem Besitz ist sein Land.«

Wieder Schweigen. Jacob blieb fast die Luft weg. Was hatte dieser Mann für eine furchtbare Fantasie wenn es darum ging, Gerüchte zu erfinden und zu verbreiten! Nichts davon war wahr. Lea war nie verheiratet gewesen. Ihr Land hatte sie von ihrer Tante und ihrem Vater geerbt. Aber Samuel setzte noch eins drauf und auch das war gelogen:

»Die Pastorenschaft hat Lea vor die Wahl gestellt. Entweder sie lässt sich scheiden und wird Bischöfin oder sie wird suspendiert. Lea hat sich nicht scheiden lassen wollen, angeblich aus Dankbarkeit dem Mann gegenüber. Nein, nein, ein Verhältnis hatten sie schon lange nicht mehr. Sie lebten völlig getrennt. Ja, nun ist sie zurück nach Arukuru.«

Dieses Gespräch war für Jacob einer der zwei Auslöser für seinen Entschluss, die Kirche zu verlassen. Helmut und Oliver hatten versucht, ihn in vertraulichen Gesprächen noch zum Bleiben zu bewegen. Die Kirche brauche ihn, er sei außer Lea der Einzige in der Leitung, der wirklich noch die Gemeinden im Blick habe. Es hatte ihm geschmeichelt. Doch nun war das Maß voll.

Der zweite Anlass war sozusagen das Endergebnis seiner Recherchen wegen der Kukunuru Gerüchte. Pastor David hatte ihm die Lösung geliefert. Eigentlich verstand er sich nicht besonders mit ihm, da auch er Jacob die Position in der Leitung und die gute Ausbildung neidete. Aber David war ehrlich und gradlinig. Früher hatte er zusammen mit seinem Vater auf Seite der Naxaliten für die Befreiung der Region gekämpft. Nun war er ein sehr aktiver Pastor im südlichen Teil des Gebietes.

Als Jacob wieder in Kukunuru war, um seine Sachen von dort zu holen, hatte er David getroffen. Sie hatten über die Sache geredet. Da Jacob bereits rehabilitiert war und alle wussten, dass die Gerüchte nicht stimmten, konnten sie offen sprechen.

»Ich weiß!« hatte David gesagt, als Jacob ihm erzählte, dass Elias und Silas Rao die Gerüchte in die Welt gesetzt hatten. »Aber sie haben das nicht aus eigenem Entschluss getan!«

Nun war Jacob ganz Ohr.

»Also, wer hat sie angestiftet?«

David sprach es nicht aus, es war jedoch völlig klar.

»Na, wer bestimmt denn alles, was hier geschieht? Du bist wahrscheinlich in Ungnade gefallen. Hast zuviel Anerkennung bekommen!«

»Woher weißt du das?« wollte Jacob wissen, nachdem er seine immer wieder verdrängte Vermutung bestätigt sah.

»Auch ich sollte da mitmachen! Aber ich habe mich geweigert.«

Obwohl er es schon ahnte oder besser, fürchtete, war Jacob nun wirklich erschüttert. Dieser zweite Anlass gab den Ausschlag.

Er hatte alles vorbereitet. Auf keinen Fall sollte jemand wissen, dass er geht. Vielleicht würde man ihm Steine in den Weg legen. Oder zumindest war er vielen Überredungsversuchen ausgesetzt. Und er wollte das Theater, das Samuel machen würde, nicht erleben. Er wusste, dass er sich mit seiner Kündigung den Ayyagaru zum Feind machen würde. Auch würde der, zumal er jedem misstraute, wahrscheinlich Angst bekommen. Immerhin wusste Jacob mehr Internes als jeder andere außer Ben. Nein, besser er verschwand heimlich und still.

*

Sie hatten ihre Sachen gepackt. Die Menge der Kisten, Kartons, Koffer und Möbel war überschaubar. Am Abend, schon in der Dunkelheit, kam der kleine Transporter, den sie angemietet hatten. Alles war schnell verladen. Deepa setzte sich mit den beiden Jungen auf den Beifahrersitz, Jacob auf sein Motorrad. Das war´s, Bhadrachalam ade!

Als sie über die Brücke fuhren, wurde es Jacob sehr schwer ums Herz. Wie oft hatte er diese Brücke benutzt? Wie oft hatte er nach beschwerlicher Fahrt auf löchrigen Straßen deren glatte Oberfläche in hohem Tempo genossen?

Es war eine erfüllte und schöne Zeit gewesen! Jedenfalls, wenn er von hier aus in den Gemeinden unterwegs war oder in Kukunuru. Und eine schlimme und beschämende Zeit, wenn er im Kirchenbüro unter der Knute des Ayyagaru immer zweifelhafter werdende Aktionen durchführen musste. Bei den letzten Gedanken fühlte er sich plötzlich irgendwie frei. Bei aller Wehmut, dies war der richtige Schritt!

Die vier Stunden Reisezeit bis Kovvur waren anstrengend. Kürzer wäre es über die Berge bei Chintur gewesen. Doch die Fahrt dauerte um vieles länger, weil man über die Serpentinen durch den Dschungel nur sehr langsam vorankam. Er hätte auch nur bis Arukuru fahren können, dann bei Lea übernachten und am nächsten Morgen über die Berge. Doch er wollte Lea in seine »Flucht«, wie er es nannte, nicht hineinziehen. Also war nur der längere Weg im Süden möglich.

Als sie nach mehr als vier Stunden Fahrt am Haus seines inzwischen verstorbenen Vaters ankamen und den Transporter ausluden, dämmerte bereits der Morgen. Auch hier krähten Hähne.

*

»Ihr müsst euch schnell etwas suchen!«, sagte seine Tante Satya am übernächsten Tag. Sie hatte die vier überaus freundlich aufgenommen. Jacob fand, Satya war noch genauso schön wie damals, als sie ihnen auf dem Dach die Früchte serviert hatte. Nur eben älter.

Ihm und Deepa war klar, dass sie sich eine Wohnung suchen mussten. Auch arbeiten mussten sie, was auch immer. Mitgebracht hatten sie nichts außer dem Motorrad und den Sachen im Transporter. Nur einige tausend Rupien hatten sie sparen können, mehr nicht.

»Ihr könnt erst einmal hier wohnen und essen!« hatte Satya ihnen angeboten. »Es wird schon für uns alle reichen, jedenfalls einige Wochen.«

Nun zeigte sich, wie wertvoll die engen Familienbande in der indischen Gesellschaft waren. Jacob würde gegenüber Oliver wieder ein Argument für die indische Gesellschaftsstruktur haben, wenn sie das nächste Mal darüber diskutierten. Das nächste Mal? Plötzlich wurde ihm bewusst, dass er ja auch die Brücke zu den deutschen Freunden abgebrochen hatte. Die führte in die Kirche und verband zwei Kirchen miteinander. Doch er, Jacob, hatte seine Kirche verlassen. Jacob nahm sich vor, den Kontakt dennoch wiederherzustellen.

Nun aber war erst einmal die Sicherung der neuen Existenz angesagt.

Sie beteten. Dann suchte er eine Wohnung. Wieder beteten sie. Wieder suchten sie. Was sie dann fanden, war alles andere als attraktiv. Doch woher das Geld für ein gutes Haus nehmen? Zwar hatte Jacob schon ziemlich schnell Gelegenheit, in einigen christlichen Kirchen Rajahmundris zu predigen, doch das Honorar dafür war nur mäßig.

»Jetzt mag es ja gehen«, sagte Deepa, als sie sich die zwei hintereinander liegenden Räume in einem uralten Haus an der Hauptstraße ansahen. »Aber wenn der Regen kommt?«

Auch Jacob war skeptisch. Die Zimmer waren kleiner als die in Bhadrachalam. Die Lage an der Straße war nicht gut. Es war laut und die Kinder würden nur wenig Platz zum Spielen haben. Doch sonst war nichts Preisgünstiges zu bekommen.

»Lass sie uns trotzdem mieten!« sagte er. »Wir suchen dann von hier aus weiter und müssen meiner Tante und ihrer Familie nicht mehr zur Last fallen.«

Deepa war einverstanden.

»Dann muss ich aber erst einmal kräftig putzen!« sagte sie und hatte mehr als Recht. »Und du musst die elektrischen Leitungen machen und die Räume streichen!«

Auch das stimmte leider. Die Räume waren in einem erbärmlichen Zustand.

*

Die ersten Monate waren hart, sehr hart. Im August kam der Regen. Die Luft war schwül und feucht. Tausende Moskitos machten ihnen zu schaffen. Das Dach war nicht dicht. Das Wasser tropfte auf die Möbel und das breite Bett. Der Älteste bekam Malaria und war zehn Tage im Krankenhaus. Jacob war fast ständig unterwegs und stellte sich den Pastoren der Umgebung vor. Deepa versuchte, zu den Nachbarn Kontakt aufzunehmen. Es war eine schwere Zeit. Eine Zeit des Betens.

Jacob erinnerte sich an ein Gespräch mit Oliver. Darin ging es ums Beten. Oliver hatte gemeint, dass er das ganze Leben vom Gebet durchdrungen sehe.

»Beten ist eine Existenzform,« hatte er gesagt, »und nicht eine ausgegrenzte Zeit am Tag!«

Jacob hatte ihm zwar Recht gegeben, jedoch darüber hinaus darauf bestanden, dass für ihn Beten auch eine besondere Zeit des Tages war. Er betete morgens und abends mindestens je eine Stunde. Er brauchte das, wie andere Menschen den Sport oder die Gartenarbeit. Und Deepa unterstützte ihn darin. Allerdings neigte sie eher in Richtung Oliver. Sie sagte, dass auch ihre Krankenbesuche und Nachbarschaftstreffen ein Teil ihres Gebetslebens seien.

In diesen Monaten beteten sie viel zusammen. Jacob hatte das Gefühl, sie waren sich auf diese Weise näher denn je.

»Es ist ein Geschenk Gottes!« sagte Deepa eines Abends nach dem Gebet und einer gemeinsamen Bibellesung.

»Was?« fragte Jacob. Deepa lachte.

»Na diese Zeit der Entbehrung«, sagte sie, »da rücken wir ja nun wirklich näher zusammen und kommen auch Gott näher.«

Jacob stimmte ihr zu. Diese Erfahrungen unter dem löchrigen Dach und mit Schimmel an den Wänden wäre ihnen in Bhadrachalam nicht geschenkt worden.

»Aber Gott schenkt noch mehr!« fuhr Deepa jetzt fort.

»Was denn noch?! Vielleicht unser leeres Konto, damit wir nicht dem Geld nachlaufen? Oder die Moskitos, damit wir nicht still sitzen und uns hängen lassen?«

Jacob meinte es witzig, nicht zynisch und das wusste Deepa.

»Nein!« sagte sie nun und strahlte ihren Mann dabei an. »Etwas viel Aufregenderes! Ich bin wieder schwanger!«

Jacob atmete tief durch. Dann strahlte auch er.

»Du bist schwanger?! Wir bekommen ein drittes Kind! Das ist ja großartig!«

Er nahm sie stürmisch in den Arm und drückte sie.

»Hey, nicht so fest! Sonst wird das Kind zu breit gedrückt!«

»Und seit wann weißt du es?«

»Schon seit Bhadrachalam.«

Das allerdings schockte ihn. So lange war Deepa schwanger und hatte ihm nichts davon gesagt!? Und er hatte nichts gemerkt!

»Ich wollte es dir erst sagen, wenn wir hier angekommen sind«, erklärte ihm seine Frau.

»Ich hatte Angst, dass du womöglich doch in Bhadrachalam geblieben wärst, hättest du es gewusst. Vielleicht wäre dann dein Sicherheitsbedürfnis stärker gewesen als deine Enttäuschung und die Sehnsucht nach Freiheit.«

Jacob musste ihr Recht geben. Er wüsste nicht, was er gemacht hätte.

»Und, wann ist es so weit? Wie lange dauert es noch?«

»Noch fünf Monate.«

Deepa strahlte und wieder lagen sie sich in den Armen.

»Na, dann hoffe ich, dass es ein Mädchen wird!«

Jacob freute sich zwar über die beiden Jungen, beide hätten jedoch gerne auch ein Mädchen.

»Wie würdest du sie nennen?«

Jacob überlegte. Und plötzlich fiel ihm ein Name ein, ein ungewöhnlicher Name.

»Pradana. Ja, ich würde sie gerne Pradana nennen.«

Deepa lachte laut und herzlich.

»Na, das ist mal ein Name! Pradana, ‚Gebet'!«

Nun lachten beide.

»Okay, lass sie uns ‚Gebet' nennen! Wenn es tatsächlich ein Mädchen wird!«

Deepa war einverstanden.

»Aber komme mir nicht damit, dass, wenn es doch ein Junge wird, er dann ‚Dienst' oder ‚Predigt' heißen soll!«

29 Die Revolution

Alle waren zusammen. Und alle waren sich einig.

»Wir müssen wissen, wieviel Geld auf den Konten der Kirche ist. Wir wollen die Abrechnungen der Katastrophenhilfe sehen und endlich Klarheit über die Höhe der Gelder bekommen, die für die Kinderheime aus Deutschland kommen!«

Beim Pastorentreffen war es heiß hergegangen.

Alle Pastoren, Evangelisten und Bibelfrauen waren da. Als Delegierte aus Deutschland waren der Asienreferent der Missionsgesellschaft, ein Inder namens Devodu, und Helmut dabei. Pastor Elias, der als Nachfolger Leas zum Präsidenten gewählt worden war, fasste die Beschlüsse noch einmal zusammen.

»Wir respektieren den Entschluss des Ayyagarus, in die Politik zu gehen. In der Kirche hat er seit langem kein Amt mehr. Nun muss der Geschäftsführer die Abrechnungen vorlegen und die Bücher herausgeben.«

Silas Rao, der Leiter des Kinderheimes, auf dessen Gelände sie sich jetzt trafen, ergänzte:

»Und wir brauchen höhere Gehälter. So kann es nicht weitergehen. Wir beanspruchen die Einnahmen aus dem College, so wie es uns der Ayyagaru versprochen hat.«

Lea wurde von der Pfarrerschaft beauftragt, Helmut nach Bhadrachalam zu begleiten.

Die Fahrt dauerte fast zwei Stunden. Sie hatten einen jener kleinen Tata Indigo gemietet. Immer mehr solcher Kleinwagen, die es vor Jahren nur in großen Städten gab, waren inzwischen auch in abgelegenen Regionen unterwegs. Indien entwickelte sich wirtschaftlich, das war selbst in der Provinz nicht zu übersehen. Die ersten Kilometer kamen sie jedoch nur sehr langsam voran. Der PKW musste vorsichtig über Bodenwellen und vorbei an zum Teil tiefen Schlaglöchern gelenkt werden. An der Seite des Weges lagen in regelmäßigen Abständen aufgeschichtete Haufen Schlacke. Auf einem Stück der sandigen Piste wurde diese dirtekt an der Baustelle hergestellt. Frauen und ältere Kinder zerschlugen schwarze Felsbrocken so lange, bis nur noch Schlacke übrig blieb. Bald würde die Teermaschine kommen und die Asphaltstraße konnte gegossen werden.

Sie überquerten einen Fluss, der jetzt fast trocken war. Am Ufer stand einer der großen Bäume, die Lea so liebte. Wie lange war es her, dass sie unter einem dieser Giganten aus vergangenen Tagen gesessen und auf den

Fluss geschaut hatte? Der Indigo hatte Probleme mit dem losen Sand und im flachen Wasser blieb er fast stecken. Doch das Queren der Furt gelang.

Kurz vor Kukunuru kamen sie auf die bereits fertige Straße. Nun ging es schneller voran. Da es Abend war, gab es jedoch immer wieder Stopps wegen der Viehherden. Die Bauern trieben nun ihre Rinder, Schafe oder Ziegen Richtung Hofstelle und abgezäunte Koppel. Immer wieder mussten sie anhalten. Auch lautes und ungeduldiges Hupen brachte die Tiere dabei kaum aus der Ruhe. Irgendwo hatte Lea gehört, dass Andhra Pradesh einer der viehreichsten Bundesstaaten Indiens sei.

Helmut saß neben ihr und sah aus dem Fenster. Immer wieder wischte er sich den Schweiß von der Stirn. Manchmal glänzte seine freie Kopfhaut über dem Haarkranz in der Abendsonne. Es war noch recht warm und das kleine Auto hatte keine Klimaanlage. Der Deutsche hatte sein Fenster heruntergekurbelt und rauchte. Immer wieder zog eine Rauchschwade zu ihr nach hinten. Bevor er sich die Zigarette angesteckt hatte, hatte Helmut Lea gefragt, ob sie etwas dagegen hätte, wenn er rauchte. Sie hatte zwar kein Wort verstanden, jedoch erraten, was Helmut wollte. Sie hatte genickt und er sich eine Zigarette aus der Hemdentasche geholt und diese angesteckt. Sie mochte ihn. Er war offen, gradlinig und warmherzig. In Deutschland war er als Prediger bekannt und vermochte es, vom Glauben so zu erzählen, dass viele danach zu fragen begannen. Auch in Indien hatte Helmut viel bewirkt mit seinen schlichten, aber unglaublich liebevollen Predigten. Er hatte sich sehr für die Kirche eingesetzt. Und er hatte ihre Entscheidung, das Amt der Präsidentin wieder niederzulegen, respektiert. Dabei wusste sie gar nicht genau, was der Ayyagaru den Deutschen zur Begründung erklärt hatte. Sie hätte es gerne gewusst und nahm sich jetzt vor, Helmut bei nächster Gelegenheit danach zu fragen. Im Moment war das leider nicht möglich, da ein Übersetzer fehlte.

Sie überquerten die Brücke über die Kinnarasani. In Burgampadu fuhren sie an einem großen Stück Land vorbei, das Samuel für die Kirche gekauft hatte und wo er gerne eine Zahnklinik aufgemacht hätte. Im Moment war das Land verpachtet und wurde bestellt. Wohin die Pachteinnahmen gingen, war Lea nicht klar. Wahrscheinlich sammelte Samuel das Geld und zahlte es dann dort aus, wo er es für sinnvoll ansah. Lea bezweifelte, dass alles in den Büchern nachvollziehbar sein würde.

Als sie über die lange Brücke fuhren und sich der Kirchenzentrale näherten, schlug Leas Herz schneller. Es war gewagt, was sie da gemacht hatten. Die Pfarrerschaft hatte vom Gründer und vom Geschäftsführer Rechenschaft über alle Transaktionen des letzten Jahres gefordert. Das musste den Ayyagaru verärgern. Er hatte nach eigenem Verständnis niemandem Rechenschaft abzulegen.

Sie hielten vor dem Bürogebäude. Es war inzwischen dunkel. Das schwarze Eisengitter im Tor war geschlossen. Helmut stieg aus, Lea folgte ihm. Sie rief etwas Richtung Küche ins Haus. Kurz darauf kam ein Mädchen der Nähschule ans Tor. Sie öffnete es.

»Wo ist der Ayyagaru?«

Helmut wollte das wissen, kaum hatten sie einen Schritt in den mit weißem Marmor belegten Vorraum gemacht. Er sprach allerdings nicht Telugu. Also erriet Lea mehr als sie verstehen konnte, was gesagt wurde. Sie wies ins Haus.

»Er ist in seinem Zimmer!«

Helmut schien verstanden zu haben. Er hob die etwas verschwitzte und bereits recht kahle Stirn und sagte etwas, das sie nicht verstand.

Dann klopfte Helmut an die Zimmertür. Von innen kam ein gelalltes, kaum verständliches »Was ist los?«.

Helmut schien seinen Entschluss zu ändern und nun nicht mehr mit dem Ayyagaru sprechen zu wollen. Er hob etwas resigniert die Hände und ging dann die Treppe hinauf ins Gästezimmer, wo er bereits einige Nächte gewohnt hatte und wo er seine Sachen deponiert hatte.

Lea ging zu den Mädels in den Raum neben der Küche.

»Wie lange liegt er schon in seinem Zimmer?« fragte sie. Sie wussten es nicht. Jedenfalls hatte er wieder die Pflanzen im Garten gegossen, eine neue Angewohnheit offenbar und ein Ritus, der vor allem mit der Erinnerung an Ramanamma zusammen hing. Es war allen klar und auch Helmut schien es zu wissen: Wenn Samuel um diese Zeit schlief, war nichts zu machen. Sie würden bis zum Morgen warten müssen.

In dieser Nacht schlief Lea schlecht. Vielleicht lag es daran, dass sie wie zur Zeit ihrer sogenannten Präsidentschaft zwischen den Mädels im Raum neben der Küche auf einer Bastmatte am Boden lag. Vielleicht lag es aber auch am Traum, den sie in dieser Nacht durchlebte.

Ein Bus fuhr vor. Wieder umgab ihn eine dichte Staubwolke. Als der Bus hielt, stiegen zwei Männer ein. Es waren Pastor Israel Rao und der Ayyagaru. Lea stand draußen. Sie zögerte. Sollte sie einsteigen? Oder fuhr sie besser nicht mit? »Lea, komm! Wer nicht für mich ist, der ist gegen mich!« Der Ayyagaru setzte sie unter Druck. Doch etwas sehr Starkes hinderte sie daran, in den Bus einzusteigen. »Wenn du jetzt nicht mitfährst, machst du einen großen Fehler und wirst es bereuen.« Lea blieb dennoch stehen. Als der Bus losfuhr, verschwand das Gesicht des Ayyagarus hinter einer gelbgrauen Staubwolke. Lea dachte noch, dass es so endete, wie es begonnen hatte...

Jetzt, am Morgen, fühlte sie sich wie gerädert, was nicht am harten Boden, sondern an diesem merkwürdigen Traum lag.

Sie half den Mädels, das Frühstück für Helmut zu bereiten. Sie bereiteten Puri mit Kartoffelgemüse vor und machten vier Omelettes. Dazu kochte sie Tee. Die deutschen Gäste tranken den gerne schon zum Essen, während man ihn in Indien erst danach trank.

Samuel hatte wie üblich am frühen Morgen, diesmal allerdings nur mit Lea, den Mädels und den Bibelschülern, um sechs auf seinem großen Lehnstuhl gesessen und mit ihnen die Morgenandacht gefeiert. So, als sei nichts gewesen. Über die Pastoren sagte er kein Wort. Dabei hatte Elias ihn und Ben schriftlich eingeladen und er wusste genau, worum es ging. Auch Pastor Israel Rao hatte ihn gebeten, nach Chakkaripalli zu kommen, wo die Sitzungen waren. Doch er hatte abgelehnt. Er lasse sich nicht herumkommandieren, hatte er gesagt.

Helmut kam die Treppe herunter. Er fragte nach Samuel.

»Er ist im Garten«, sagte Lea und zeigte in Richtung des durch die Grundstückmauer begrenzten und mit Büschen, Kokospalmen und Blumen bepflanzten Innenhofes.

»Seit seine Frau tot ist, gießt er regelmäßig die Pflanzen. Es ist, als wolle er ein Gelübde erfüllen oder eine ihm auferlegte Pflicht tun.«

Man konnte ihrer Stimme vermutlich die Verwunderung über das Verhalten des Ayyagarus abspüren – auch wenn der deutsche Freund ihre Worte nicht verstand.

Lea folgte Helmut ums Haus herum. Samuel stand gebückt, hielt eine blecherne Kanne in der Hand und goss gerade eine der schlanken, stolzen Kokospalmen. Er bemerkte Helmut erst, als dieser ihn ansprach. Sie setzten sich an den Tisch, der neben der Küchentür auf der Terrasse stand. Lea brachte das Frühstück und servierte den Tee, während die beiden Männer miteinander sprachen. Lea wusste, dass sich die beiden vor fast fünfundzwanzig Jahren kennengelernt hatten. Samuel hatte, vermittelt durch seine Frau, versucht in Deutschland Partner zu finden. Helmut war nach Indien gekommen und hatte sich für die Menschen hier und die Missionsarbeit begeistern lassen. So begann die Partnerschaft. Kurz darauf kamen Oliver und andere Freunde und von Jahr zu Jahr wurden die Kontakte tiefer. Helmut und Samuel waren dann sehr enge Freunde geworden.

Jetzt allerdings hörte sich ihr Gespräch nicht besonders freundschaftlich an. Samuel war sehr erregt. Immer wieder stand er vom Tisch auf, lief hin und her und war kurz davor, das Gespräch abzubrechen und wegzugehen. Letzteres tat er oft. Wenn ihm etwas nicht passte, ging er einfach. Samuel rauchte eine Zigarette nach der anderen.

Helmut blieb ruhiger, war allerdings ebenfalls erregt. Lea wusste, was er von Samuel wollte. Er wollte, dass dieser mit zum Pastorentreffen kam, Antworten auf die vielen offenen Fragen der Mitarbeiter gab und einen Weg suchte, mit der neuen Kirchenleitung zusammenzuarbeiten. Doch Samuel wollte nicht. Auch Helmut rauchte, wenn auch viel weniger als sein Gesprächspartner.

Lea ging in die Küche. Sie verstand ohnehin nichts von dem in Englisch geführten Gespräch, außer dass sich ein handfester Streit entwickelte.

Nach einer knappen Stunde stampfte der Ayyagaru durch den Vorraum der Küche und schlug die Tür zu seinem Zimmer hinter sich zu. Er war wütend. Lea ging zu Helmut hinaus. Der saß am Tisch und sah nun müde und traurig aus. Er sagte etwas zu ihr, das sie nicht verstand, stand dann auf und ging hinauf in sein Zimmer.

*

Auf der Rückfahrt zum Pastorentreffen schwiegen beide.

Gegen elf begannen die Sitzungen erneut. Helmut berichtete den Pastoren. Präsident Elias, der in Hyderabad studiert hatte und etwas Englisch konnte, übersetzte.

»Ich habe mit ihm gesprochen!« sagte Helmut. »Ich habe mit ihm gestritten, habe gesagt, dass er unbedingt kommen müsse. Aber er wollte nicht. Er war zu stolz. Er hat gesagt, dass er sich nicht herbeizitieren lasse.«

Alle Mitarbeitenden, es waren fast hundert Personen, waren tief betroffen. Lea wusste, dass sie sich im Stich gelassen fühlten. Sie kannte das Gefühl, weil es ihr genauso ging. Die meisten von ihnen hatten Samuel verehrt wie einen Swami, einen Gesandten Gottes. Manche hatten sein Bild neben dem ihrer eigenen Familie auf dem Regal stehen oder es gar auf T-Shirts drucken lassen. Einige hatten ihre Söhne nach ihm benannt, manche trugen nach ihrer Taufe selbst seinen Namen. Für die meisten war er der geistliche Vater und fast alle waren auch wirtschaftlich von ihm abhängig.

Elias unterbrach das betroffene Schweigen.

»Wir werden weitere Beschlüsse fassen müssen!« sagte er. »Ich schlage vor, wir formulieren einen Beschluss, der unsere Forderungen wiedergibt. Mit dem Papier kann Helmut dann heute Nachmittag erneut nach Bhadrachalam fahren und noch einmal versuchen, Samuel zu überzeugen.«

Alle, auch Helmut und Devodu, waren einverstanden. In der folgenden Debatte wurden viele Beschwerden über Benjamin und den Ayyagaru vorgebracht. Lea hätten die Kollegen das nicht erzählen müssen, denn sie kannte all das aus ihrer Zeit in der Kirchenzentrale. Ben und Samuel hatten sich Quittungen blanko unterschreiben lassen, zahlten weniger Gehalt als versprochen aus und versetzten oft willkürlich jene, die sich beschwerten, auf eine Stelle irgendwo abseits im Busch. Pastor Israel, eine der Gründerfiguren der Kirche, hatte Samuel nicht einmal besucht, als er krank war und auch kaum Geld für seine Behandlung ausgegeben. Als er dann gestorben war, wurde seine Familie nicht unterstützt. Außerdem hatte der Ayyagaru in den letzten Jahren kaum noch

Gemeindebesuche gemacht und die Mitarbeitenden erfuhren keinerlei seelsorgerliche Begleitung und geistliche Motivation. Zwar hatte er seit Ramanammas Tod nur kurzfristig ein Amt innegehabt, hatte sich eher politisch betätigt, doch die Mitarbeitenden erwarteten und erhofften von ihm weiterhin Unterstützung und Hilfe. Aber all das war nicht geschehen.

Die Liste im Protokoll wurde immer länger. Ganz oben stand die Forderung nach Offenlegung der Finanzen. Das betraf vor allem die Katastrophenhilfe bei der Überschwemmung im letzten Jahr. Die war fast so verheerend gewesen wie jene, bei der Lea damals ihr Haus, ihre beiden Büffelkühe, allen Besitz und vor allem ihre ältere Freundin Sarah verloren hatte. Mit Grausen dachte sie jetzt an ihren eigenen Überlebenskampf in den Fluten zurück, den sie Seite an Seite mit Kumari und einer Kobra zu bestehen hatte.

In den nächsten Punkten der Liste ging es um Gehaltsforderungen, die Zahlungen aus dem College und die Summen für die Kinderheime. Es folgten diverse Rückfragen und Kritikpunkte. Lea vermutete, dass der Ayyagaru noch erboster reagieren würde, als er es am Morgen bei Helmuts mündlichen Aufforderungen getan hatte. Doch Elias meinte, das müssten sie riskieren.

In dieser Nacht träumte Lea fast nichts, jedenfalls erinnerte sie sich am nächsten Morgen nicht daran. Sie hatte mit den anderen Bibelfrauen in einem der Schlafräume der Kinder geschlafen. Die Pastoren schliefen in der Kirche.

An der Stirnseite der Kirche, gegenüber den beiden langen, weiß getünchten Hütten des Kinderheimes, standen zwei grüne Bäume mit ausladenden Ästen. In ihnen übernachteten die Hühner der Anlage, mindestens zwanzig. Und nicht nur die wurden jetzt geweckt. Ein roter, stolzer Hahn erklärte die Nacht lautstark für beendet.

Die Kinder aus dem Hostel trafen sich nach ihrer Morgentoilette zur Andacht. Dann verteilten sie sich vor und in den Schlafräumen, saßen am Boden und beugten sich über ihre Schulbücher. Lea liebte Kinder. Wenn diese sie mit ihren großen, dunklen Augen ansahen, hatte sie immer das Gefühl, die Zukunft könne nichts aufhalten. Im Kinderheim Arukuru, das sie leitete, waren es nur dreißig Kinder, hier lebten über hundert. Der Koch, ein ehemaliger Moslem, molk hinten am Zaun seine Büffelkuh. Lea wusste, dass vor allem Oliver zu dem Koch eine innige Beziehung pflegte. »Es ist immer klug, einen guten Kontakt zur Küche zu pflegen!« hatte der Kollege Helmuts schmunzelnd erklärt.

Etwas später bekamen die Kinder Frühstück. Mit runden Blechtellern in der Hand stellten sie sich an, bekamen Reis, ein Ei und Sauce. Alles lief sehr diszipliniert ab. Mit den Händen essend saßen die Kinder in einer Reihe an der Wand. Es war immer wieder erstaunlich, welch große Portionen diese Kleinen verdrücken konnten. Viele der Kinder hatten Lea davon berichtet, wie wenig sie Zu Hause in ihren Familien zu Essen bekamen. Manchmal war es nur ein- oder zweimal in der Woche eine richtige Reisportion gewesen. Die Versorgung hier im Internat empfanden viele als richtig üppig.

Als die Kinder, in Reihen geordnet nach Klassen, in ihrer Schulkleidung auf dem Hof zum Appell standen, richtete Helmut ein paar Worte an sie. Er war gerade mit dem Tata Indigo aus Bhadrachalam zurückgekommen und beabsichtigte, am Nachmittag gemeinsam mit dem Asienreferenten zu fahren. Also würden die Kinder noch nicht aus der Schule zurück sein, wenn er diesen Ort verließ. Er grüßte von den deutschen Patengemeinden und versprach, dass die Partner für dieses Kinderheim beten und es weiter unterstützen würden.

Die Kinder verließen den Hof und marschierten im Gänsemarsch, jedes ein Bündel Bücher unter dem Arm, gen Schule. Das Pastorentreffen begann mit Gebet und Gesang. Dann berichtete Helmut von seiner Begegnung mit dem Ayyagaru.

Es war gekommen, wie Lea befürchtet hatte.

Der Ayyagaru hatte das Papier gelesen, war schon währenddessen rot angelaufen und hatte es danach zerknüllt und auf den Tisch geworfen.

»Er wollte nichts davon wissen«, berichtete Helmut weiter. »Er hat wieder einmal alle möglichen Leute dafür verantwortlich gemacht. Jacob habe euch verführt und verblendet, hat er gesagt. Dann hat er mir denselben Vorwurf gemacht. Danach meinte er, ohne ihn kämt ihr niemals klar und so ging das weiter. Am Ende hat er mich weggeschickt und gesagt, ihr sollt doch machen, was ihr wollt.«

Wieder betretene Stille. Hühner und Hahn waren inzwischen auch still geworden. Irgendwo bellten Hunde. Sonst war kaum etwas zu hören.

»Hat er denn gar keinen Vorschlag gemacht, wie wir wieder mit ihm auf eine Linie kommen?«

Silas Rao konnte es offenbar nicht fassen.

»Nein, hat er nicht. Im Gegenteil, er hat mir zum Schluss gesagt, ich solle mich aus der Angelegenheit heraushalten, er werde das Problem in spätestens sechs Monaten geregelt haben.«

»Wie meint er das denn?«

Elias drückte aus, was viele Gesichter verrieten. Also hatte sich der Ayyagaru etwas ausgedacht, etwas gegen die gewählte Kirchenleitung. Helmut wusste auch nicht, was gemeint war, hatte jedoch einen Verdacht.

»Vielleicht will er euch kein Gehalt mehr zahlen!«

Lea war schockiert und auch den Pastoren stand der Schreck ins Gesicht geschrieben.

»Kein Gehalt? Aber das steht uns doch zu! Wir und unsere Familien sind darauf angewiesen!« David begriff als Erster, was es bedeutete, wenn Ben die Gehaltszahlungen verweigerte.

»Stimmt!« sagte Silas Rao. »Aber ich lasse mich nicht erpressen. Ich werde nicht auf Knien kriechen und um Geld betteln.«

Den Rest des Vormittags diskutierten sie über die Situation. Noch vor dem Mittagessen wurden Beschlüsse gefasst. Alle willigten ein, alle ohne Ausnahme.

Lea war froh, dass sie sich derart einig waren. Sie beschlossen, das Protokoll zu tippen und es für alle zu kopieren.

Auch den indischen Kirchenbund wollten sie informieren. In der Verfassung der Kirche stand, dass diese Organisation aus Madras, das inzwischen Chennai hieß, im Krisenfall vermitteln solle. Für diese Kontakte wollten sie Jacob gewinnen, der inzwischen in der Nähe von Rajamundhri lebte. Zwar hatten einige der Pastoren ihm gegenüber starke Vorbehalte, Helmut überredete sie jedoch.

»Jacob spricht Englisch und hat viele hilfreiche Kontakte«, meinte er. »Außerdem hat er durch seinen Weggang vor einem Jahr ja gezeigt, dass er nicht mehr auf Samuels Seite steht. Ich bin sicher, wir können ihm vertrauen!«

Am späten Nachmittag fuhr Lea nach Arukuru zurück. Ihr Wohnort war zwar nicht sehr weit entfernt, jedoch schwer zu erreichen. Sie musste bis Rudramakota mit dem Bus fahren und dann zu Fuß bis zur Godavari gehen. Eine Fischerfamilie betrieb dort eine einfache Fähre. So erreichte sie, nachdem sie noch eine weite Sandbank im Fluss überquert hatte, den Marktflecken Kunavaram. Hier vereinten sich Godavari und Sabari. Von dort ging es mit dem Bus weiter bis Arukuru.

Erst am Abend stieg Lea aus dem Bus. Es war bereits dunkel und sie musste vorsichtig sein, denn wegen des Waldes gab es hier viele Schlangen. Der Bus verschwand mit Gedröhn gen Norden. Inzwischen war auch diese Straße asphaltiert worden und die Oberfläche war fast so glatt wie die Straßen in Deutschland, fast. Lea ging auf dem von der Sonne noch aufgeheizten Belag von der Bushaltestelle zur Siedlung. Plötzlich blieb sie staunend stehen. Vor sich sah sie ein Naturschauspiel, wie sie es so noch nie erlebt hatte. In der Dunkelheit erhob sich ein großer Baum mit runder Krone und vollem Blattwerk. Der Umriss des Baumes hob sich nur schwach gegen den Nachthimmel ab. Doch es war keineswegs dunkel. Der Baum war umgeben von Millionen kleiner, glitzernder Lichter. Es sah aus wie Weihnachten, wenn sie Kirchen und Häuser mit vielen bunten Lichterketten schmückten. Nur, dass hier keine verschiedenen Farben, sondern nur weißes Licht glänzte und es viel, viel mehr Lichter waren, die den Baum zu einem Wunderwerk machten.

Lea blieb stehen. Es waren kleine Glühkäfer, die sie mit ihrem Glanz verzauberten. Wie Zeichen des Himmels. Ja, es war richtig gewesen, was sie getan hatten. Sie würden gemeinsam das Licht der Welt weitergeben, auch wenn der Ayyagaru jetzt eigene Wege ging. Und da fiel ihr der Traum wieder ein und sie wusste, was er zu bedeuten hatte. Sie würde nicht mehr mit dem Ayyagaru in eine Richtung fahren. Nie wieder!

30 Ein gefährlicher Freund

Am Nachmittag sitzen wir bei geöffneter Tür in der Zelle am Tisch. Ashok liegt auf dem Bett und liest wieder einmal in einer Zeitung. Ich unterhalte mich mit Krishna. Er macht einen aufgekratzten Eindruck und ich kann nicht herausfinden, warum. Immer geht es um das Thema ‚draußen!' Was tun, wenn sich die Gefängnistüren öffnen würden? Zu wem geht man zuerst? Würde der Kampf weitergehen? Wenn ja, wie? Sind die alten Freunde noch für mich da? Nimmt mich jemand auf? Ich habe den Eindruck, Krishna ist sehr unsicher, was das Leben dort ‚draußen' angeht.

Dann will er wissen, wieso Samuel Raj vom Freund zum Feind wurde.

»Es kann doch nicht sein, dass ihr euch nur wegen des Geldes so erzürnt habt!« sagt er. »Wer gegen euch eine solche Anzeige initiiert, muss ganz schön wütend sein und sich anders nicht zu helfen wissen. Also, was ist noch passiert?«

»Viel ist passiert.«

Ich entschließe mich nun, ihm doch noch etwas mehr zu erzählen. Wahrscheinlich treffe ich ihn ohnehin niemals wieder, nachdem ich morgen oder übermorgen entlassen werde. Vielleicht muss er sogar lebenslang hier oder in einem anderen Gefängnis verbringen. Er weiß das schon?

»Die gesamte Pastorenschaft hat gegen ihren autoritären Gründer rebelliert. Für viele war das so etwas wie ein Vatermord, denn sie waren und sind total von ihm geprägt und abhängig. Jedenfalls haben sie ihn aufgefordert, über Gelder und Einkommen Rechenschaft abzulegen. Er hat sich standhaft geweigert. Meinem Kollegen Helmut hat er gesagt, dass wir nichts machen sollten. In wenigen Monaten wollte er selbst alles wieder im Griff haben.«

Krishna lacht.

»Ich kann mir denken, wie! Wahrscheinlich mit Geld.«

»Genau. Alle, die gegen ihn waren, bekamen kein Gehalt mehr. Nur wer zurückkam, erhielt sein Geld und sogar noch eine Gehaltserhöhung.«

»So etwas habe ich mir gedacht. Viele Politiker in meinem Land regeln vergleichbare Unstimmigkeiten einfach mit Geld.«

Krishna scheint das für normal, wenn auch nicht für besonders ehrenhaft zu halten.

»Wir haben nach einigen Monaten eine humanitäre Hilfe für alle angeboten, die sich dem Ayyagaru nicht gebeugt haben.«

»Und wieviele waren da noch übrig?«

»Mehr als du vielleicht denkst! Es waren noch drei Viertel der Mitarbeiterschaft, die sich ein für allemal schworen, nie wieder von Samuel und Ben abhängig sein zu wollen.«

»Und dann? Gibt es jetzt zwei Kirchen?«

Krishna begreift die Zusammenhänge wirklich schnell.

»Ja«, antworte ich, »schon als alle Pastoren noch zusammen waren, wollte die Kirchenleitung unter Pastor Elias eine Synode abhalten, um die Leitung durch Neuwahlen noch einmal bestätigen zu lassen. Das aber hat Samuel Raj durch Gerichtsbeschluss verhindert.«

»Na, das war wohl ein Schock. Ich habe einmal gehört, dass Christen nicht vor weltliche Gerichte ziehen sollen.«

»Stimmt, das steht auch in der Bibel. Aber die liest Samuel wahrscheinlich schon lange nicht mehr und folgt ihr erst recht nicht.«

Ob Krishna neben meiner Wut auch meine Trauer spürt?

»Die Elias-Gruppe hat sich den Vereinigten Evangelischen Kirchen Indiens in Chennai angeschlossen. Über diesen Kirchenbund haben wir dann auch die humanitäre Hilfe und die Gelder für die Kinderheime geleitet.«

»Also ist die Sozialarbeit in den Händen eurer Leute?«

»Ja. Zum Glück mussten die Kinder bis jetzt nicht unter den kirchenpolitischen Machtkämpfen leiden. Die Heime laufen nach wie vor gut. Kompliziert ist alles, was mit Land und Besitz zusammenhängt. Da laufen noch diverse Gerichtsverfahren. Außerdem hat Samuel eine neue Kirchenleitung nominiert und Pastor Israel Rao zum Präsidenten gemacht. Der war als Erster zu ihm übergelaufen.«

»Das hört sich nun wirklich nicht gut an!«

Krishna schenkt sich und mir ein Glas Wasser ein.

Ashok ist inzwischen durch die immer noch geöffnete Zellentür hinausgegangen. Wahrscheinlich will er einen Rundgang auf dem Hof machen.

Ich erzähle weiter und fühle mich irgendwie erleichtert, die ganze Geschichte einmal mit jemandem zu teilen, der nicht in sie verwickelt ist.

»Die Gerichtsverfahren laufen bis heute. Samuel hat als Abgeordneter viel Macht, beginnt immer neue Verfahren oder erfindet irgendwelche Ausreden, um nicht zur Verhandlung zu müssen. Aber inzwischen ist es immerhin etwas weniger gefährlich für uns. Vielleicht schwindet seine Macht doch ein wenig.«

»Weniger gefährlich?« Krishna lacht mich mit breitem Grinsen an. »Du sitzt hier im Knast und sagst, es sei weniger gefährlich!?«

»Du hast Recht«, ich hatte tatsächlich übersehen, dass die Anzeige und deren Folgen ja nicht gerade harmlos waren, »aber ich meine, nicht so gefährlich, wie am Anfang.«

Dann erzähle ich meinem Mitgefangenen, wie es in den ersten zwei Jahren nach der 'Revolution' gewesen ist. Mehrere Versöhnungsversuche sind gescheitert. Einmal gab es ein Treffen mit Samuel in Frankfurt, dann eines in Chennai mit allen Beteiligten, dann eines mit Samuel in England. Es kam keine Einigung zustande. Kurz bevor Helmut und ich zu einem dieser Treffen nach Indien kamen, hatte unsere Gruppe öffentlich gegen die von Israel Rao demonstriert. Wir waren entsetzt, als wir das hörten. Sie waren mit hundert Leuten und Plakaten zur Verwaltungschefin der Stadt Bhadrachalam marschiert, hatten eine Eingabe gegen den Ayyagaru gemacht und gefordert, dass dieser die Bücher, das Geld und die Grundstücke übergibt. Ganz oben stand die Forderung, die gewählte Kirchenleitung anzuerkennen. Leider sparten unsere Freunde nicht mit derben Beschuldigungen und so kam die Reaktion der anderen, kleineren Gruppe, prompt. Israel Rao und Benjamin mobilisierten über fünfhundert Demonstranten gegen die Elias-Gruppe und uns Deutsche. Unsere Namen standen in der Zeitung und die Vorwürfe gingen in dieselbe Richtung wie später in der Anzeige formuliert.

Als wir in Chennai ankamen, hörten wir all das mit Entsetzen. Jacob riet uns dringend davon ab, jetzt nach Bhadrachalam oder gar ins Stammesgebiet zu fahren.

»Da geht es um eure Sicherheit!« hat auch Devodu, der Asienreferent, gesagt. »Zur Zeit hat die BJP, die fundamentalistische Hindupartei, viel Macht. Die werden vielleicht gar den Mob gegen euch mobilisieren! Fahrt dort bloß nicht hin!«

Irgendwie kam es zu einem Kontakt mit Samuel Raj. Der bat uns dringend um ein Gespräch. Wir wollten nicht umsonst nach Indien geflogen sein und verabredeten uns im Amrutha Hotel in Hyderabad. Devodu, Helmut und ich flogen also in die Hauptstadt des Bundesstaates Andhra Pradesh.

»Ist das nicht das Hotel mit den Türmchen, direkt unterhalb des Birla Mahir?«

Krishna kannte sich aus. Und er erfasste auch gleich die Brisanz unserer Reise.

»Das bedeutete aber auch, dass ihr sozusagen in die Höhle des Löwen gereist seid!«

»Ja, du hast gleich zweimal Recht«, antwortete ich. »Das Hotel ist einer mittelalterlichen Burg nachempfunden. Es sieht etwas kitschig aus, ist aber gut. Und das mit dem Löwen stimmt auch. In diesem Bundesstaat ist Samuel Abgeordneter und hat damit die Staatsmacht auf seiner Seite. Genau das sollten wir bald zu spüren bekommen.«

»Wie? Kam er gleich mit einem Polizeiaufgebot?«

»Nein, er kam mit nur einem Begleiter aus der Kirche, allerdings einem, der kein Englisch konnte. Also konnte niemand außer uns verstehen, was er uns versprach.

Wir trafen uns im Restaurant des Hotels und bedienten uns an einem jener köstlichen und reichhaltigen Büffets.«

Krishna stöhnt geradezu lustvoll auf.

»Das wäre jetzt was!« sinniert er. »Statt des Gefängnisfraßes, den wir nachher wieder vorgesetzt bekommen, ein echtes indisches Büffet!«

Doch dann grinst er, als sei ihm etwas Schönes eingefallen.

»Wer weiß, vielleicht ist das gar nicht mehr so weit entfernt wie wir glauben!«

Wieder finde ich meinen Gesprächspartner etwas seltsam. Aber ich sage nichts und erzähle weiter, zumal er mich erwartungsvoll anschaut.

»Er machte uns gute Angebote. Auch er wolle mit dem indischen Kirchenbund verhandeln. Er wolle seine Gerichtsverfahren einstellen. Alles Mögliche stellte er in Aussicht. Wir glaubten ihm nicht.«

»Dem hätte ich auch nichts mehr geglaubt!« bestätigte Krishna.

»Und dann kam jenes Telefonat«, fuhr ich fort. »Wir hatten uns für den Nachmittag erneut verabredet. Dann sollten die Leute aus der Israel Rao-Gruppe dazukommen und auch Benjamin sollte dabei sein. Dann hätte sich gezeigt, ob Samuel auch in Gegenwart der anderen bei seinen Zusagen bleiben würde. Heute gehen wir nicht davon aus und vermuten außerdem, es wäre gar nicht dazu gekommen.«

»Was für ein Telefonat? Was ist passiert?«

»Ganz einfach. Samuel telefonierte. Wir verstanden nichts von dem, was er sagte. Doch Devodu konnte es verstehen. Er spricht zwar Tamil, kann jedoch auch einige Brocken Telugu.«

»Und, was hat er verstanden?«

Krishna findet meine Erzählung sichtlich spannend. Und das war es damals auch.

»Er sprach mit einem Inspektor. ‚Sie sind jetzt hier!' konnte Devodu verstehen, und ‚Ihr könnt sie abholen kommen.' Dann gab er noch einige Hinweise über die Lage des Hotels.«

Während ich das erzähle, denke ich seltsamerweise an den Verrat des Judas. Der hatte den Aufenthaltsort Jesu verraten und ihn damit der Tempelpolizei ausgeliefert. Hatte dann nicht der Hahn zweimal gekräht? Nein, das war bei Petrus, als der seinen Herrn verleugnete. Petrus war dann hinausgegangen und hatte geweint. Judas aber hatte sich erhängt. Seltsame Gedanken.

Krishna nickt. Er ist wirklich ein guter Zuhörer.

»Das ist ja wirklich spannend! Wahrscheinlich hat er mit der Polizei telefoniert.«

»Genau das hat Devodu damals auch gesagt. Zwar hat Samuel Raj das später vehement abgestritten, aber wir waren uns in der Situation total sicher, dass er uns echte Probleme machen wollte. Die Stimmung in Bhadrachalam war aufgeheizt. Das konnte er sich leicht nutzbar machen.«

»Und, was habt ihr gemacht?«

»Helmut und ich sind umgehend abgereist. Wir sind, nachdem wir uns für vermeintlich nur einige Stunden getrennt hatten, ins Zimmer gegangen, haben unsere Sachen geholt und ausgecheckt. Dann sind wir mit einem Taxi zum Flughafen gefahren, haben dort ein Ticket für die nächste Maschine nach Chennai gekauft, noch eine Stunde in einem nahe gelegenen Edelhotel bei Kaffee und Muffins gewartet und dann ging es ab ins sichere Tamil Nadu.«

Während ich das erzähle, kommen die Erinnerungen wieder hoch. Es sind schmerzliche Gefühle, die sich damit verbinden. Einst waren wir Freunde. Wir haben gemeinsam an einer Sache gearbeitet und uns für die Verbreitung des Evangeliums und für die Menschen entlang der Godavari eingesetzt. Wir haben unzählige Gespräche geführt, zusammen viel gelacht, aber auch getrauert. Samuel hat mir mehrfach angeboten, in der Kirche zu arbeiten. Er wollte mir ein Haus bauen und alles so angenehm wie möglich machen. Wir haben Vertrauen zueinander gehabt und es war eine tiefe Freundschaft entstanden - und nun flüchteten wir vor unserem Freund und hatten Angst vor ihm!

Als ich damals im Flugzeug saß und hinaus auf die Propeller schaute, kamen mir die Tränen. War es wirklich richtig, zu fliehen? Vielleicht. Auch der Apostel Paulus war ja einmal geflohen und hatte sich in einem Korb über die Stadtmauer in Sicherheit gebracht. Aber hätten wir nicht doch bleiben sollen? Wohin waren wir gekommen? War das noch Gottes Weg? Was würde er dazu sagen, was würde Jesus jetzt tun? Würde er auch fliehen? Oder war das, was wir für Sicherheitsdenken hielten, eigentlich Kleinglaube? Würde ein Hahn zweimal krähen, wenn wir in Chennai landeten?

Krishna schien meine Gedanken wieder zu erraten, zumindest deren Tendenz.

»Ihr habt nichts Klügeres tun können!« sagte er. »In seinem Hoheitsgebiet hättet ihr keine Chance bekommen. Ihr wäret wahrscheinlich erst einmal für einige Wochen im Knast gelandet... zum Beispiel hier!«

»Na, du machst mir Mut! Nun, zwei Jahre später, bin ich tatsächlich hier gelandet! Und er ist immer noch Abgeordneter in diesem Bundesstaat.«

Das Signal zum Abendessen schrillt durch den Gang. Unser Gespräch ist beendet.

»Es wird zwar kein indisches Hotelbuffet«, sagt Krishna, »aber besser als Nichts! Ich habe Hunger und muss mich noch einmal stärken. Es liegt noch eine lange Nacht vor mir!«

Als wir über den Hof gehen, treffen wir auf Ashok. Er sitzt auf unserer Steinbank unter der Palme. Oben flattert ein inzwischen reichlich zerfetzter roter Papierdrache im Wind. Krishna schaut zu ihm hoch. Er macht ein Gesicht, als tausche er mit dem kleinen gestrandeten Spielzeugdrachen ein Geheimnis aus.

31 Pradana

Pradana entwickelte sich prächtig, im doppelten Sinn. Jacobs Tochter wurde Liebling aller. Ihr Lachen verzauberte Deepa und ihn selbst. Er konnte kaum ertragen, länger als drei Tage auf sie zu verzichten. Leider musste er jedoch viel reisen. Sein Geld verdiente er mit Vorträgen und Predigten. Er sagte es niemals, wusste es jedoch sehr genau: Das Predigen hatte er von Samuel Raj gelernt. Anders als die manchmal furchtbar brüllenden und mit den Zuhörern schimpfenden Pastoren, sprach Jacob leise und freundlich mit den Leuten und verstand es, sie in einen Dialog mit dem Bibelwort und sich selbst zu ziehen. Das mochten die Menschen. Und so wurde er immer häufiger eingeladen. In der schnell wachsenden und vom indischen Wirtschaftsboom profitierenden Stadt Rajamundhri gab es große und reiche christliche Kirchen. Jacob durfte dort manchmal predigen und bekam ein gutes Honorar. Über einen Freund hatte er Kontakt nach Orissa bekommen, dem nordöstlichen Nachbarstaat. Dort waren die Honorare zwar nicht so hoch wie in den Städten an der Ostküste oder im Delta der Godavari, dafür war die Arbeit viel interessanter und aufregender. Trotz des starken Drucks seitens der nationalen Parteien und fanatischer Hindugruppierungen waren dort christliche Gemeinden entstanden und wuchsen schnell. Gerne hätte er Oliver einmal mitgenommen, diese zu erleben. Sie erinnerten in ihrem Missionseifer und dem geistlichen Leben sehr an die Kirche entlang der Godavari. Das Gebet für Kranke, geistliche Erfahrungen mit ekstatischen Phänomenen und bösen Geistern und gleichzeitig der Kampf um Gerechtigkeit für die Armen standen im Zentrum kirchlicher Arbeit. Leider durften Ausländer die Region nicht besuchen. Es waren dort durch Fundamentalisten viele Anschläge mit tödlichem Ausgang auf weiße Missionare verübt worden. Im letzten Jahr gab es gar Massaker an Christen. Außerdem unterstellte die Regierung allen Weißen, dass sie eine Gefahr für die hinduistische Kultur und Religion darstellten. Jacob fand das lächerlich. Die größte Gefahr, Indiens Kultur zu verderben, ging von den Indern selbst aus, die äußerst anfällig für Konsum und gehobenen Lebensstandard waren und dem Gott Wirtschaftswachstum immer mehr Opfer brachten.

Orissa war wirklich spannend. Auch weil dort ‚pradana' im Sinn von ‚Gebet' im Zentrum christlichen Lebens stand. Genau dies war Jacobs Leidenschaft geworden. Für alles beten, beten, beten. Das Handeln ergab sich dann von allein.

Die durch intensives Beten gewonnenen Erfahrungen und Erlebnisse waren durch nichts zu übertreffen. Dafür gab es viele Beispiele.

Deepa und er waren froh, als die Regenzeit endlich vorbei war. Die Wände hatten braune Flecken. An manchen Stellen gedieh grässlicher gelbbrauner Schimmel. Ihr ältester Sohn war krank geworden. Nach einer Malaria hatte er noch eine schlimme Lungenentzündung bekommen. Das meiste Geld, das Jacob mit Predigen verdiente und Deepa von ihren Verwandten bekam, mussten sie für Medizin und einen Krankenhausaufenthalt ausgeben.

»Wir hätten vielleicht doch, wie es Ben für seine Familie gemacht hat, eine der privaten Versicherungen abschließen sollen!« hatte Deepa mit leisem Vorwurf in der Stimme gesagt.

»Und wie hätten wir uns das leisten können? Das kann nur jemand bezahlen, der wirklich reich ist!«

Für Jacob war es klar. Kaum jemand, den er kannte, hatte eine Krankenversicherung oder gar Vorsorge für das Alter getroffen. Dafür war kein Geld da. Stattdessen musste die Familie einstehen und zum Glück war genau dies der große Segen indischen Familiensinns.

Sie hatten gebetet. Immer wieder.

Und es war gelungen, alle nötigen Mittel aufzubringen.

Auch wegen der Wohnung hatten sie gebetet. Während und nach dem Monsun. Und eines Tages, völlig überraschend, stand Deepas jüngster Bruder in der Tür. Er war Architekt.

»Namaste!«

Er war wie neunzig Prozent aller Inder Hindu, allerdings ein sehr liberaler.

»Prasad!«

Deepa fiel ihm um den Hals.

»Wie schön, dich zu treffen!«

Es war das erste Mal, dass Prasad in ihrer Wohnung war. Er sah sich staunend um.

»Hier wohnt ihr?«

Es klang ein wenig wie: Hier haust ihr?

»Uns bleibt ja nichts anderes übrig«, antwortete Jacob.

Es war ihm peinlich, denn letztlich war ja er als Mann nicht in der Lage, seiner Familie eine bessere Wohnung zu beschaffen.

Prasad blieb auf einen Tee. Sie erzählten sich gegenseitig von ihren Erlebnissen der letzten Monate. Jacob fand es sehr traurig, dass Prasad Eheprobleme quälten. Hoffentlich würde es ihm nicht ergehen wie Oliver, der sich hatte scheiden lassen. Was in Deutschland immer häufiger vorkam und inzwischen akzeptiert wurde, war im familienorientierten Indien ein Desaster. Entsprechend geknickt saß sein Schwager vor ihm.

Trotzdem hatte Prasad immer wieder einen Blick für die Wohnung, in der er saß. Die Stockflecke an der Decke, die löchrige Tür und die auf Putz gelegten Leitungen schienen ihn immer wieder auch von seinen eigenen

Problemen abzulenken. Als Prasad sich verabschiedete, sagte er:

»Dass meine Schwester in so einer Wohnung leben muss«, und wieder hörte es sich eher an wie: In so einem Loch hausen, »kann ich nicht ertragen. Ich überlege, was ich machen kann. Ihr werdet von mir hören.«

*

Nach drei Wochen, sie hatten in dieser Zeit viel und intensiv gebetet, hörten sie dann wieder von ihm.

Er bat sie, an den Rand der Stadt Kovvur zu kommen, an eine bestimmte Stelle. Dort stand inmitten von Reisfeldern eine Hütte. Die neuen Häuser der Stadt tasteten sich immer näher in die Nachbarschaft dieses kleinen Gehöftes. Die Stadt wuchs.

Prasad stellte sich neben die Hütte.

»Hier ist es!« sagte er. »Hier wird euer neues Haus stehen!«

Jacob und Deepa sahen ihn verständnislos an.

»Wie, neues Haus? Wir haben nicht einmal das Geld für eine neue Wohnung!«

»Das braucht ihr nicht. Ihr habt ja mich. Ihr habt einen Architekten in der Familie und zwar einen, der sein Handwerk versteht!«

Nun holte Prasad aus der Ledertasche, die er auf seinem Motorrad festgeschnallt hatte, eine Zeichnung heraus.

»Seht es euch an!« sagte er, breitete die Blätter auf dem Sitz des Krades aus und zeigte stolz auf seine Pläne.

»Hier ist der Eingang. Der offene Flur, in den man kommt ist wie ein ‚T' geschnitten. In den Ecken des Hauses sind drei Schlafräume und die Küche. Links im Flur wird eure Essecke sein und ihr könnt dort viele Gäste verwöhnen. Rechts kannst du, Jacob, deinen Schreibtisch aufstellen und hast einen Arbeitsplatz und hier vorne macht ihr es euch gemütlich!«

Jacob und Deepa waren sprachlos.

»Aber wie sollen wir das bezahlen?!«

»Gar nicht!« sagte Prasad lachend. »Ich bezahle es. Und ihr gebt mir monatlich soviel wie ihr jeweils könnt. Ihr wohnt in dem Haus und ihr zahlt es nach eigenem Vermögen ab. Den Rest schenke ich euch!«

»Aber Prasad, wie können wir das annehmen!«

»Nehmt es als Geschenk eures Gottes!« antwortete Deepas Bruder schmunzelnd.

Und genauso nahmen sie es. Es war ein Geschenk Gottes, die Erhörung ihrer Gebete. Und mehr als das.

Während der Bauphase des Hauses bekam eine Familie aus der inzwischen entstandenen kleinen Gemeinde Zwillinge. Nun konnten sich die von Jacob und vor allem durch Deepas ungezählte Hausbesuche gewonnenen Gemeindemitglieder nicht mehr in deren Haus treffen. Aber Prasad hatte eine Idee.

»Kein Problem«, sagte er, »ich baue oben auf euer Haus eine kleine Kirche. Dann könnt ihr euch dort treffen!«

Zuerst hielt Jacob das für einen Scherz. Also lachte er und vertiefte die Sache nicht weiter. Aber dann, beim nächsten Besuch auf der Baustelle, sah er mit Erstaunen, dass fast die Hälfte des riesigen Flachdaches für einen neuen Raum vorgesehen war. Es wurden hüfthohe Wände gemauert, Pfosten gesetzt und eine weitere Decke gegossen. In der einen Ecke gab es sogar einen kleinen Turm. Er hatte ein spitzes, rotes Dach und sah aus wie ein europäischer Kirchturm. Wie alles im Haus hatte jedoch auch der seinen Sinn: Der Wassertank war darin untergebracht und machte aus dem Kirchturm gleichzeitig einen Wasserturm. So würden die Leitungen in diesem Haus immer genug Druck liefern.

Jacob war total begeistert. Sofort fuhr er zur Wohnung und holte Deepa.

»Deepa, das musst du dir ansehen! Prasad baut tatsächlich eine Kirche auf unser Haus!«

*

Zur Einweihung waren alle eingeladen. Die immer größer werdende Gemeinde, die Familien und Pastoren aus der Nachbarschaft. Und natürlich Prasad, der leider ohne seine Frau da war. Die hatte ihn verlassen und war zu ihren Eltern zurückgegangen. Also war Prasad allein gekommen. Er war dann auch sehr schnell wieder gegangen. Es war sein letztes Bauwerk für lange Zeit. Das Zerbrechen seiner Ehe hatte ihn völlig verstört. Deepa und Jacob konnten ihm trotz vieler Versuche nicht helfen. Er fing an zu trinken. Dann musste er seine Leute entlassen und sein kleines Architekturbüro auflösen. Und dann, nach Verbrauch seines Vermögens, war er auf die Hilfe seiner Familie angewiesen. Jacob hatte ihm angeboten, das Haus wieder zu verkaufen. Er hatte es abgelehnt.

»Es ist jetzt euer Haus!« sagte er.

Als ob er seinen tiefen Fall ahnen würde, hatte er das Haus schon bald auf den Namen seiner Schwester eintragen lassen und ihr ganz übertragen. Jetzt unterstützten Deepa und Jacob ihn so gut sie konnten.

Was Prasad anging, waren ihre Gebete bis heute leider noch nicht erhört worden, aber Jacob war sich sicher, dass Gott auch darauf irgendwann einging.

Dafür war Gott beim Erhören ihrer Gebete bezüglich einer eigenen Gemeinde überaus großzügig. Bald waren sie dreißig Familien. Die meisten kamen aus dem Mittelstand und waren vorher Hindus. Ein Produzent von Schulheften, ein Landwirt, einige Lehrer, ein Polizist und ein Gefängniswärter gehörten zur Gemeinde. Besonders eindrucksvoll war der Gefängniswärter, ein Constabler der Andhra Police Justice (APJ), zur Gemeinde gestoßen.

Nach seiner Trennung vom Ayyagaru hörte Jacob zunächst nichts von Samuel, nichts außer Gerüchte. Die kursierten in Bhadrachalam, wo er nach wie vor seine

Kontakte hatte. Jacob solle vor der Justiz geflüchtet sein, die ihn wegen der Sache mit den Mädels in Kukunuru festsetzen wollte. Jacob solle sich mit Benjamin überworfen haben, ihm anvertrautes Geld unterschlagen und sich dann abgesetzt haben. Jacob solle von den Pastoren der Kirche ausgeschlossen worden sein. Jacob solle von den deutschen Partnern der Kirche verwiesen worden sein.

Es war manchmal geradezu lächerlich, was Samuel und andere im ersten Jahr über ihn verbreitet hatten. Aber richtig schlimm und dramatisch wurde es erst nach der Revolution der Pastorenschaft gegen den Ayyagaru und noch schlimmer, als der die Kirche gespalten und eine neue Leitung nominiert hatte.

Die neue Kirchenleitung unter Elias hatte Jacob gebeten, ihr bei den Kontakten nach Deutschland und zum Kirchenbund zu helfen. Das war unbedingt nötig, denn nur Jacob sprach wirklich gut Englisch, kannte alle Zusammenhänge und hatte das Vertrauen der Partner. Immerhin war er der Erste, der Samuel verlassen hatte. Also wurde er Berater der Kirche und sollte ihr beim Neuanfang helfen. Er tat das gerne, liebte er doch seine Kirche. Gleichzeitig aber war seine Position schwierig. Einerseits hatte er seine eigene Gemeinde hier in Kovvur, war Familienvater und reisender Prediger. Andererseits beanspruchte ihn die Administration der sich neu orientierenden Kirche im Stammesgebiet enorm. Die Deutschen vertrauten ihm. Aber unter den Pastoren hatte er auch Gegner, die ihn lieber los wären. Vor allem Elias selbst und einige seiner Freunde hatten Angst davor, dass Jacob nun die Kirche übernehmen wolle. Sie hätten lieber alle Macht in den Händen der Tribals gesehen, als sie mit anderen zu teilen. Jacob hatte es also mit mehreren Fronten zu tun und wenn ihn nicht die deutschen Freunde mehrfach motiviert hätten, hätte er seine Mitarbeit vielleicht längst aufgekündigt. Zumal er inzwischen auch für Samuel Raj zum Feind Nr. 1 gekürt worden war.

Auf dessen Liste ganz oben zu stehen, war überaus gefährlich. Die Anzeige gegen Helmut, Oliver und Johannes in New Delhi hatte das bereits gezeigt. Die Wahrheit schien beim Ayyagaru keine Rolle zu spielen. Er zeigte seine Krallen jetzt offen und bedrohlich. Wieder häuften sich die skurrilsten Anschuldigungen: Jacob solle die Revolution von langer Hand vorbereitet haben. Er solle durch falsche Informationen und Intrigen auch die Deutschen gegen ihren Freund Samuel Raj und die Nontribals gegen die Tribals aufgehetzt haben. Jacob solle... die Vorwürfe nahmen kein Ende.

In jenen Monaten lernte Jacob dann den Constabler kennen. Er hieß Nagesh. Angestellt war er im Gefängnis von Kovvur, einer kleinen Zweigstelle des großen Gefängnisses in Rajamundhri. Waren dort 1.500 Gefangene untergebracht, gab es hier in Kovvur nur bis zu dreißig. Die Insassen waren in Untersuchungshaft, oder es waren Jugendliche und Kriminelle mit kleinen Vergehen. Und Jacob.

Ja, drei Tage lang war auch Jacob im Gefängnis.

Er war gerade in das neue, schöne Haus eingezogen, da kamen zwei Polizisten und holten ihn ab. Der Inspektor, Leiter des Gefängnisses, zeigte ihm einen Haftbefehl. Angeblich sollte er Geld unterschlagen haben. Die Anschuldigung kam von Benjamin. Typisch Samuel, er schickte andere vor.

Jacob konnte nicht sagen, dass er die Tage im Gefängnis genossen hätte, aber sie hatten ihren Sinn gehabt. Dort lernte er Nagesh kennen. Sie unterhielten sich immer wieder sehr angeregt. Da der Wärter Jacobs Version der Dinge glaubte, war er sehr freundlich und ließ ihm die beste Behandlung zukommen. Sogar Karom hatte er mit seinem Gefangenen gespielt.

Das Verfahren wurde eingestellt. Später erfuhr Jacob durch seine Kontaktleute in Bhadrachalam und in der Verwaltung des Landkreises, dass Ben seine Anzeige zurückgezogen hatte. Freunde Jacobs hatten gedroht, im

Rahmen der Untersuchungen gegen Jacob genaue Prüfungen der Finanzen im Kirchenbüro vorzunehmen. Das war Ben wahrscheinlich zu riskant.

Nach den Tagen hinter verschlossenen Türen hatten sich Jacob und Nagesh weiter getroffen. Und so war der Constabler in den christlichen Glauben hineingewachsen und nun treues und engagiertes Mitglied der Kirchengemeinde. Gott hatte schon seltsame Wege, wie er Gebete erhörte.

Auch die Sache mit dem Mordanschlag auf ihn war eine solche Bewahrung und Gebetserhörung.

Eines Morgens klingelte das Telefon. Eines der vier Mädchen, um deren Ausbildung sich Deepa und er kümmerten, nahm den Hörer ab und gab ihn weiter an Jacob.

»Wer ist da?« zunächst war es still, doch jemand atmete.

»Wer ist da? Melden Sie sich doch!«

»Es ist egal, wer hier ist«, sagte die Männerstimme geheimnisvoll. Irgendwie kam sie Jacob bekannt vor, er konnte sie jedoch nicht zuordnen.

»Wichtig ist, dass du auf dich aufpasst. Er hat Leute beauftragt, dir etwas anzutun.«

Jacob verstand sofort, worum es ging. Trotzdem fragte er nach.

»Was antun? Wann und wer? Und wer bist du?«

»Mehr weiß ich nicht«, sagte der anonyme Anrufer.

»Meide auf jeden Fall das Treffen mit den Deutschen in Bangalore. Und sei auch sonst vorsichtig.«

Dann legte der Anrufer auf.

Jacob verschwieg seiner Frau diesen Anruf. Er war wütend, betroffen und stolz zugleich. Wütend, weil die Gegenseite offensichtlich vor nichts zurückschreckte. Betroffen, weil es nun wirklich um Leib und Leben ging und sich langsam auch etwas Angst einstellte. Und stolz, weil er in die Fußstapfen von großen Kirchengründern trat. Petrus,

Stephanus und Jesus selbst. Sie alle mussten Verfolgung ertragen. Und auch Samuel Raj hatte zu Beginn seiner Missionsarbeit zwei Mordanschläge überlebt. Er, Jacob, war also in bester Gesellschaft.

Aber er nahm die Warnung ernst. Wenn Fremde in seiner Nähe auftauchten, vermied er es, mit ihnen allein zu sein. Sein Haus wurde nachts fest verschlossen. Er schaffte einen kleinen Hund an. Der mußte zwar noch wachsen, aber Einbrecher vertreiben konnte Blacky mit seinem Bellen schon jetzt.

Die Reise nach Bangalore stand noch aus. Verabredet war, dass den gescheiterten Versöhnungsversuchen noch ein weiterer folgen sollte. Samuel Raj selbst hatte dazu eingeladen. Unter der Regie des Kirchenbundes sollten sich die beteiligten Gruppen einschließlich der deutschen Partner und des Ayyagaru an einem neutralen Ort treffen. Dafür ausgesucht wurde ein christliches Frauencollege in Bangalore. Jacob würde auf jeden Fall dorthin reisen. Er war nicht nur zur Übersetzung, sondern auch für die Begleitung der Delegation nötig. Jetzt beschloss er, die Reise sorgfältig vorzubereiten. Dazu gehörte, die Delegation in die Mordandrohung einzuweihen und wachsam zu bleiben. Und zu beten. Er war überzeugt, dass Gebet der Schlüssel zum Sieg gegen alle Anfeindungen war. Und wenn sie ihre Krallen noch so schärfen würden, am Ende würde Gott das Sagen haben. Also betete er.

32 Auf der Flucht

Von merkwürdigen Wachträumen heimgesucht, wälze ich mich auf meinem Bett von einer Seite zur anderen. Obwohl der Hai am Ende doch keine Zähne, sondern ein freundliches Gesicht gezeigt hat, fühle ich mich nicht so befreit, wie es eigentlich dem Gespräch mit Sri Ramulu Raj angemessen gewesen wäre. Vielleicht sind es die Erinnerungen an jene emotionsgeladenen Erlebnisse der letzten Jahre, die mich umtreiben. Bevor ich einschlafe, beobachte ich noch einen jener beigen Geckos, die auf der Lauer liegen und es auf Fliegen und Mücken abgesehen haben. Die Farbe dieser Geschöpfe scheint sich immer dem Ton der Wand anzupassen, auf der sie leben. Mühelos kleben sie völlig unbeweglich an der glatten Fläche und plötzlich flitzen sie los und verschlingen ihr Opfer. Oder gehen bei Gefahr in Deckung. Meine letzten Gedanken vor dem Einschlafen umkreisen meine seltsame Verbundenheit mit Tieren. Warum nur fallen mir ständig Analogien zu Menschen und Erlebnissen hier in Indien ein. Hähne kämpfen, krähen und sterben. Ein Hai umkreist seine Beute. Schlangen vergiften ihre Opfer. Und nun auch noch Eidechsen. Ich zwinge mich, keine Vergleiche zu lebenden Personen herzustellen. Aber du sagst es und schon tust du es. Gedanken und Worte beschreiben nicht nur, sondern schaffen auch Wirklichkeit.

Es ist tief in der Nacht als ich aufwache. Ashok schnarcht leise. Sonst ist es still.

Zu still. Warum höre ich nichts von Krishna?

Ich richte mich auf und versuche, ins Dunkel der Zelle zu lauschen. Da höre ich ihn. Er liegt nicht in seinem Bett, sondern sitzt auf dem Stuhl am Tisch, lautlos.

»Bist du wach?«

Er hat wohl gespürt, dass ich mich aufgerichtet habe und flüstert leise.

»Ja, warum liegst du nicht im Bett?«

Ich flüstere zurück.

»Ich warte.«

Mehr sagt er nicht.

»Worauf wartest du? Bis zum Morgen sind es noch viele Stunden!«

»Ich warte darauf, dass sich die Tür auftut und ich gehen kann.«

Ich weiß nicht, ob ich ihn richtig verstanden habe. Oder will er mich veräppeln? Dazu hätte er sich eine ungünstige Zeit herausgesucht.

»Wie, bis sich die Tür öffnet?! Die öffnet sich erst vor
em Frühstück wieder.«

»Warte es nur ab.«

Dann schweigt er.

Ich liege weiter wach. Vielleicht kam meine Unruhe
on ihm. Ich habe sie bereits während des Tages ge-
pürt. Irgendetwas tat sich, irgendetwas war mit Krish-
a.

Was, das erfahre ich etwa dreißig Minuten später.

Vom Gang her kommt ein Geräusch. Krishna springt
uf. Er geht an meinem Bett vorbei zur Tür. Ich lausche.

»Jetzt ist es soweit!« sagt Krishna.

»Es muss jetzt gegen zwei Uhr sein. Und jetzt kannst
u mitkommen oder bleiben, wie du willst!«

Ich traue meinen Ohren nicht. Von außen wird vor-
ichtig und leise ein Schlüssel ins Schloss geschoben.
eim Schließen knackt es. In der Stille klingt das Ge-
äusch laut und schrill, so, als ob es alle Wachen
larmieren würde. Doch nichts geschieht, kein Alarm
ird ausgelöst, keine Schritte eilen den Gang entlang.
angsam öffnet sich die Zellentür. Von draußen scheint
attes Licht hinein. Irgendwo am Ende des Ganges
rennt eine einzelne Glühbirne. Ich sehe eine Gestalt in
er Tür, die mir bekannt vorkommt.

»Krishna, Genosse!«

Der Mann spricht meinen Freund an.

Krishna legt mir seine Hand auf die Schulter. Ich spü-
e mehr als dass ich es sehe: Er ist vollständig bekleidet.

»Mach's gut!« flüstert er. »Ich weiß, du willst nicht mit.
ber ich muss gehen. Ich habe noch eine Aufgabe.«

Er lacht leise.

»Ich muss Ashok auf meine Weise in seinem Kampf
egen den Staudamm und für Telangana unterstützen!
Vir werden uns nicht wieder sehen. Aber ich melde mich
ei dir!«

Dann schiebt er sich fast lautlos durch die Tür. Es knackt, als diese hinter ihm geschlossen wird. Wahrscheinlich habe ich die Schattengestalt, die Krishna befreit hat, nicht richtig erkannt. Ich meine, Stimme und Figur passen zu meinem Lieblingswärter. Doch das kann nicht sein, oder? Es ist eine ganz andere Sache, einen Flachmann mit Whisky ins Gefängnis zu schmuggeln als einen gefangenen Terroristen hinaus. Oder? In diesem Land macht es vielleicht keinen großen Unterschied.

An Schlaf ist nun nicht mehr zu denken. Krishna hat meine E-Mail Adresse, also kann er sich tatsächlich melden. Ich habe keine weiteren Informationen von ihm. Dort, wohin er geht, in irgendeinen Unterschlupf irgendwo in den Bergen, gibt es keine Briefkästen, weder digitale noch wirkliche. Mir wird mulmig zumute. Er weiß vieles von mir, ich fast nichts von ihm. Hoffentlich geht das gut.

Ich warte darauf, dass jeden Moment die Sirene losgeht. Wenn es so läuft, wie ich es in diversen Filmen gesehen habe, müsste das eigentlich jetzt passieren. Dann käme, kurz vor dem Ziel, die letzte Hürde für die Flüchtenden. Schüsse würden fallen, der Befreier sterben, der Flüchtling es mit letzter Kraft schaffen und... Doch nichts davon geschieht. Die Nacht ist ruhig wie immer. Ashok beginnt wieder, im Schlaf zu reden.

*

Ich bin wohl doch noch einmal eingeschlafen. Als die Sirene durch das Gebäude gellt, wache ich auf. Haben sie ihn also doch erwischt? Nein, es ist das übliche Wecksignal. Ich stehe auf. Ashok ist kurz vor mir wach geworden. Er sitzt auf seinem Bett und reibt sich die Augen. Er schaut sich in der Zelle um und starrt auf Krishnas leeres Bett. Dann sieht er mich mit großen, fragenden Augen an.

»Ja, er ist abgehauen und will deinen Staudamm in die Luft jagen!«

Ich antworte auf die nicht ausgesprochene Frage Ashoks in deutscher Sprache. Seine Augen werden noch größer. Kein Wunder, er versteht nichts. Nun zucke auch ich mit den Achseln. Es ist besser, wenn ich den Eindruck erwecke, dass ich nichts, aber auch gar nichts weiß.

Die Luke geht schabend auf, wie immer. Augen sehen herein, gleiten hin und her. Sie sehen nur zwei Männer, einen dunklen Inder und einen weißen Deutschen. Diesmal betet der Weiße nicht, obwohl er es nötig hätte. Schnell wird die Luke geschlossen, der Riegel weggeschoben und die Tür aufgerissen. Ein junger, schlaksiger Wärter mit drei Streifen hat Dienst. Er schaut hastig unters Bett, hinter die Mauer vor der Toilette. Dann greift er zu seiner Trillerpfeife und pfeift sich die Lunge aus dem Leib. Wahrscheinlich hat er noch nie so laut und engagiert gepfiffen. Gleichzeitig nimmt er sich seinen Schlagstock zur Hand und weist uns herrisch an, uns auf unser Bett zu setzen. Wir gehorchen.

Es dauert keine Minute, da sind drei andere Constabler zur Stelle. Alle suchen die Zelle ab, wobei das nur Sekunden dauert. Uns sehen sie dabei überaus grimmig und böse an. Einer klopft mit seinem Schlagstock gegen die Wände. Nichts, nur etwas Putz fällt herunter und die Geckos verdrücken sich hinter die elektrischen Leitungen. Der Schlaksige gibt uns Anweisungen. Ich verstehe, was er will, ohne dass ich die Worte übersetzen muss. Wir sollen uns ruhig verhalten, schön sitzen bleiben und keinen Ärger machen.

Einer der Wärter geht hinaus. Nach fünf Minuten kommt er mit dem Subinspektor, dem Chef dieser Abteilung zurück. Die zwei Sterne an dessen Schulterklappe leuchten unter der Glühbirne. Auch er durchsucht noch einmal die Zelle. Natürlich erfolglos.

Auch unter der Matratze von Krishnas Bett findet er nichts. Er gibt einige kurze Befehle.

Die Constabler packen Ashok und mich ziemlich grob am Arm und ziehen uns hinaus auf den Gang. Ich protestiere. Doch niemand versteht mich und wenn, hätte es jetzt wahrscheinlich keinen Sinn. Ashok und ich werden den Gang hinuntergezerrt. Einer der Wächter schließt eine Zelle auf. Ashok wird hineingeschoben. Ich will schon mitgehen, da zieht mich der Schlaksige weiter. Ich komme in eine andere Zelle, allein.

Die Stahltür schlägt zu. Wieder einmal, doch diesmal hört es sich irgendwie aggressiv und ernst an. Normalerweise würden jetzt die Türen aufgeschlossen und offen bleiben. Diese hier jedoch bleibt zu.

Ich sehe mich um. Diese Zelle ist viel kleiner als meine bisherige. Sie enthält nur ein einziges Bett, besser, eine harte Pritsche mit Holzplatte statt einer Matratze. Keine Decke, kein Kissen, nichts. Die Toilette hinter der Mauer sieht genauso aus wie alle anderen, ein Loch im Boden mit Keramiktritt. In der Ecke daneben gibt es ein kleines Waschbecken. An der Wand zwei Haken, ein Stuhl und ein sehr, sehr kleiner Tisch. Das ist alles. Ich hoffe, mein Aufenthalt hier ist nur vorübergehend! Gerne würde ich zurück in meine Zelle. ‚Meine' Zelle? Es ist schon erstaunlich, wie schnell wir Menschen etwas in Besitz nehmen können, auch Unangenehmes. Wie lange bin ich jetzt hier? Acht Tage.

Wie die Hitze in diesem stickigen Kabuff scheint auch die Zeit zu stehen. Hunger meldet sich. Kein Frühstück, kein Mittagessen, nichts. Ich trommle an die Tür. Nichts geschieht. Angst steigt in mir auf. Was, wenn die mich nun als Fluchthelfer verdächtigen? Was, wenn sie eine Verbindung zwischen mir und einem Terroristen herstellen? Ich fühle mich so schlecht und allein wie nie zuvor. Zum Glück gab es schon einen Kontakt mit dem Konsulat. Herr Schröder wird irgendwann nach mir fragen. Doch was kann er tun, wenn ich wegen Beihilfe zur Flucht belangt werde? Was allerdings hoffentlich doch abwegig ist. Immerhin bin ich nicht geflohen, sondern geblieben. Ich habe geschlafen, fertig! Doch die Beamten haben mich oft genug mit Krishna reden sehen. Sie wissen, dass wir uns während der letzten Tage angefreundet haben. Wahrscheinlich gehen sie davon aus, dass ich inzwischen viel über den Naxaliten weiß. Ich fürchte, meine Lage hat sich enorm verschlechtert. Also bete ich. Vielleicht inszeniert Gott ja auch für mich noch eine Befreiung aus dem Gefängnis. Ich muss an Petrus denken. Als der im Knast war, kam ein Engel und holte ihn dort raus. ‚Ihre Augen wurden gehalten' heißt es in dem Bericht von den Wächtern. Bisher dachte ich immer, sie konnten plötzlich nicht mehr sehen. Jetzt ahne ich etwas sehr Realistisches. Wenn man diesen Leuten nur genug Bakschisch gibt, werden ihre Augen auch ‚gehalten'. Irgendwie war die Befreiung Krishnas etwas auf dieser Linie. Allerdings fällt es mir schwer, den Flachmannfreund als Engel zu bezeichnen.

Ich schlafe etwas. Die harte Pritsche verhindert, dass ich mich richtig ausruhe.

Endlich!

Als mich der Schlaksige über den Hof ins Verwaltungsgebäude führt, steht die Sonne schon tief im Westen. Die Steinbank liegt bereits im Schatten. Nur die Krone der traurigen Palme wird noch vom Licht beschienen. Darunter pendelt der Papierdrache hin und her. So, als hätte er seine Aufgabe erfüllt. Ich weiß allerdings noch nicht genau, welche das war. Wahrscheinlich war er das Zeichen, dass die Befreiung in dieser Nacht erfolgen sollte. Das würde bedeuten, dass sie von langer Hand vorbereitet war und es draußen noch weitere Helfer gab. Auch musste das Zeichen schon vor Krishnas Einlieferung mit ihm verabredet worden sein, denn hier war er so gut wie immer in meiner Nähe. Allerdings, wenn der ‚Engel' seiner Befreiung wirklich der Flachmannwächter war, dann hätte der mehrfach Gelegenheit gehabt, mit Krishna zu sprechen. Dies wiederum hätte eigentlich den Drachen als Zeichen überflüssig gemacht.

Ich werde diesmal nicht in das Verhörzimmer mit dem Ganeshabild geführt, sondern in das Büro des Direktors. Doch auch hier ist der Gott mit dem Elefantenkopf vertreten, allerdings als kleine, aus schwarzem Stein gehauene Statue, die neben einem schwarzen Telefon steht. Ich muss schmunzeln. Ganesha sitzt vor einem Apple Notebook und tippt etwas hinein! Ich kenne diese Skulptur aus Mahabalipuram. Dort erfinden hunderte Steinmetze für ihre Kunden in ganz Indien und weit darüber hinaus immer neue Darstellungen der indischen Götterwelt. Auch die Götter müssen ‚up to date' bleiben.

Der Inspektor, dekoriert mit drei Sternen, sitzt hinter einem großen Schreibtisch aus schwarzem Holz mit weißen Einlegearbeiten. Es ist unsere erste Begegnung. Als ich hereinkomme, bleibt er sitzen und nickt mir zu.

»Setzen Sie sich!«

Mit typisch indischem Akzent dirigiert er mich mit dunklen, stechenden Augen zum schlichten Besucherstuhl, der seinem Prachtstück von Tisch gegenüber steht. Ich setze mich. Er spricht ein passables Englisch und kommt gleich zur Sache.

»Der Mitarbeiter vom Ministerium für Inneres hat mir angedeutet, dass Sie in Kürze entlassen werden können. Vergessen Sie es.«

Seine Offenheit beeindruckt und schockiert mich.

»Sie haben sich der Fluchthilfe verdächtig gemacht.«

Er blickt auf einige Blätter, die vor ihm liegen. Es klingt wie eine Feststellung, nicht wie eine Frage.

»In Ihrer Akte steht nichts darüber, dass Sie Kontakte zu Extremisten haben. Trotzdem stehen Sie in Verdacht, mit ihnen zusammenzuarbeiten.«

Es geht also wieder los. Diesmal hat mich nicht mein alter Freund Samuel, sondern mein neuer Freund Krishna in Schwierigkeiten gebracht.

»Sie sind im Hof häufig zusammen mit dem Flüchtling gesehen worden. Sie haben angeregt und vertraulich miteinander gesprochen. Auch in ihrer gemeinsamen Zelle haben Sie nach Angabe des Wachpersonals lange Gespräche mit politischem Inhalt geführt. Obwohl Sie hätten hinausgehen können, haben Sie sich in die Zelle zurückgezogen. So, als wollten Sie vermeiden, dass Ihre Gespräche mitgehört werden.«

Es macht keinen Sinn, zu schweigen.

»Ja, wir haben uns unterhalten«, gebe ich zu, »aber nicht über seine Flucht und auch nicht über seine politischen Ansichten.«

»Da sagt Ihr Zimmergenosse aber etwas anderes. Er gibt zu, dass Sie über das Polavaramprojekt gesprochen haben.«

Sie haben Ashok also bereits verhört. Zeit hatten sie ja genug. Ich muss also bei der Wahrheit bleiben, sonst verwickle ich mich in Widersprüche.

»Da hat er Recht. Mr. Ashok hat das Thema eingebracht. Er hat erzählt, dass er im Widerstand zu diesem Staudammprojekt engagiert ist.«

»Engagiert? Das ist milde ausgedrückt. Er ist militanter Gegner des Projektes und des Aufruhrs und der Anstiftung zur Gewalt gegen Sachen und Personen angeklagt. Im Übrigen hat er angedeutet, dass auch Sie gegen das Projekt sind.«

Jetzt wird es wirklich heikel. Bisher hat mein Einsatz gegen die Zwangsumsiedlung einer Viertel Millionen Adivasis und die Vernichtung einer wunderschönen Naturlandschaft hier keine Rolle gespielt. Dabei würde ich es gerne belassen. Zwar muss ich nichts befürchten, da ich auch nach indischem Recht nichts Illegales gemacht habe, trotzdem könnte eine weitere Untersuchung meinen

Aufenthalt hier erheblich verlängern. Ich bin also vorsichtig und froh, dass der Direktor an dieser Stelle nicht weiterbohrt.

»Es steht Ihnen natürlich frei«, sagt er, »über das Projekt zu denken, was Sie wollen. Aber wenn Sie zum Mitwisser von kriminellen Handlungen werden, müssen Sie das nicht nur in Ihrem Land, sondern auch bei uns melden!«

»Welche kriminelle Handlung meinen Sie?«

»Die Flucht Ihres Mitgefangenen Rama Krishna Raos natürlich. Sie haben doch davon gewusst? Oder? Ich werde mich für Sie einsetzen, wenn Sie mir jetzt die Wahrheit sagen!«

Nun versucht er, mir wie ein guter Bekannter ins Gewissen zu reden. Ich streite natürlich ab, dass ich davon etwas weiß. Dabei muss ich nicht einmal lügen. Allerdings erzähle ich ihm nicht, dass ich vor Krishnas Flucht mitten in der Nacht noch kurz mit ihm geredet habe und er mir angeboten hat, mitzukommen.

Es klopft an der Tür. Der Beamte, der in meinem Rücken an der Tür sitzt, öffnet. Ein kurzes Nicken, dann steht jemand in der Tür, den ich länger nicht gesehen habe. Appa Rao, mein Pflichtanwalt! Das muss man ihm lassen, er tut seine Pflicht und das zumindest dieses Mal ziemlich schnell. Appara wendet sich sofort an den Inspektor. Er spricht Englisch und dafür bin ich ihm dankbar, denn so kann ich der Unterhaltung folgen.

»Herr Direktor, wie Sie wissen, bin ich der vom Bundesstaat Andhra Pradesh bestellte Pflichtanwalt dieses Untersuchungshäftlings.«

Er wartet nicht auf Zustimmung, sondern setzt sie offenbar voraus.

»Ich bitte Sie, dass ich zunächst mit meinem Mandanten allein sprechen kann und dann bei den Verhören anwesend bin, wie es das Gesetz vorschreibt.«

Ich bin wirklich überrascht. Appara macht hier plötzlich eine ganz andere Figur als beim Zweiergespräch in meiner Zelle. Er ist weder unsicher noch oberflächlich. Keine Spur von Gleichgültigkeit oder Ignoranz wie in der Sache mit meinem Rasierapparat. Nein, der Mann überrascht mich wirklich.

Dem Direktor bleibt nichts anderes übrig, als dem Anliegen des Anwalts zu entsprechen.

»Ich gebe Ihnen eine halbe Stunde«, sagt er, »dann setzen wir das Verhör fort.«

Appara und ich werden in ein Nachbarzimmer geführt. Der Raum ist ähnlich möbliert wie jenes Verhörzimmer im Keller, bis auf den Ganeshakalender. Ich setze mich vor und Appara hinter den Schreibtisch, so dass wir uns gegenüber sitzen.

»Sie machen Sachen!« beginnt Appa Rao das Gespräch. »Als ob Sie es mir nicht schon schwer genug machen. Nun sind Sie auch noch in die Flucht eines Terroristen verwickelt! Wenn das so weitergeht, kann nicht einmal ich Ihnen helfen.«

Mir liegt eine Bemerkung über seine bisherige ‚Hilfe' auf der Zunge. Ich verkneife sie mir. Vielleicht brauche ich ihn jetzt wirklich.

»Ich bin nicht in eine Flucht verwickelt. Mein Zimmergenosse ist geflohen, nicht ich. Ich habe nichts davon gewusst und es geradezu verschlafen!«

»Aber er muss doch etwas angedeutet haben?!«

»Vielleicht. Er hat mehrfach davon gesprochen, wie es draußen sein würde. Aber deshalb habe ich doch nicht an Flucht gedacht!«

»Aber Sie müssen doch etwas gehört haben, als er die Zelle verließ! Womöglich haben Sie sogar gesehen, wer ihm die Tür aufschloss!«

»Nein. Ich habe zwar ein Geräusch gehört und bin einen kleinen Moment aufgewacht. Aber ich habe doch nicht geahnt, dass es von der Tür kommt! Also bin ich wieder eingeschlafen.«

Ich traue mich nicht, einfach alles abzustreiten. Doch aufzudecken, was in der Nacht geschah, erscheint mir zu riskant. Ob solche Lügen oder Halbwahrheiten noch meinem christlichen Wahrheitsanspruch genügen? Ich habe da so meine Zweifel, sage jedoch trotzdem nicht die Wahrheit. Ich habe Angst.

»Und wenn ich schlafe, woher soll ich dann wissen, wer die Tür geöffnet hat?«

»Aber Sie müssen doch irgendetwas gemerkt haben? Wie war es gestern und vorgestern? Hat er sich nicht irgendwie verdächtig verhalten? Oder mit jemandem Kontakt aufgenommen? Irgendwie muss er doch gewusst haben, dass ihn in dieser Nacht jemand aus der Zelle holt. Er muss hinter der Zellentür darauf gewartet haben, dass sie geöffnet wird. Wenn jemand ihn extra hätte wecken müssen, wären auch Sie schließlich mit aufgewacht!«

Ich zucke mit den Schultern. Was weiß ich schon?

So geht es noch eine Weile weiter. Dann erklärt Appara mir meine Lage.

»Der Geheimdienst hat mir Hoffnungen gemacht, dass die Anzeigen gegen Sie fallengelassen werden. Wenn dem so ist, muss ein Richter das bestätigen und Ihre Untersuchungshaft aufheben. Danach wären Sie sofort frei, ohne jede Auflage. Nun aber wird alles komplizierter. Sie müssen bleiben, bis die Untersuchung wegen der Flucht dieses Naxaliten abgeschlossen ist. Immerhin wird er als Anstifter zu Mord, Sachbeschädigung und der Mitgliedschaft in einer staatsfeindlichen Vereinigung verdächtigt und mit seiner Flucht hat er all das im Grunde schon gestanden.«

»Wie lange kann das dauern?«

Ich habe schlimme Befürchtungen.

»Bis zu zwei Wochen.«

Wieder entfaltet er sein unglaubliches Talent, mir die Hoffnung zu rauben.

»Aber so genau kann das niemand sagen.«

»Wovon ist es denn abhängig?«

Ich würde es gerne noch genauer wissen.

»Von vielen Dingen. Eine Menge Fragen müssen geklärt werden. Gibt es Mittäter und Helfer im Gefängnis? Ist Korruption im Spiel?«

Als er das sagt, blickt er wie beschämt auf den Boden. Es ist ihm offensichtlich peinlich, dass meine Vorurteile nun erneut Nahrung bekommen. Schnell redet er weiter.

»Wer von außen hat es arrangiert? Wer hat die Flucht bezahlt? Wie überhaupt ist er hinausgekommen und hat immerhin drei Türen im Gefängnis selbst und eine nach draußen überwunden? Wieso haben die Wachen ihn nicht gesehen? Wer hat ihn wie benachrichtigt? Eine Menge Fragen also.«

Ich sehe jetzt wohl etwas deprimiert aus und fühle mich auch so. Appara springt über seinen Schatten und versucht es mit Trost.

»No Problem! Sie sind in den besten Händen. Machen Sie sich keine Sorgen!«

Das habe ich schon einmal gehört. Ich will ihm ja nicht Unrecht tun, aber danach war er verschwunden. Trotzdem hat er Recht. Ich bin in den allerbesten Händen. Ich nehme mir vor, wieder ausgiebig zu beten, wenn ich zurück in meiner Zelle bin.

Unsere Zeit ist vorbei. Der Beamte, der uns in den Raum geführt hat, öffnet die Tür und weist uns an, ihm zu folgen. Auf dem Gang informiert mich der Anwalt noch darüber, das mein Freund Jacob bereits seit zwei Tagen in der Stadt ist, jedoch keine Besuchserlaubnis für mich bekommt. Schade, dass Appara das so ganz nebenbei und erst jetzt erwähnt. Mich tröstet er damit sehr. Immerhin wartet draußen jemand auf mich.

Dann stehen wir wieder vor dem Inspektor. Der hat inzwischen einen weiteren Stuhl besorgt und weist uns an, uns zu setzen. Dann nimmt er das Verhör wieder auf. Es dauert über eine Stunde. Immer wieder antwortet Appa Rao an meiner Stelle. Er ist überaus schnell mit einer Erklärung, wenn heikle Fragen kommen. Er streitet jede Kenntnis seines Mandanten über die Flucht ab.

Wenn man ihm zuhört, könnte man meinen, ich kenne Krishna überhaupt nicht, habe nie mit ihm geredet und bin ihm nie begegnet. Der Direktor macht sich Notizen. Irgendwann scheint er genug davon zu haben oder sein Block ist voll. Er klappt ihn zu und beendet das Verhör.

»Sie können jetzt gehen!« weist er mich an. »Sie bleiben vorerst in Einzelhaft und bekommen auch Ihr Essen in die Zelle.«

Das ist bitter. Mein Anwalt reagiert sofort. Jetzt spricht er Telugu und ich verstehe nichts mehr. Er verhandelt lange mit dem Inspektor. Dann wendet sich der Direktor an mich und spricht wieder Englisch.

»Sie haben einen guten Anwalt!« sagt er zu meinem Erstaunen. »Ihre persönlichen Sachen sind bereits untersucht worden. Es gibt keine Beanstandungen. Also bin ich einverstanden und werde sie Ihnen bringen lassen. Sonst aber gibt es keine Hafterleichterungen!«

Er führt ein kurzes Telefonat. Dann weist er den schlaksigen Constabler an, mich zurück in die Zelle zu bringen.

Zuerst kommt das Essen, eine große Portion Reis mit Gemüse, Lammcurry und Joghurt. Dann kommen meine Sachen aus der Gemeinschaftszelle. Diesmal fehlt nichts. Außerdem bringt der Constabler zwei Decken, ein Kopfkissen, zwei Handtücher und ein Stück Seife. Und dann kommt die Nacht.

Es geht mir schlecht wie nie zuvor. Ich fühle mich allein. Es ist still um mich herum. Ich vermisse Ashoks Schnarchen und sein Reden im Schlaf. Und natürlich die Unterhaltungen mit Krishna, wenn die mir auch dies hier mit eingebrockt haben.

Diesmal sieht niemand durch die Luke in der Tür. Warum auch? Alles was er sehen würde, wäre ein Weißer, der vor seiner Pritsche kniet und betet.

33 Wenn es heiß wird

Ein Mädchen aus dem Stamm war gestorben. Man hatte sie oberhalb des Tempels begraben. Das Grab war noch frisch und duftete nach Erde.

»Dort wirst du die Nacht verbringen, auf ihrem Grab!« hatte ihr der Swami befohlen. Es gab keine Widerrede. Adama musste neben dem Grab auf einer Matte übernachten. Es war ihre bisher schlimmste Nacht, abgesehen von jener während der großen Überschwemmung. Am nächsten Morgen, als sie wie immer zu den Füßen des Meisters saß, sah der sie nachdenklich an und fragte, wie die Nacht war. Ihre Antwort war kurz. Sie wollte nicht darüber reden.

»Ich habe geträumt, dass von allen Seiten Steine auf mich geworfen wurden. Die Nacht war schrecklich!«

Heute erschien ihr die Zeit als Präsidentin und in der Kirchenzentrale in Bhadrachalam wie jene Nacht. Sie war unglaublich froh, dass dieser Lebensabschnitt vorbei war. Allerdings flogen, im übertragenen Sinn, immer noch Steine. Elias, der neue Präsident, hatte ihr kurz nach seiner Wahl durch die Synode erzählt, wie der Ayyagaru damals den deutschen Partnern ihren Rücktritt vom Präsidentenamt begründet hatte. Sie war zuerst total geschockt und dann extrem wütend gewesen. Sie hatte Elias angeschrien.

»Das ist doch alles gelogen! Ich war nie verheiratet, niemals! Und schon gar nicht mit einem Moslem! Wie kann der nur so lügen!«

Elias hatte nur mit den Schultern gezuckt.

Lea hatte sich damals, nachdem sie diese Information erhalten hatte, ernsthaft überlegt, ob sie mitsamt ihren Gemeinden die Kirche verlassen sollte. Früher hatte sie ja auch allein gearbeitet und viele, viele Menschen für Christus gewonnen.

Sie sprach mit Mariama darüber. Ihre Freundin reagierte zurückhaltender, als Lea vermutet hätte. Obwohl Mariama den Ayyagaru sehr kritisch sah, mahnte sie zur Besonnenheit:

»Vielleicht wäre es richtig, vielleicht nicht«, sagte sie, »aber jetzt bist du verletzt und voller Zorn. Es ist besser, du wartest noch mit der Entscheidung. Die Einbindung in die Kirche hat ja auch viele Vorteile.«

Mariama hatte mit beidem Recht. Durch die Mitgliedschaft in der Kirche konnten sie das Kinderheim in Arukuru finanzieren und außer ihr bekamen noch ein Pastor und zwei junge Evangelisten regelmäßige Gehälter. Beides war letztlich nur durch die Unterstützung der Deutschen möglich. Wenn sie die Kirche verließ, verlor sie auch die Partner aus Übersee, die eng mit Samuel verbunden und nur über ihn erreichbar waren.

»Du hast Recht«, antwortete sie ihrer Freundin deshalb. »Ich werde warten und sehen, wie sich das Ganze entwickelt.«

Jetzt saß Lea erneut mit ihrer Freundin Mariama unter dem Vordach ihres Hauses. Dieses hatte sie nahe der Straße errichtet. So konnte sie sowohl die Kirche und das Kinderheim in der Kolonie leicht erreichen, als auch die Hütten im unteren Dorf. Außerdem war sie schnell an der Bushaltestelle. Um ihre Gemeinden zu besuchen, musste sie viel herumreisen und war dabei auf den Bus angewiesen.

Die beiden Frauen saßen auf farbigen Bastmatten und hatten sich einen Tee gekocht, den sie genüsslich aus heißen Bechern schlürften. Nicht nur der Tee, auch die Luft war heiß, sehr heiß. Jetzt, im April, waren die Bäume an den Berghängen im Westen braun und teilweise kahl. Wenn er rechtzeitig käme, würde der Regen das Land erst im Juli oder August aufatmen lassen. Jetzt war der Boden trocken und ausgedörrt. Die Brunnen führten wenig oder gar kein Wasser. Tags sah man an den Berghängen Rauch aufsteigen. Nachts zogen sich

Feuerketten entlang der Hänge. Die Koyas verbrannten systematisch Blätter und kleine Sträucher. Sie wollten in Kürze Früchte verschiedener Bäume sammeln und warteten darauf, dass diese reif zu Boden fielen. Dann würden sie mit dem Sammeln auf den von Blättern befreiten schwarzen Böden keine Probleme haben. Auch für die Jagd erwies sich diese Praxis als hilfreich. Die trockenen Blätter am Boden knisterten und knackten dermaßen, dass Rot- und Schwarzwild sofort vertrieben wurde.

Lea und Mariama sprachen über Vergangenheit und Zukunft der Kirche.

»Erzähle mir mehr davon, wie es zum Aufruhr gegen den Ayyagaru kam!«

Lea wusste, dass Mariama nicht nur aus Neugier fragte, sondern weil sie ihrer Freundin beistehen wollte. Aber es war nicht leicht, die letzten Monate zu beschreiben. Die ganze Sache war noch ziemlich frisch und jeder beschrieb den Aufruhr aus seiner eigenen Sicht. Lea konnte also nur aus ihrem eigenen, ganz persönlichen Blickwinkel beschreiben, wie es zur Spaltung der Kirche gekommen war.

Sie hatte den Eindruck, hier, in Arukuru hatte die Revolution begonnen. Noch während ihrer Präsidentschaft war eine große Jugendkonferenz geplant worden. Lea war es gelungen, die Pastoren davon zu überzeugen, dass diese in Arukuru stattfinden sollte. Sie besaß Ackerland im unteren Teil des Dorfes. Das würde sich gut für eine Großveranstaltung mit fast zweitausend jungen Menschen eignen. Dort hatte man auch Wasser und einige Bäume, die Schatten spendeten. Die Pastoren konnten bei christlichen Familien untergebracht werden, die vielen Jugendlichen schliefen unter einem Baldachin und in der Kirche.

Nachdem Lea ihr Amt niedergelegt hatte, erwog sie, der Pastorenschaft mitzuteilen, dass die Konferenz nun doch nicht in Arukuru stattfinden solle. Elias war jetzt

Präsident, sollte die Veranstaltung doch in seiner Gemeinde laufen!

Doch auch da hatte Mariama sie eines Besseren belehrt.

»Wenn du bleibst, dann bleibe ganz!« hatte sie gesagt. »Nur so kannst du die Pastoren für dich gewinnen und den Weg mit ihnen weitergehen.«

»Die Konferenz wurde völlig anders als alle bisherigen«, erzählte Lea jetzt. Ihre Freundin hörte aufmerksam zu. Einiges wusste Mariama allerdings schon, da sie ja während der Veranstaltung selbst Gastgeberin war. Sie hatte Oliver und einen anderen Freund aus Deutschland in ihrer Hütte untergebracht.

»Später hatte ich den Eindruck, dass während des Treffens mindestens drei verschiedene Filme nebeneinander liefen, die doch irgendwie ineinander verwoben waren. Die Konferenz wirkte rein äußerlich wie eine friedliche und fröhliche Versammlung tausender Jugendlicher, ganz so, wie ein Festival sein muss. Oliver und sein Freund haben prima Beiträge geliefert und richtig gut gepredigt. Wie du weißt, hatten die Männer einen riesigen Baldachin aufgebaut, ein von hunderten Stangen gehaltenes rotes Schattendach. Oliver meinte, so etwas habe er in alten Filmen über Indien gesehen, es würden nur noch die Elefanten fehlen.«

Mariama lachte.

»Damit können wir leider nicht dienen! Dafür kann er Kobras und Wildschweine kriegen!«

»Neben Bibelarbeiten, Predigten und Referaten wurde auch Sport angeboten«, erzählte Lea weiter. »Die Jungen maßen sich im Bogenschießen, Cabbedy und Volleyball. Die Mädchen feuerten sie an oder saßen unter dem Schattendach, sangen und alberten herum. Die Abende hast du ja miterlebt. Ich fand, sie waren die Höhepunkte des Treffens. Die Gemeinden haben wirklich tolle Beiträge geliefert. Wie du weißt, wurden Sketche, Theaterstücke, Pantomime, Vortragslieder und viele, viele Tänze gezeigt. Ich fand den Stocktanz der Jugendgruppe aus Jidiguppa am besten. Das war nicht nur für die Jugendlichen, sondern auch für die Mitarbeiterschaft einfach nur köstlich!«

Mit einem tiefen Seufzer atmete Lea durch.

»Inzwischen bin ich mir sicher, dass die meisten der Jugendlichen nur diese Ebene des Treffens wahrgenommen haben. Gott sei Dank! Aber es gab noch zwei andere Schauplätze am selben Ort.«

»Nun bin ich aber gespannt!« Mariama spornte sie mit ihrem Interesse an.

»Einer war bei mir zu Hause«, fuhr Lea fort. »Ich hatte versucht, es zu vermeiden, hatte jedoch keine Chance. Zur Eröffnung der Konferenz kam der Ayyagaru. Er stellte Elias beim ersten Treffen als neuen Präsidenten unserer Kirche vor. Dass ich nicht lache! Er lobte Elias in den höchsten Tönen, sprach von demokratischen Wahlen, die ihn in diese Stellung gebracht hatten und der Führung Gottes. Nicht nur die zweitausend Jugendlichen waren anwesend, auch der Bürgermeister und einige wichtige Leute aus dem Landkreis.«

Mariama unterbrach Lea.

»Dann gibt es ja viele, viele Zeugen! Wie kann er denn jetzt behaupten, Elias sei gar nicht der gewählte Präsident?«

»Ja, wenn ich das wüsste! Er hat Elias sogar in Deutschland als Präsidenten vorgestellt. Deshalb wird er von den Partnern ja bis heute auch akzeptiert. Nach dem Streit und der Trennung hat Samuel dann aber behauptet, dass er Elias nominiert habe und die Wahlen nicht gemäß der Verfassung waren. Und dann hat er Elias kurzerhand durch Israel Rao ersetzt. Das hat die Kirche gespalten, nicht der Aufruhr der Mitarbeiterschaft!«

»Wieso hast du gesagt, bei dir Zu Hause war der zweite Schauplatz?«

»Weil sich Samuel Raj während der Konferenz bei mir eingenistet hat. Er hat hier übernachtet, saß dort, wo du nun sitzt und er hat sich von mir verpflegen lassen. Genauer, gegessen hat er wenig, getrunken umso mehr. Immer wieder hat er jemanden nach Kunavaram geschickt, um dort Whisky zu kaufen. Die ganze Situation hat mich an meine Horrorzeit im Kirchenbüro erinnert. Wenn er nicht schlief oder soff, hat er sich Leute herbestellt. Mal waren es die Pastoren, mal die Deutschen, mal Mädchen aus der Nähschule, die ihm die Beine massieren sollten.«

»Na, das hätte ich aber nicht mit mir machen lassen!«

Lea spürte, dass sie Mariama mit diesen Details wütend machte.

»Das sagt sich so leicht! Alle waren von ihm abhängig. Entweder wirtschaftlich oder geistlich waren sie auf ihn angewiesen. Viele hatte er in seinen Bann gezogen. Er konnte ja durchaus überaus charmante Momente haben, und an Argumenten und Ausreden war und ist ihm niemand überlegen!

Also, es spielte sich bei mir auf dem Hof ein zweites Programm ab. Samuel versetzte Pastoren, die er aus irgendeinem Grund bestrafen wollte, auf andere Stellen. Sie kamen irgendwo in ein abgelegenes Dorf. Er spielte seine Spielchen mit den Deutschen. Die hatten eine Frau als Mitarbeiterin hier, die sich um die Kinderheime kümmern sollte. Auch die war mit auf der Konferenz. Samuel verstand es, uns Pastoren und diese Frau gegeneinander auszuspielen. Da sind viele Tränen geflossen. Dann wurde Geld hin und her geschoben und vieles mehr. Ich habe nur einen Teil mitbekommen, weil ich so oft es ging, zur Konferenz hinunter ins Dorf gegangen bin. Auch Oliver mied in diesen Tagen mein Haus. Ich habe den Eindruck, auch er ging auf Abstand zu Samuel. Entschuldige bitte einen Moment.«

Lea stand auf und ging ins Haus. Sie kam mit einer reifen Papaja und einer Schale zurück.

»Ich mache uns noch eine kleine Leckerei! Vielleicht erfrischt uns die etwas.«

Sie zerteilte und entkernte die gelbgrüne Frucht und schnitt sie in Scheiben. Dabei erzählte sie weiter.

»Ein dritter Film lief im Dorf und auf der Konferenz. Ich habe immer, wenn ich dort war, kleine Gruppen von Pastoren zusammensitzen sehen. Sie sprachen über Samuel und Ben, über Finanzen, die Projekte und alles andere. Es war geradezu körperlich zu spüren, dass das Misstrauen gegen unsere Kirchenleitung zum Greifen war. Ich bin sicher, die Revolution bereitete sich vor. Mit Samuel hatte kaum jemand freiwillig Kontakt. Er lag isoliert von den anderen bei mir auf der Pritsche, während sich unten im Dorf, im hin und her zwischen den Quartieren der Pastoren, die Verschwörung gegen ihn formierte.«

»Von dem Pastorentreffen mit der Revolution hast du ja schon erzählt. Auch dass Israel Rao und einige andere von Samuel mit Geld überzeugt wurden, zu ihm zurückzukommen, weiß ich. Aber wie haben die Gemeinden auf das alles reagiert?«

Lea freute sich, dass ihre Freundin alles immer zuerst mit den Augen der ganz normalen Gemeindeglieder betrachtete.

»Ich war erstaunt darüber«, sagte sie. »Als ich es dem Kirchenvorstand hier in Arukuru berichtet habe, warst du ja dabei. Sie haben die Veränderung mit großem Bedauern aufgenommen, sich aber irgendwie auch gefreut. Viele der normalen Christen hatten ja ohnehin kaum Kontakt zu Samuel. Jene, die von ihm geprägt waren, fanden all das natürlich sehr traurig. Aber alle sind sie den Weg in die Freiheit mitgegangen. Ähnlich war es auch in den Gemeinden der anderen Pastoren. Von den vierzig Gemeinden sind ja am Ende nur wenige wieder zurück zum Ayyagaru. Einige Gemeinden haben sich sogar von ihm getrennt, obwohl sich ihr Pastor wieder zu Füßen des Ayyagaru setzte.«

»Und die Deutschen?«

Mariamas Frage war berechtigt. Viele der Pastoren waren davon ausgegangen, dass die deutschen Partner sich auf die Seite des Ayyagaru schlagen würden. Immerhin waren vor allem Helmut und Oliver seit Jahrzehnten mit ihm befreundet.

»Die Deutschen«, sagte Lea nun, »haben sich ganz klar auf die Seite der gewählten Kirchenleitung gestellt. Das hat uns sehr berührt, denn jetzt erst haben wir gewusst, dass sie zuallererst Freunde der Kirche, also unsere Freunde sind und nicht die des Ayyagarus.«

Wieder stand Lea auf, diesmal, um den Krug mit dem Trinkwasser zu holen. Sie reichte Mariama einen Becher.

»Möchtest du Wasser?«

Es war furchtbar warm. Natürlich wollte Mariama Wasser. Als Lea den Krug gerade wieder in die kühlere Hütte bringen wollte, rief jemand nach ihr.

»Lea! Bist du zu Hause?«

Elias stand am Eingang zu ihrem Hof. Er war von seinem Motorrad abgestiegen und schaute, auf Zehenspitzen stehend, über den Bambuszaun.

»Komm herein!« rief Lea.

Elias stellte sein Motorrad neben die Pforte, öffnete diese und kam herein. Als er Mariama sah, stutzte er einen Moment, kam dann jedoch näher.

»Ich muss mit dir reden, Lea«.

Es war offensichtlich, dass er in Gegenwart von Mariama nicht sprechen würde. Vielleicht hatte Elias auch bei anderer Gelegenheit gespürt, dass Mariama ihn sehr kritisch sah. Zu Lea hatte sie einmal gesagt, dass Elias und viele andere Pastoren ihre Position in der Kirchenleitung und als Leiter von Kinderheimen ausnutzten, um selbst an die Finanzen und Pfründe zu kommen. Lea hatte das damals vehement abgestritten, Mariama hatte nur gesagt: Wir werden sehen...

»Na, dann geh ich mal«. Mariama hatte offenbar sofort gespürt dass sie jetzt unerwünscht war. Also trank sie ihren Becher leer, verabschiedete sich und ging.

Lea bot Elias Papaya und Wasser an. Der nahm dankend an.

»Hast du gehört, dass Kothalagutta wieder besetzt ist?«

Elias kam sofort zur Sache.

»Dort ist jetzt Pastor Paparao. Sie haben ein Kinderheim eingerichtet und schicken die Kinder nach Kunavaram zur Schule.«

Für Lea war diese Information wichtig. Eigentlich hätte sie selbst es zuerst wissen müssen, denn Kothalagutta lag an der Straße Richtung Kunavaram, also im Bereich ihrer Gemeinde. Das Land, auf dem Kirche und Kinderheim standen, war über ein landwirtschaftliches Projekt angeschafft worden. Zwanzig Familien hatten Land, Haus und Hof bekommen, sich als Kooperative verbunden und so eine unabhängige Zukunft erhalten.

»Dann hat also der Ayyagaru auch dieses Land unter Kontrolle!«

Elias ließ sich noch einmal nachschenken und trank einen langen Zug aus dem Krug.

»Es ist so heiß«, murmelte er mit breitem Grinsen in seinem runden Gesicht, »dass man auf dem Motorrad während der Fahrt das Gefühl hat, einem Fön entgegen zu fahren.«

Lea lachte. Sowohl sie als auch Elias kannten dieses Gerät aus Deutschland. In Indien war ein Fön überflüssig, hier übernahm die Sonne die Arbeit des Haartrocknens.

Elias hatte noch weitere Neuigkeiten, schlimmere. Er wurde wieder ernst.

»Genauso ist es. Der Ayyagaru hat jetzt das meiste Land unter seine Kontrolle gebracht. Die Gebäude und Ländereien in Bhadrachalam sind ohnehin für uns verloren. Dort könnte man durch Vermietung Einnahmen für die Kirche erzielen. Das steckt nun die Israel Rao-Gruppe ein. Und mehr. Die landwirtschaftlichen Projekte in Serapaka, in Dugutta, in Burgamphadu... überall hat Samuel den Daumen drauf. Auch das Gelände in Kukunuru läuft auf seinen Namen. Er hat die Unterlagen und damit die Kontrolle. Und nun der Grund meines Kommens.«

Lea war gespannt. Dass fast alles Land in der Hand des Ayyagaru war, wusste sie bereits. Über Jacob hatten sie deswegen inzwischen Kontakt zu einem Anwalt.

»Es geht um das College«, sagte Elias. »Auch dieses Land läuft jetzt auf Samuels Namen!«

Das war ein Schock. Lea und Silas Rao hatten das Land im Namen der Kirche erworben. Nur Stammesangehörige konnten die Verträge unterschreiben und waren berechtigt, Land zu erwerben. Wenn stimmte, was Elias sagte, musste der Ayyagaru viel Geld investiert haben und hatte massiv gegen das Gesetz verstoßen.

»Das ist übel!« Lea dachte nach. »Können wir daran etwas ändern?«

»Jetzt nicht«, antwortete Elias, »vielleicht später. Aber wir haben im kleinen Kreis zusammengesessen. Viele wollten Jacob zur Beratung dabei haben und deshalb haben wir ihn eingeladen.«

Lea wusste, dass die Beziehung zwischen Elias und Jacob seit der Sache mit den Gerüchten um sexuelle Belästigung mehr als belastet war. Außerdem betonten Elias und einige seiner Freunde ständig, dass die Kirche eine Stammeskirche sei. Jacob hielt immer dagegen. Er trat ganz klar für eine Kirche ohne Kasten oder andere Unterschiede ein. Lea war da ganz und gar seiner Meinung.

»Jacob hat uns geraten, alles dem Anwalt zu übergeben. Geld dafür wollte er von den Partnern oder vom indischen Kirchenbund erbitten. Allerdings hat er uns noch eine wichtige Frage gestellt.«

Elias verstand es, die Spannung zu heben. Er trank wieder einen Schluck.

»Er wollte wissen, ob wir bereit wären, auf die Grundstücke und Häuser zu verzichten. Er meinte, es dauere Jahrzehnte, bis die Gerichte uns Recht geben und daran verdienen würden nur die Anwälte.«

»Was hast du gesagt? Auf jeden Fall musst du das mit der Kirchenleitung besprechen, wenn wir nächstes Mal zusammenkommen.«

»Deswegen bin ich hier«, sagte Elias, »ich will den Vorschlag mit dir abstimmen. Die anderen hören auf dich. Deshalb ist es gut, wenn wir uns einig sind.«

Sie diskutierten das Für und Wider. Dafür sprach vor allem, dass sie dann völlig frei an einer neuen Kirche bauen konnten. Dagegen sprach, dass sie auf Einnahmen verzichteten, die sie zur Bezahlung der Pastoren dringend brauchten.

»Helmut sagt, dass wir noch warten sollen«, berichtete Elias. »Er meint, wir sollten die Gerichtsverfahren erst einmal laufen lassen und Samuel nicht aus der Pflicht entlassen. Wenn der rechtliche Status der Kirchenleitung geklärt war, könne man immer noch überlegen.«

Lea fand diesen Vorschlag vernünftig. Am Ende einigten sie sich darauf, dem Leitungsgremium Empfehlungen in diese Richtung zu geben.

»Hast du noch etwas Zeit?« fragte Lea den durch die Machenschaften des Ayyagaru so angefochtenen Präsidenten.

»Nicht viel, ich will heute noch zurück.«

Elias lebte und arbeitete in einem Ort der zwei Stunden entfernt lag. Also war seine Zeit begrenzt.

»Dann nimm mich mit. Ich würde gerne meinen neuen Nachbarn in Kothalagutta begrüßen.«

»Bist du sicher, dass das Sinn macht? Paparao ist immerhin zu Samuel übergelaufen.«

»Es macht immer Sinn, mit seinen Gegnern zu reden!« antwortete Lea.

Elias willigte ein, zumal Lea ihm versicherte, sie könne mit dem Bus zurückfahren. Lea holte ihre Basttasche mit der Bibel, füllte eine leere Plastikflasche mit Wasser, verschloss ihre Hütte mit einem Vorhängeschloss und folgte Elias auf den Weg. Nachdem sie den Bambuszaun mit dem Türelement verschlossen hatte, brausten sie los. Der Fahrtwind war tatsächlich heiß wie ein Fön. Lea duckte sich hinter ihrem Fahrer. Plötzlich dachte sie wieder an jenen Mann, in den sie sich als Mädchen verliebt hatte. Es wäre großartig gewesen, wenn sie jetzt hinter ihm auf dem Motorrad sitzen könnte, ihn umschlingen und sich an ihn kuscheln. Nicht oft, aber immer wieder vermisste sie die Nähe eines Mannes. Jetzt, mit Elias vor sich auf dem Motorrad, war ein solcher Moment. Doch Elias war verheiratet und hatte Kinder. Außerdem war er nicht ihr Typ. Er war zwar nett, aber irgendwie schwer zu durchschauen und manchmal erschien er ihr reichlich unentschlossen. Sie wischte sich über die Stirn als wolle sie nicht nur den Schweiß sondern auch die Gedanken wegwischen.

Sie kamen nur langsam voran. Die Asphaltstraße war zwar erst wenige Jahre alt, hatte jedoch bereits viele Löcher und Zuerst fuhren sie durch Wald, dann an Feldern vorbei. Etwas weiter hinten lagen neu angelegte Eukalyptusplantagen. Die Papierfabrik in Bhadrachalam gewann immer mehr Bauern dafür, diese schnell wachsenden Bäume anzupflanzen. Wahrscheinlich war es leichtes Geld. Man pflanzt die Bäume und hat dann bis zur Ernte Ruhe.

Links sah man nun das große Internat einer Regierungsorganisation. Lea hatte es einmal besichtigt. Hier lebten fast fünfhundert Mädchen aus dem ganzen Bundesstaat, alles Adivasis. Sie bekamen eine gute Schulausbildung. ‚Wenn es die Einrichtung schon gegeben hätte, als ich jung war', dachte sie, ‚dann wäre auch ich dorthin gegangen.' Sie war aber gleichzeitig auch auf ihre Kirche. Sie war es, die mit der Bildungsarbeit in dieser Region begonnen hatte. ‚Teachers for Tribals', ‚Lehrer für Stammesleute' hatten sie ihr Projekt genannt und mit

Hilfe der Deutschen als erste Organisation Schulen und Kinderheime in dieser Region aufgebaut. Nun erst und das auch nur langsam, zog der Staat nach. In immer mehr Dörfern gab es kleine Schulen und in einigen Bezirken wurde auch Kinderheime aufgemacht.

Schräg gegenüber dem Mädcheninternat lag das Gelände der Kirche. Das Erste, was ihr auffiel, war ein neues Schild am Eingang zum Gelände. Statt des bisherigen ‚C' im Namen, war hier ein ‚M' eingesetzt. Als Elias Lea absetzte, machte sie ihn darauf aufmerksam.

»Ja, das ist mir hier zwar noch nicht aufgefallen«, sagte Elias, »aber an zwei anderen Hüttenkirchen der anderen Seite haben sie es genauso gemacht. Das ‚M' steht für ‚Mission'. Samuel benutzt also den alten Namen. Er ist schlau! Unter diesem Namen sind alle Besitztümer und Konten der Kirche eingetragen. Wir haben ja erst später als Kirche, also mit ‚C' im Namen, operiert. Nun will Samuel behaupten, alles gehöre nicht der Kirche, sondern der Mission.«

»Aber kommt er damit durch? Wir haben doch in den letzten Jahren alles als Kirche und über die Kirche abgewickelt.«

Lea schüttelte ungläubig den Kopf.

»Vielleicht. Jedenfalls versucht er es mit allen Tricks.«

Mehr hatte Elias dazu nicht zu sagen. Er verabschiedete sich und fuhr los.

Lea sah sich um. In der Mitte des Geländes gab es ein Podest mit glattem Betonboden. Es war vor einigen Jahren als Bühne für die Feiern zum fünfundzwanzigjährigen Bestehen der Kirche errichtet worden. Damals schien noch alles in bester Ordnung zu sein. Oliver hatte sich über die Bedeutung des Ortsnamens von Kothalagutta amüsiert: Affenfelsen.

Links und hinter der Bühne lagen die Hütten für die Kinder und eine kleine Küchenhütte. Lea wandte sich nach rechts zum Pfarrhaus. Auch dies war eine einfache

Hütte, vergleichbar ihrer eigenen, jedoch in viel schlechterem Zustand. Es war still. Die Hitze lag zum Schneiden greifbar über dem Grundstück. Sollte Paparao nicht hier sein? Lea ging zur Hütte und rief seinen Namen. Nichts passierte. Noch einmal rief sie.

Da öffnete sich die Tür des Hauses.

Paparao stand vor ihr. Er war ein schmächtiger junger Mann mit Locken.

»Wandanalu Paparao!« sagte Lea. »Ich wollte dich besuchen und dich als Nachbar willkommen heißen!«

Sie streckte ihm die Hand hin.

Paparao sah nicht gerade glücklich aus. Er hatte offenbar gerade seinen Mittagsschlaf gemacht und wirkte noch etwas verschlafen. Die ausgestreckte Hand übersah er. ‚Wandanalu' sagte er auch nicht.

»Schön«, sagte er, doch es klang anders. »Du hättest dich auch anmelden können.«

Lea spürte sofort, dass sie nicht willkommen war.

»Ich wusste nicht, ob du Telefon hast.«

Vor zwei Jahren hatte hier noch niemand Telefon, jetzt aber gab es Festnetzanschlüsse und, was natürlich wesentlich beliebter war, mobile Telefone. Allerdings konnten sich das nur Leute mit regelmäßigem Einkommen leisten.

»Ich habe ein Mobiles«, sagte Paparao. »Wenn du schon hier bist, komm herein.«

Er bat Lea unter das Vordach seines Hauses und bot ihr einen Platz auf einer braunen Holzbank an, die an der Wand stand. Er selbst setzte sich auf einen Plastikhocker.

Lea fühlte sich nicht wohl. Ihr ehemaliger Kollege bot ihr weder Tee oder Wasser, noch Kekse oder dergleichen an.

»Was willst du?«

Und schroff war er auch.

»Ich habe gehört, dass du jetzt hier bist und wollte dich einfach besuchen. Ich dachte, wir können ja zusammenarbeiten. Wo wir doch Nachbarn sind und Kothalagutta in meinem Gemeindebereich liegt.«

Lea wollte nicht lange um den heißen Brei herumreden.

»Warum sollten wir? Du bist auf der Seite von Elias und Helmut, ich auf Samuels. Fertig! Und dieser Ort gehört nicht dir, nur weil du hier dein Missionsgebiet hast.«

»Aber wir waren einmal auf derselben Seite!«

Lea versuchte, die alte Basis ins Spiel zu bringen. Ohne Erfolg.

»Ja, aber ihr habt die Kirche im Stich gelassen!«

Paparao klang verärgert und auch Lea spürte jetzt ihr Blut aufsteigen.

»Wieso wir? Wir alle haben uns gegen den Ayyagaru gewandt und unsere Forderungen gestellt. Wir alle haben uns auf einen gemeinsamen Kurs geeinigt.«

»Richtig, aber dann hat der Ayyagaru unsere Forderungen erfüllt. Also sind die anderen und ich wieder zu ihm zurückgegangen!«

»Ihr seid zurückgegangen, weil ihr ein gutes Gehalt bekommt! Er hat euch gekauft.«

Lea wurde immer ärgerlicher, zwang sich jedoch zur Ruhe.

»Und genau das war ja unsere Bedingung!« erwiderte Paparao.

»Aber nicht die einzige. Wir wollten auch, dass er die Bücher offen legt, die Anteile am College aufdeckt und vieles mehr.«

»Für mich stand die Gehaltsforderung im Mittelpunkt!«

Lea war enttäuscht. Früher hatte sie mit Paparao und anderen jungen Pastoren über den Willen Gottes diskutiert und wie man ihn erkennen könne. Nun schien das keine Rolle zu spielen. Aus Sicht dieses Kollegen folgte der Wille Gottes dem Weg des Geldes. Lea war jetzt eher traurig als wütend. Deshalb wollte sie weitere Konfrontation vermeiden.

»Und, wie sieht es mit der Gemeinde hier aus?« fragte sie.

Offenbar hatte sie damit ein weiteres Fettnäpfchen getroffen.

»Ich arbeite noch daran.«

Paparao war jetzt extrem kurz angebunden. Es bedeutete wahrscheinlich, dass es hier kaum christliche Familien gab, die zu ihm standen.

Lea hatte genug. Wahrscheinlich war die Zeit noch nicht reif.

»Du bist herzlich willkommen, mich in Arukuru zu besuchen. Wenn ich dir mal irgendwie helfen soll, melde dich bitte. Du weißt ja, wo ich wohne. Wandanalu.«

Sie ging.

Paparao sah ihr nach. Wie er dort so in der flimmernden Hitze stand, sah er irgendwie verloren aus. Lea empfand Mitleid mit ihm. Für sie waren die meisten der Pastoren, die wieder zu Samuel gegangen waren, Opfer im Spiel um die Macht. Ein Spiel, das der Ayyagaru besser beherrschte als alle anderen.

34 April, April!

Sie hatten alles, wirklich alles versucht.

Zuerst lief es gut. Beide Gruppen bekundeten ihren Willen zur Einheit. Der Leiter des Kirchenbundes vermittelte, die Deutschen begleiteten den Prozess, ohne selbst viel zu sagen. Wer fehlte, war der Ayyagaru. Jacob war wütend. Ohne Samuel Raj würde es kein Ergebnis geben. Er hatte eingeladen und alle waren gekommen. Nur er selbst nicht.

»Israel Rao und seine Leute werden niemals eine eigene Entscheidung treffen«, sagte Jacob in einer Sitzungspause zu Lea, Silas Rao und Elias. »Sie werden nur tun, was der Ayyagaru ihnen vorschreibt!«

Sie standen unter weit ausladenden Bäumen vor der Speisehalle. Eben hatten sie in der großen Halle an Tischen gesessen und Reis mit Chickencurry verspeist. Das Essen war gut, wenn auch etwas knapp. Offenbar hatte man für die Mahlzeiten eine falsche Personenzahl angegeben.

Oliver und Helmut waren im Zentrum der Stadt in einem Hotel untergekommen, die Delegierten wohnten in Mehrbettzimmern des Frauenkollegs. Vorgestern waren die Delegierten der Elias-Gruppe mit zwei Tata Jeeps angereist. Die Fahrt nach Bangalore hatte mehr als zwanzig Stunden gedauert. Kurz vor der verabredeten Zeit war dann auch die Israel Rao-Gruppe erschienen. Die Begrüßung war kühl aber offen. In Gebet und Gesang kam man sich näher. Allen war der Wille zur Einigung abzuspüren. Manche führten freundliche, versöhnliche Gespräche in den Pausen. Bis zum zweiten Tag.

Zuerst wusste Jacob nicht, was geschehen war. Der Vormittag lief noch gut. Nach der Mittagspause war die Atmosphäre dann plötzlich wie ausgewechselt – als hätte jemand einen Schalter umgelegt und das Licht ausgemacht. Die Israel Rao-Gruppe bestand knallhart darauf, dass der Kirchenbund nicht in die Vermittlung einbezogen werden solle. Dabei lief dieses Treffen bereits unter dessen Moderation und selbst der
Ayyagaru hatte zugestimmt. Samuels Leute verlangten nun aber plötzlich, dass die Elias-Gruppe zurück zur Kirche kam und sich ihnen anschloss. Sie seien die einzig legitime Kirche, da sie auf der Seite des Gründers ständen. Jacob wurde wütend und auch der Moderator konnte sich scharfer Worte nicht enthalten. Ein kurzer Dialog zwischen dem gewählten Präsidenten und einem der Scharfmacher in Samuels Gruppe zeigte die Unversöhnlichkeit der beiden Positionen.

»Wir halten uns strikt an die Verfassung«, sagte Elias, »und die sieht vor, dass im Krisenfall der Kirchenbund vermittelt. Wir können uns nur eine Kirche vorstellen, die sich an der demokratischen Verfassung orientiert.«

»Das sehen wir anders«, erwiderte ein kräftiger junger Mann. Er nahm, wenn er redete, immer eine Haltung ein, als wolle er mit Fäusten angreifen. Jacob erinnerte seine Haltung an die der sich aufplusternden Kampfhähne, die einander Furcht einjagten, bevor sie sich mit ihren Krallen ineinander verhakten.

»Wer, bitte schön, hat denn die Verfassung gemacht?«

Jacob wusste schon, was kommen würde. Plötzlich wurde hier genauso dumm argumentiert wie beim ersten Versöhnungsversuch in Chennai.

»Auf jeden Fall ist doch der, der sie gemacht hat, größer als die Verfassung selbst und damit ihr Meister! Unser Ayyagaru hat sie entworfen und diktiert, also hat doch er das Sagen! Die rechtmäßige Kirche ist da, wo er ist, nirgendwo anders!«

Angesichts solcher Art der Argumentation war natürlich jeder weitere Schritt in Richtung Versöhnung verbaut. Die Verhandlungen waren ins Stocken gekommen.

In der Teepause bildeten sich mehrere Grüppchen. Samuels Leute standen in einer Ecke des Flures, wo süßer Tee aus einem Warmhaltegerät ausgeschenkt wurde. Alle nippten mit versteinerter Mine an ihren heißen Plastikbechern. Geredet wurde in dieser Gruppe kaum.

Die Deutschen und die Moderatoren vom Kirchenbund waren hinausgegangen. Sie standen vor dem Gebäude und schienen ratlos zu sein. Helmut und Johannes rauchten eine Zigarette. Oliver und Devodu standen nebeneinander und schwiegen sich an.

Auch Jacob zog es an die frische Luft. Er musste durchatmen. Er bat Lea, Elias und einige andere, ihn zu begleiten. Seit jenem anonymen Anruf wollte er nicht allein sein, zumal der Anrufer ja das Treffen in Bangalore als besonders gefährlich bezeichnet hatte. Sie gingen ein Stück über das parkähnliche Gelände und blieben im Schatten eines Baumes stehen.

»Ich weiß, wie es zu diesem Umschwung kam!« meinte Silas Rao. »Ich habe einen Teil eines Telefonates mitbekommen, das Israel Rao in der Mittagspause führte. Er hat mit dem Ayyagaru gesprochen.«

»Was denn sonst?« Elias zuckte resigniert mit den Schultern. »Ohne ihn ist hier doch gar nichts gelaufen! Er war zwar körperlich nicht anwesend, aber sie haben ihn ständig auf dem Laufenden gehalten. Und am Ende hat er sie zurückgepfiffen!«

Genau das muss auch den deutschen Partnern und den Vermittlern spätestens in der Teepause deutlich geworden sein, denn da beendete der Moderator das Treffen.

»Es macht keinen Sinn!« sagte er und klang dabei enttäuscht und ärgerlich zugleich. »Ihr könnt offenbar ohne euren Chef keine Entscheidung fällen. Ihr könnt euch bei eurem Ayyagaru bedanken. Jetzt habt ihr die Chance zur Versöhnung, nach der ihr euch doch auch sehnt, verspielt. Ich bin sicher, ihr habt auf Anweisung eures Ayyagaru gehandelt. Aber so hat es keinen Zweck.«

Devodu wurde noch gebeten, ein Gebet zu sprechen, Helmut übernahm den Segen. Die Sitzung war beendet.

Alle gingen. Nur Israel Rao kam noch einmal zurück.

»Ich wollte noch einmal mit dir persönlich reden!« bat er Oliver zu dessen sichtbarer Überraschung.

Zwar konnte Israel Rao etwas englisch, Oliver wollte jedoch einen Zeugen für das haben, was er sagte. Also bat er darum, dass Jacob übersetzte. Mürrisch stimmte der vom Ayyagaru nominierte Gegenpräsident zu.

»Wir haben ja gestern vereinbart«, begann er und stockte öfter, als er weiter sprach, »dass du in der nächsten Woche auch unsere Gemeinden besuchst.«

Jacob war sehr gespannt, was nun kam. Ja, das hatten sie vereinbart, als alles noch gut lief.

»Aber wir haben nun beschlossen, dass du nicht kommen sollst!«

»Warum nicht? Gerade wenn es schwierig ist, kann gegenseitiges Besuchen doch hilfreich sein!«

Oliver wollte Gründe wissen. Jacob konnte sie sich bereits denken. Und wieder druckste Israel Rao herum.

»Es ist wegen der Fluthilfe«, sagte er stockend. »Wir können unseren Gemeinden nicht erklären, wieso sie keine Hilfe bekommen haben. Und wir wollen nicht, dass du es ihnen erklärst!«

Jetzt war es raus. In Jacob stieg Schadenfreude auf. Da hatten sie selbst Schuld. Bei der letzten Überschwemmung hatten alle Gemeinden, egal zu welcher Gruppe sie gehörten, beim Kirchenbund einen Antrag auf Hilfe stellen können. Die Deutschen hatten Spenden dafür gesammelt und eine große Summe bereitgestellt. Doch die Pastoren der Israel Rao Gruppe waren zu stolz, sich an den Kirchenbund zu wenden. Oder sie hatten die strikte Anweisung von Samuel Raj, jedenfalls haben sie nichts beantragt. Also haben sie nichts bekommen. Den Gemeinden hatten sie dann erklärt, dass die Deutschen und der Kirchenbund alle Hilfe für ihre Gruppe verweigert hätten. Nun war klar, wenn Oliver in die Dörfer käme, würde diese Lüge auffliegen.

Still und unauffällig verschwanden die Israel Rao-Leute. Auch sie waren deprimiert, das merkte man ihnen an. Wieder wurde Jacob sehr deutlich, dass die meisten von ihnen Opfer waren und in ihrer Abhängigkeit vom Ayyagaru zum Spielball seiner Stimmungen und Interessen geworden waren.

Jacob fuhr mit Helmut und Oliver ins Stadtzentrum. Sie wollten noch zusammen Essen gehen und vorher in ein Kaufhaus, wo Oliver einen neuen Koffer gekauft hatte. Obwohl es ein sehr modernes und teures Kaufhaus war, behauptete Oliver, dass die Sachen dort um Vieles günstiger als in Deutschland seien. Seinen alten Koffer gab er Jacob, der ihn gut gebrauchen konnte. Dann saßen sie in einem schicken Restaurant der belebten Innenstadt und reflektierten noch einmal die letzten zwei Tage. Etwas Neues kam dabei nicht heraus.

Auch für Jacob war es ein Erlebnis, diese moderne Stadt zu erleben. Bangalore war anders als die indischen Großstädte, die er kannte. Hier spürte man noch den Einfluss der Engländer. Viele Gebäude aus der Kolonialzeit waren gut erhalten. Manches in dieser Stadt erinnerte Jacob an Hamburg, Berlin oder London. Er war ja inzwischen, meistens mit Samuel, viel herumgekommen. Auch wirkten sich die neuen Technologien auf das Gesicht dieser Stadt aus. Das ‚Silicon Valley' Indiens wurde Bangalore seit langem genannt, weil es das Zentrum der boomenden Informationstechnologie geworden war. Nur Hyderabad war dabei, Bangalore den Titel einer ‚High Tech City' streitig zu machen.

Schon früh am nächsten Morgen holte Jacob seinen Freund Oliver aus dem Hotel ab. Helmut und Johannes würden in Kürze zurück nach Deutschland fliegen.

Mit dem Taxi fuhren Jacob und Oliver zum Flughafen. Und nun begann der Tag, den Oliver später als den lustigsten seiner gesamten Indienreisetage bezeichnen würde. Jacob fand ihn teilweise alles andere als lustig.

Wegen der telefonischen Warnung und der darin ausgesprochenen Drohung war er vorsichtig wie sonst nie. Angereist war er nicht mit den anderen, sondern allein und ohne zu sagen, wie er reisen würde. Am Ende hatte er sich einen Billigflug mit der Air Deccan genommen. Während des Treffens hatte er immer Leute um sich gehabt. Und nun sollte auch seine Rückreise absolut geheim bleiben.

Doch nicht nur er, auch Oliver musste geschützt werden. »Ich kann es nicht ertragen«, hatte der gesagt, »dass ein entmachteter Diktator immer noch die Spielregeln bestimmt und uns von unseren Freunden fernhält!«

Also wollte Oliver, nachdem das letzte Mal ja gescheitert war und Helmut und er sogar aus Hyderabad flüchten mussten, jetzt unbedingt in die Dörfer gehen. Als eine Art ‚Versicherung' hatte er um eine Einladung auch in die Gemeinden der anderen Seite gebeten und sie bekommen. Nun aber war die Lage wieder anders. Es war riskant, in die Dörfer zu reisen. Samuel konnte die Behörden, fundamentalistische Hindus, den Mob oder sonst wen mobilisieren. Er hatte als Abgeordneter viele Möglichkeiten, Probleme zu machen. Außerdem lief immer noch diese skurrile Anzeige gegen die drei Deutschen. Auch Jacob hatte schon Nachfragen deswegen bekommen und war selbst wegen seiner Beziehung zu den Ausländern ins Visier der Behörden geraten.

Kurz: Die Reise jetzt war vermutlich riskant.

Deshalb hatten sie sie als ‚streng geheim' eingestuft. Nur Lea, Silas Rao und Elias wussten davon. Die Gemeinden, die Oliver besuchen sollte, ahnten noch nichts von seinem Besuch. Israel Rao und die andere Seite ging jetzt offenbar davon aus, dass auch Oliver zurück nach Deutschland fliegen würde.

Sie bestiegen die Maschine nach Hyderabad. Es war der erste April. Oliver machte noch einen Scherz mit Jacob und sie stellten lachend fest, dass dieser Tag auch in Indien für allerlei Scherze herhalten musste. Während des Fluges unterhielten sie sich über die Kirche.

»Ich dachte, all dies würde uns erspart bleiben!« Man spürte Oliver seine Betroffenheit ab. Jacob stimmte zu und beide teilten ihren Frust, ihre Trauer und ihren Ärger mit miteinander.

»Immerhin läuft es in den Gemeinden wieder viel besser!« meinte Jacob. »Dort hat man sich ganz klar gegen den Ayyagaru ausgesprochen. Du wirst noch erleben, dass die schmerzhaften Zeiten jetzt eine neue Geburt der Kirche einleiten! Einige Anzeichen dafür gibt es schon.«

»Das mag sein«, sagte Oliver nachdenklich und nahm Jacobs Gedanken auf, »vielleicht müssen wir begreifen, dass Kirche immer so läuft. Sie ist die Gemeinschaft der Heiligen aber gleichzeitig auch die der Sünder. Sie ist Leib Christi, aber eben nicht nur der attraktive Leib des

Auferstandenen, sondern auch der hässliche und fragwürdige Leib des Gekreuzigten.«

Jacob fand diesen Gedanken gut. Er liebte es, wenn die deutschen Partner Theologie trieben. Das war nur wenigen Pastoren hier geläufig. Die meisten lasen die Bibel und gaben wieder, was dort stand. Dabei war es so dringend nötig, auch theologisches Denken zu fördern.

»Ja, so ähnlich sehe ich es auch«, sagte er deshalb, »wir werden von der Kirche enttäuscht, weil wir meinen, Gott würde sie vor Irrwegen bewahren. Genau das ist aber falsch!«

»Allerdings, wir verantworten unsere Wege und können Gott nicht die Schuld in die Schuhe schieben! Aber trotzdem bin ich sicher, dass Gott seine Kirche durch die Geschichte führt.«

Sie waren sich also einig. Gott hatte seine Kirche befreit und die meisten Christen entlang der Godavari befähigt, sich von einem falschen Propheten oder noch drastischer, von einem Diktator zu lösen.

»Ich denke heute«, sagte Oliver nach einer kleinen Denkpause, »dass die Revolution längst überfällig war. Wir hatten schon länger keine Vertrauensbasis mehr mit Samuel. Aber ihr habt ihn immerzu und noch sehr lange gedeckt.«

Das musste Jacob zugeben. Sie hatten viele Jahre nicht wahrhaben wollen, dass es so nicht im Segen Gottes weitergehen konnte. Sie hatten Samuel viel zu lange geschützt. Allerdings war er eben auch nicht immer so gewesen. Erst durch den Tod seiner Frau kamen seine schlechten Eigenschaften voll zur Entfaltung und durch das Geld und vor allem die Macht wurde er korrumpiert und verließ Christus, dem er vorher so engagiert gedient hatte.

»Wir sind gleich da.« Jacob spürte, dass der Flieger sich bereits im Sinkflug befand. »Wir haben noch zwei Stunden Zeit, bis der Flug nach Rajamundhri geht. Ich hätte nicht übel Lust, Elias und Helmut einen Streich zu spielen. Wir könnten sie ja mal anrufen und ihnen sagen, dass Samuel in Hyderabad auf uns gewartet hat und Polizisten dich abgeführt hätten. Immerhin ist Hyderabad ja sozusagen die Höhle des Löwen. Im Moment sind Parlamentssitzungen und da müsste Samuel doch hier sein - oder?«

Oliver hatte Recht und Jacob hatte natürlich nichts gegen einen Aprilscherz.

Die Koffer kamen schnell. Sie verließen den Ankunftsbereich des nationalen Flughafens im Erdgeschoss. Draußen, die Taxis, Kleinbusse und Gepäckwagen vor sich und die Schalter der Fluggesellschaften hinter sich, telefonierten sie mit den beiden über Jacobs Mobiltelefon und amüsierten sich. Elias war total geschockt.

»Jacob verhaftet?!« er konnte es nicht fassen.

»April, April!« Er war sichtlich erleichtert, und stimmte ins Lachen ein.

Bei Helmut lief es ähnlich.

»Wie, Samuel hat euch erwartet? Woher wusste er denn, dass ihr kommt? Dann hat also jemand der Mitwisser nicht dicht gehalten!«

Helmut war deutlich irritiert und wollte es nicht recht glauben.

»April, April!« Auch er lachte kräftig mit.

Sie wollten sich jetzt einen Kaffee holen, immer noch lachend. Plötzlich hielt Jacob seinen Freund am Ärmel zurück.

»Hey, was haben sie eben gesagt?«

»Ich habe nichts verstanden, nur den Namen Rajamundhri.«

Die Ansage wurde leider nicht wiederholt. Aber Jacob meinte doch, ihren Sinn erfasst zu haben.

»Hoffentlich ist das nun nicht auch ein Aprilscherz! Ich meine, die haben eben angesagt, dass der Flug nach

Rajamundhri schon jetzt geht und seinen letzten Aufruf hat!«

»Das kann doch nicht sein!«

Oliver holte noch einmal die Ausdrucke vom Ticket heraus.

»Der Flug geht doch erst in einer Stunde! Ich habe mich schon auf eine gemütliche Kaffeepause gefreut!«

Noch zweifelnd gingen sie zum Terminal.

»In Indien weiß man nie«, ergänzte Oliver und Jacob fand das etwas hochnäsig.

Es stimmte. Der Flieger ging eine Stunde früher als angekündigt. Am Schalter der Air Deccan wurden sie sofort abgefertigt. Der Koffer Olivers war etwas schwerer als die erlaubten 15 kg, die Frau am Schalter ignorierte es.

»Sie sollten sich beeilen!« war ihr einziger Kommentar.

Sie beeilten sich. Nach der Sicherheitskontrolle, die diesmal sehr genau genommen wurde, wurden sie von einem Mitarbeiter der Airline direkt zum Gate gebracht und dort zusammen mit nur vier oder fünf weiteren Passagieren in einen Bus verfrachtet.

»Was ist denn hier los!«

Jacob wunderte sich und auch Oliver war irritiert.

»Keine Ahnung«, sagte er »aber wir werden es bald wissen.«

Da hatte er Recht. Wenige Minuten später wussten sie es.

Das Propellerflugzeug stand draußen auf dem Rollfeld. Auf den ersten Blick war zu erkennen, dass es hier um einen besonderen Flug ging.

An der Gangway hingen Girlanden. Davor standen Kamerateams und viele, offenbar wichtige Leute mit und ohne Ausweisschildern, die am Hemd angeklemmt oder an einem Band der Airline um den Hals gehängt waren.

»Was ist denn hier los?«

Jacob fragte beim Aussteigen aus dem Bus einen der Ausweismenschen.

»Das wissen Sie nicht? Der Chiefminister kommt mit und einige Minister aus seinem Kabinett! Es ist der erste Flug der Air Deccan von Hyderabad nach Rajamundhri!«

Zuerst dachte Jacob, es sei ein Aprilscherz. Doch es kam kein ‚April, April!'. Und alles, was er sah, bestätigte das Gehörte. Das geschmückte Flugzeug, die vielen Leute, die Kameras und die ganze Aufregung.

Er übersetzte Oliver die Antwort des Mannes. Und der fing an zu lachen. Oliver fand das alles wohl einfach nur lustig.

»Wer fliegt hier mit? Der Chiefminister? Jener Politiker, der Samuels Chef ist? Jener Mann, der unbedingt sein Prestigeprojekt, den Polavaramdamm bauen will? Das finde ich ja köstlich!«

Jacob fand das gar nicht köstlich. Offenbar hatte sein Freund noch nicht begriffen, was das für ihre Sicherheit bedeutete.

Sie gingen die Gangway hinauf und wurden in den hinteren Teil des Flugzeugs geleitet.

»Vorne sitzt die Presse!« sagte die Stewardess.

Sie setzten sich. Das Flugzeug hatte auf jeder Seite zwei Sitze. Die Presse kam. Der vordere Teil der Kabine füllte sich. Zum Schluss kamen die Minister.

Jacob konnte es nicht fassen. Direkt gegenüber ihm und Oliver saß die Ministerin für Bergbau, daneben ein leitender Politiker aus Rajamundhri. Hinter ihnen, auf der anderen Seite, saßen zwei weitere Minister und ganz hinten der Ministerpräsident von Andhra Pradesh.

Normale Passagiere wie Oliver und er waren kaum an Bord. Als Jacob seinem Freund die wichtigen Leute an Bord flüsternd vorgestellt hatte, lachte der.

»Da können wir ihn ja mal von Samuel Raj grüßen! Oder wir lassen Samuel liebe Grüße von uns über bringen.«

Bitte anschnallen. Auch Minister und Präsidenten! Dann hob der Flieger ab. Und nun waren sie alle gleichermaßen davon abhängig, dass sie heil wieder landeten. Als Oliver das sagte, musste Jacob lachen. Er hatte Recht, am Ende zählten weder Titel noch Geld noch Macht!

Als das Anschnallzeichen verlöschte, klickte es vor allem in der vorderen Hälfte des Flugzeugs. Einige Journalisten kamen nach hinten, gefolgt von Kameraleuten. Dann blitzten die Fotoapparate und surrten die Kameras. Jacob ging hinter seinem Sitz in Deckung.

»Wir wollten doch geheim reisen!« sagte er und kam sich vor wie auf dem Präsentierteller einer Bühne.

»Wollten!«

Oliver lachte und lachte. Er konnte sich vor Lachen kaum beruhigen.

»Wie war das noch in der Bibel: Was ihr im Verborgenen macht, das kommt alles ans Licht! Soviel also zum Thema Geheimreise!«

Und wieder lachte er. Eine Frau vor ihnen, eine Inderin, die in Amerika lebte und nun ihre Familie besuchen wollte, diskutierte mit einem Mann im mittleren Alter.

»Das ist Kapitän Gopinath«, klärte Jacob seinen Freund auf. »Er ist der Gründer von Deccan Airline. Er war einmal Flugkapitän bei Air India. Dann hat er sich mit zunächst einem Flugzeug selbstständig gemacht. Inzwischen fliegt die Airline als Billiganbieter in ganz Indien und verbindet hauptsächlich die Metropolen mit mittelgroßen Städten.«

»Wie ab heute auch Rajamundhri!« sagte Oliver lachend. Jacob lachte nun mit.

Die amerikanische Inderin, die ein auffallend anderes Englisch sprach als ihre indische Umgebung, stritt mit Mr. Gopinath wegen der Gepäckbegrenzung der Airline. Auch Oliver mischte sich ein. Der Chef der Linie freute sich offenbar, einen Deutschen begrüßen zu können.

»Nicht nur wir, auch Ryan Air in Deutschland erlauben nur 15 kg«, argumentierte er.

Oliver wusste davon nichts. Die Luftfahrt war offenbar nicht sein Thema. Doch die beiden schienen sich gut zu verstehen und sprachen noch über Olivers Eindruck von Indien, über den Flughafen in Frankfurt und das Wetter. Jacob schoss ein schönes Erinnerungsfoto. Dann bat er Oliver, ihn zusammen mit der Ministerin für Bergbau zu fotografieren. Lachend und gerne übernahm sein Freund die Kamera.

»Setzen Sie sich doch einfach neben mich!« forderte die Ministerin Jacob auf, als dieser höflich fragte. Also saß er heute neben einer echten Ministerin!

Der Chef des Staates schlief die meiste Zeit des Fluges. Ein Journalist machte Interviews mit Kapitän Gopinath. Irgendwann überflogen sie die im Bau befindlichen Kanäle für das Staudammprojekt. Oliver wies Jacob darauf hin und zeigte sie ihm.

»Das sind die Kanäle!« sagte er. »Am liebsten würde ich jetzt mit dem Chiefminister darüber diskutieren! Da wäre ich endlich mal an der höchsten Stelle mit meinem Widerspruch!«

Jacob bekam einen Schreck. Nur das nicht! Hoffentlich machte Oliver nun keinen Unsinn! Er sah seinen weißen Freund aus den Augenwinkeln an. Man konnte richtig sehen, wie es in ihm arbeitete, dachte er. Wie er sich fragte, ob er es wagen sollte oder nicht.

Irgendwann, kurz vor der Landung, wachte der Chiefminister auf. Er ging nach vorne zur Presse. Als er vorbeikam, stand Oliver auf und reichte ihm die Hand.

»Darf ich Ihnen wenigstens die Hand reichen?« sagte Oliver und Jacob blieb das Herz fast stehen. Würde er gleich seinen Protest gegen das Polavaramprojekt ausdrücken? Er sah zu den Kameras nach vorne. Nein, im Moment liefen diese nicht. Auch die Journalisten waren wohl müde geworden. Oliver wollte offenbar wirklich etwas sagen. Erleichtert nahm Jacob jedoch zur Kenntnis, dass der mächtigste Mann im Staat seinen Freund kurz anlächelte, ihm die Hand drückte, ihm dann jedoch keine Chance für ein weiteres Gespräch bot. Die Zeit wurde knapp.

Bei der Landung schaukelte das Flugzeug heftig. Dem Piloten musste das, zumal er lauter VIPs geladen hatte, reichlich peinlich sein. Die Räder setzten mit einem kräftigen Stoß auf. Der Flieger bremste und rollte aus. Durch das Fenster sah man den Flughafen von Rajamundhri. ‚Flughafen' war zuviel gesagt. Es war eine Rollbahn und ein sehr kleines Kontrollgebäude. Sonst nichts, bis auf die vielen Menschen, die ihren politischen Führer begrüßen wollten. Soldaten mit Gewehr und Polizisten mit Schlagstock sicherten das Areal. Zuerst stiegen die Politiker aus. Sie gingen dorthin, wo ein großer roter Baldachin aufgestellt war und noch mehr Journalisten warteten. Einige hundert Leute warteten auf den Ministerpräsidenten und klatschten Beifall als er kam. Wahrscheinlich würde er gleich eine Rede halten und darin sein Wirtschaftsprogramm als vorbildlich anpreisen. Er würde das wirklich tolle Indhira Hausprogramm und das Polavaramprojekt in einem Atemzug nennen. Letzteres sah Jacob zwar nicht ganz so kritisch wie Oliver, war sich jedoch sicher, dass die Entschädigungen nicht gezahlt würden und viele, viele Menschen ihre Existenz verloren. Außerdem befürchtete er, wie viele Menschen im Großraum Rajamundhri, dass durch den Staudamm das Wasser hier unten knapp werden könnte.

Zusammen mit den anderen ‚normalen' Passagieren gingen sie zum Abfertigungsgebäude. Die Presseleute suchten sich gute Positionen beim Empfang des Ministerpräsidenten. Jacob und Oliver warteten auf ihre Koffer. Der Journalist einer regionalen Zeitung bat Jacob um ein Interview. Dann kam jemand mit einer Videokamera. Oliver sprach mit dem Piloten. Später erzählte er, dass der sich für den unruhigen Landeanflug entschuldigt hatte. Es sei nicht immer so, beteuerte er. Auch Oliver wurde interviewt und für einen lokalen Sender gefilmt.

»Warum kommen Sie nach Rajamundhri? Was tun Sie hier? Wie lange bleiben Sie? Wie finden Sie es, dass man jetzt hierher fliegen kann?«

Jacob übersetzte die Antworten Olivers für die regionale Zeitung. Von Kirche und Mission war darin nicht die Rede.

Die Koffer kamen. Sie wurden von zwei Angestellten des Flughafens mit einem Gepäckwagen per Hand vom Flugzeug zur Abfertigungshalle geschoben. Alle nahmen sich ihr Gepäck vom Wagen und verließen durch eine schmale Tür das Gelände. Damit war der Presserummel vorbei. Jacob war wirklich nicht wohl zumute. Er war sich sicher, dass ihr Bild morgen in den Zeitungen und vielleicht sogar ein Interview im Fernsehen war. Und dann war es vorbei mit der Geheimniskrämerei. Selbst Samuel würde es sehen, denn täglich sah er Nachrichten und gerade die regionalen Zeitungen las er überaus gründlich.

Was dann passieren würde? Jacob wusste es nicht. Auf jeden Fall musste Oliver überaus vorsichtig sein, wenn er in den Dörfern unterwegs war.

Jacob hatte ein Taxi zum Flughafen bestellt, einen sehr netten und zuverlässigen älteren Fahrer namens Banu. Doch der war nicht da. Schon an der Zufahrtstraße, erzählte man ihm auf seine Fragen hin, war der Flughafen wegen der Minister gesperrt worden. Jacob war ratlos. Sollten sie nun die zwei Kilometer zur Straße nach Rajamundhri gehen? Das war bei der Hitze und mit den Koffern eine herbe Herausforderung.

Während Jacob noch überlegte, stürmte Oliver plötzlich hinter einem großen Geländewagen her, der den Parkplatz gerade verlassen wollte und klopfte an die Seitenscheibe.

Der Fahrer hielt und ein Fahrgast öffnete das Fenster. Oliver sprach mit dem Mann und rief dann Jacob.

»Komm schon! Dieser Mann nimmt uns mit zur Hauptstraße.«

Jacob fand es beachtlich, wie umgehend und tatkräftig Oliver die Situation einschätzte und dann ideenreich handelte. Davon konnten manche Inder lernen. Er fand es allerdings peinlich, ein fremdes Auto einfach anzuhalten. Doch der Erfolg gab Oliver Recht. Der Mitfahrer des Wagens erzählte, dass er gerade aus Deutschland käme. Er hatte geschäftlich in Frankfurt zu tun und war heute Nacht von dort mit der Lufthansa nach Hyderabad geflogen. Und nun traf er einen Deutschen! Wie klein die Welt doch war!

Viel Zeit zum Gespräch blieb nicht. An der Straße wartete Banu mit seinem uralten Ambassador. Die beiden Freunde in geheimer Mission bedankten sich bei dem Geschäftsmann und verließen dessen Fahrzeug.

»Lass uns noch einmal bei Helmut und Elias anrufen!« schlug Oliver vor. Jacob fand die Idee genial. Was normale Sterbliche in Indien nahezu niemals erlebten, zusammen mit dem Chiefminister, mehreren Ministern und dem Gründer einer Airline im selben Flugzeug, sie hatten es gerade erlebt! Und die Welt war Zeuge. Heute Abend waren sie zusammen mit dem Chef von Samuel im Fernsehen! Das war schon etwas.

Jacob gab Oliver sein Mobiltelefon.

»Am besten, du rufst an!« sagte er.

Zuerst wählte Oliver wieder die Nummer von Elias. Die Gruppe mit den Jeeps musste sich nun bereits kurz vor Bhadrachalam befinden. Immerhin waren sie noch gestern Abend losgefahren. Alle waren jetzt sicher total erschöpft.

»Hallo Elias !« sagte Oliver.

Und dann erzählte er, dass sie soeben mit dem Chiefminister von Andhra Pradesh geflogen seien.

Jacob und Oliver quetschten gleichzeitig ihre Ohren ans Telefon. Auch Jacob wollte hören, was Elias antwortete. Und die Antwort kam prompt und mit lautem Lachen:

»April, April! Na, das war echt ein guter Witz!«

»Nein, das war kein Witz«, versuchte Oliver zu erklären, »heute Abend kannst du es wahrscheinlich im Fernsehen sehen und morgen in der Zeitung lesen!«

»April, April! Mich veräppelst du nicht noch einmal!« Wieder lachte Elias aus vollem Hals.

Heute Abend würde er staunen, wenn es in den Nachrichten käme.

Dann telefonierte Oliver mit Helmut. Er lachte laut. Diesmal konnte Jacob nichts verstehen, weil sie deutsch sprachen. Wieder lachte Oliver. Dann legte er auf.

»Komm«, sagte Oliver, »lass uns einsteigen. Ich erzähle dir während der Fahrt, was Helmut gesagt hat.«

Sie wollten einsteigen und gingen zum Mietwagen. Banu lehnte am Kotflügel und wartete, öffnete jetzt aber die Türen auf der Beifahrerseite.

Plötzlich kam eine Frau auf Oliver zugelaufen, der gerade um das Auto herumgehen wollte. Ihre Haare hatten sich gelöst und sie sah wüst aus. Ihre Kleidung war ärmlich. Jacob dachte, sie wolle betteln. Doch plötzlich hob sie die Hand und Jacob sah eine Waffe darin. Ihm erstarrte das Blut in den Adern.

‚Jetzt ist es vorbei', dachte er.

Doch im nächsten Moment erkannte er, dass die ‚Waffe' aus Plastik war, eine einfache Wasserpistole. Die Frau ging damit auf Oliver los und bespritzte ihn mit roter Farbe. Oliver schimpfte. Banu packte die offenbar verwirrte Frau am Oberarm und zog sie vom Auto weg. Dann schubste er sie Richtung Straßenrand. Doch es war zu spät. Olivers in Bangalore gekauftes neues Hemd war ruiniert. Der grüne Stoff hatte schöne leuchtend rote Flecken und Streifen bekommen.

Oliver nahm es mit Humor.

»Na, das ist ja ein Tag!« sagte er zu Jacob. »Köstlich, so eine Geheimreise!«

Gleich als sie losgefahren waren, erzählte Oliver von seinem Telefonat mit Helmut. Er hatte ihn im Hotel erreicht. Helmuts Reaktion war kaum anders als die von Elias. Aber Helmut kam ihm zuvor und stellte seine Frage, bevor Oliver etwas erzählen konnte. ‚Oliver? Na, da erzählst du mir jetzt, ihr hättet Sonja Gandhi getroffen?!' ‚Nein, aber den Chiefminister von Andhra. Wir sind mit ihm und anderen Ministern zusammen nach Rajamundhri geflogen!' Helmut hatte gelacht: ‚Dann grüßt mal Samuel Raj durch ihn! Die treffen sich ja dauernd im Parlament.' ‚Nein, Helmut, wir haben ihn wirklich getroffen! Er hat den Jungfernflug nach Rajamundhri mitgemacht und so diese Luftverbindung eingeweiht.' ‚April, April! Aber es war ein guter Witz!'

Oliver meinte dann, er habe Helmut doch noch davon überzeugen können, dass es sich nicht um einen Aprilscherz gehandelt hat. Sie lachten beide. Das sei der witzigste Tag seiner gesamten Indienreisen, sagte Oliver irgendwann auf der etwa einstündigen Fahrt nach Rajamundhri. Sogar als sie die kilometerlange Brücke über die hier aufgestaute Godavari überfuhren und Kovvur erreichten, lachten sie noch.

Zwar war diese Reise inzwischen alles andere als geheim, doch sie sprühte vor Lebensfreude. Und Jacob war froh, dass die schlimmen Ankündigungen des anonymen Anrufers bisher nicht zutrafen. Was das alles für die ab morgen geplanten Dorfbesuche seines deutschen Freundes bedeutete, wusste er allerdings nicht. Von Geheimhaltung konnte jetzt jedenfalls nicht mehr die Rede sein.

Aber jetzt freute er sich erst einmal auf seine Tochter Pradana.

35 Mit Shiva im Gespräch

Kann man sich eigentlich mit einem Gecko anfreunden? Ich ja. Abgesehen von dem schlaksigen Constabler, der mir das Essen bringt, bekomme ich an meinem ersten Tag in der Einzelzelle niemanden zu sehen.

Nur den Gecko. Ich taufe ihn Shiva. Wie ich darauf komme? Keine Ahnung. Vielleicht, weil ich den Zischlaut Shi mit seinen flitzenden Bewegungen verbinde. Oder weil Shiva in Indien an vielen Wänden hängt. Oder weil Shiva verschiedene Gestalten annehmen kann. Ich weiß, es kann mir als intolerant und arrogant ausgelegt werden, eine Eidechse nach einer indischen Hauptgottheit zu benennen. Ich meine es aber nicht so. Zwar verstehe ich den Hinduismus je länger ich ihm begegne immer weniger, aber ich respektiere ihn. Zwar erinnert mich die Darstellung hinduistischer Gottheiten immer wieder an die Playmobil- und Comicwelt der Kinder, aber ich akzeptiere, dass hier in Indien fast ein Fünftel der Menschheit so empfindet und denkt. Wer bin ich, dass ich darüber richten könnte. Trotzdem nenne ich ihn Shiva. Wenn Menschen hier Rama, Krishna oder Lakshmi heißen dürfen, dann darf doch auch ein Gecko Shiva heißen, oder?

Also, kann man sich mit einem Gecko anfreunden? Ich ja. Zuerst beobachte ich ihn nur. Dann beginne ich, mit ihm zu reden. Was sonst soll ich hier machen? Weder Zeitung noch Fernseher, weder mein Anwalt Appara noch Ashok sorgen für Zerstreuung. Krishna hat sich davongemacht und Jacob bekommt nicht die Erlaubnis, mich zu besuchen. Also erzähle ich nun Shiva meine Geschichte. Er hört gut zu. Manchmal wird er von einer Fliege oder Mücke abgelenkt, aber sofort nach seiner Fast Food Mahlzeit schenkt er mir wieder seine volle Aufmerksamkeit.

»Shiva, ich sage dir, es geht mir dreckig!«

Ich kann mich bei ihm richtig ausheulen. Er widerspricht nicht, heuchelt kein Mitleid und kommt mir nicht mit seinen eigenen Sorgen daher.

»Samuel hat mich dort, wo er mich haben will. Ich habe keine Lust mehr. Eben noch die Freiheit vor Augen, ist nun alles wieder ungewiss. Mir bleibt nur Beten. Reden mit Gott und reden mit dir. Im Sinne der Hinduphilosophie könnte das ja sogar ein und dasselbe sein.«

Ich muss lachen. Natürlich ist das nicht dasselbe! Trotzdem fühlt es sich im Moment gut an, wenn außer dem Vater im Himmel noch ein Shiva an der Wand zuhört.

»Wenn du wüsstest, wie schön es früher war...«

Ich erzähle Shiva von früheren Jahren, von jenen Zeiten, als Welt und Kirche noch in Ordnung waren. Damals zogen wir singend durch die Dörfer, tanzten abends am Feuer oder im Licht der Öllampen. Wir erlebten Aufbrüche des Glaubens, standen bis zur Hüfte im Wasser und tauften hunderte, vom christlichen Glauben begeisterte Menschen, wir beteten für Kranke und trieben böse Geister aus. Wenn Shiva die Bibel kennen würde, hätte er mit Sicherheit viele Parallelen zur Apostelgeschichte entdeckt. Allerdings, fiel mir ein, gab es auch damals schon ähnliche Probleme wie heute.

Schon die Jünger Jesu hatten sich darum gestritten, wer der Größte sei. Das Streben nach Macht und Geld, Neid, Lüge, Verschlagenheit und Heuchelei, all das gab es damals auch schon. Ob Shiva das auch kannte? Wahrscheinlich nicht. Oder doch? Hier war er allein auf Beutezug und hatte keine Konkurrenten. Geckos hatten es da vielleicht besser als die Hähne in den Dörfern. In anderen Räumen allerdings galt es, die Opfer schneller zu fressen als die Mitbewerber. Schon wieder bin ich in der Tierwelt gelandet! Ob Isolation verrückt macht? Ich sitze doch erst seit gestern Vormittag hier, habe nur eine Nacht und den heutigen Tag durchstehen müssen. Wie mag es jenen Menschen gehen und gegangen sein, die um ihrer Überzeugung willen viele Jahre oder gar ihr halbes Leben lang in Einzelhaft sitzen oder gesessen haben?

Irgendwann muss ich doch eingeschlafen sein. Heute ist der elfte Tag im Gefängnis, und der dritte in Einzelhaft. Ob sie mich hier vergessen haben? Erst jetzt begreife ich, wie gut es mir mit Krishna und Ashok ging. Die haben wenigstens gesprochen und mit Krishna konnte ich mich sogar verständigen. Sogar Ashoks Schnarchen war besser als die dauernde Stille in dieser Zelle. Shiva sagt weder etwas, noch schnarcht er. Bisher bin ich noch nie einem derart lautlosen Geschöpf begegnet. Ich sehe ihn im Moment nicht und weiß doch, dass er da ist, irgendwo. Ich stehe auf und gehe zur Toilette. Dann wasche ich mich am rostigen Wasserhahn in der Ecke. Die zwei farblosen Handtücher, vom Knast gestellt, haben auch schon bessere Tage gesehen. Immerhin sind sie sauber. Wo steckt bloß Shiva? Ich finde ihn hinter einer elektrischen Leitung, die sich etwas von der Wand abhebt, bevor sie in einer Wandbuchse verschwindet. Ich tippe die Leitung an. Sofort flitzt Shiva ans Ende der Wand und quetscht sich in die Ecke zur Decke.

»Shiva, komm raus! Ich habe wieder etwas zu erzählen!« Tiere flüchten, wenn sie Angst haben. Menschen auch. Ich erzähle Shiva von jener Reise in die Dörfer, direkt nach den gescheiterten Friedensgesprächen in Bangalore. Es war das erste Mal nach der Revolution, dass jemand in die Dörfer gereist ist. Es sollte eine Geheimreise werden. Sollte. Was dann kam, passte zum Datum. Es war der 1.April. Jacob und ich flogen mit Air Deccan nach Rajamundhri. Was wir vorher nicht wussten: Es war der erste offizielle Linienflug dorthin und der Ministerpräsident flog mit.

»Ja, Shiva, du hast richtig gehört: Der Chief Minister von Andhra Pradesh! Wenn der wüsste, dass ich jetzt hier im Knast sitze und mit dir rede!«

Shiva reagiert nicht, scheint aber aufmerksam zu lauschen.

Ich erzähle ihm von den Journalisten und den Interviews. Geheimreise, April, April! Bis zur Ankunft in Rajamundhri jedenfalls standen wir auf dem Präsentierteller. Unser Foto zierte lokale Zeitungen und, wenn auch nur für einen kurzen Moment, waren unsere Gesichter auch im Fernsehen zu sehen, gleich neben dem des Ministerpräsidenten. Von wegen: Geheimreise.

Als Übersetzer durch die Dörfer begleiteten mich der Präsident Elias und David, der heute Generalsekretär der Kirche ist. Sie hatten vor allem kleinere Ortschaften am Rande des Kirchengebietes ausgewählt. Sie hatten Angst, die andere Gruppe oder Samuel Raj selbst würde etwas gegen mich und uns unternehmen. Die Angst war täglich spürbar. In einem Ort hieß es, Benjamin sei gesehen worden, wie er in seinem roten Auto langsam durch den Ort fuhr. Wahrscheinlich wolle er ausfindig machen, wo wir sind. So ein Unsinn! Nicht nur der Glaube, auch die Angst verleiht der Fantasie Flügel. Benjamin lebte über hundert Kilometer entfernt von hier, warum sollte er ausgerechnet hier nach mir suchen? Und rote Autos? Dieses Model gab es nur in zwei oder drei Farben und rot war die beliebteste.

Einmal wurde ein Mann verdächtigt, meine Predigt sozusagen simultan an ‚die Feinde' durchzugeben. Er saß abseits und telefonierte mit dem Handy, während ich in einer Gemeindeversammlung redete, die unter einem Baldachin auf einem Platz direkt neben der Straße stattfand. Spät am Abend, als ich mich gerade auf die Pritsche legen wollte, eröffnete Elias mir, dass es einen Spion gäbe, der mit den anderen telefonierte. Ich träumte schlecht in dieser Nacht, sah mich schon in einem schmuddeligen indischen Gefängnis, brutalen Wärtern ausgeliefert. Am nächsten Morgen stellte sich heraus, dass der ‚Spion' ein völlig harmloses Gemeindeglied war, das mit seiner Ehefrau telefoniert hatte.

»Ja, Shiva, so nervös waren sie damals alle. Die Demonstration in Bhadrachalam, der Anruf in Hyderabad mit der überstürzten Flucht, die Anzeige gegen uns in

Dehli, die Warnung vor einem Anschlag bei Jacob, Jacobs Tage im Knast, die Gerüchte gegen jede und jeden, die Gerichtsverfahren – es gab genug Gründe zur Vorsicht. Dabei hätte ich lieber Gründe zum Vertrauen gehabt.«

Shiva flitzt nach oben. Er hat Wichtigeres zu tun, als einem Häftling zuzuhören, der nicht einmal seine Sprache spricht. Ich setze mich auf das harte Bett. Eigentlich kann ich froh sein.

Seit zwei Jahren haben meine indischen Freunde keine Angst mehr. Sie haben an Selbstbewusstsein gewonnen. Ihre Freiheit wächst und Samuels Einfluss schwindet. Ich denke an die Zeitungsnotiz, die Ashok mir gezeigt hat. Unser ehemaliger Freund richtet sich selbst zugrunde, auch in seiner politischen Laufbahn. Die Kirche dagegen blüht wieder auf und in Freiheit blüht es sich schöner, fröhlicher und leuchtender.

Trotzdem bin ich müde. Nicht körperlich, aber seelisch.

Das Schaben der Sichtluke ist identisch mit dem in meiner alten Zelle. Dunkle Augen schauen herein. Ich vermute, es gibt Frühstück. Doch nicht der Schlaksige, sondern ein Constabler, den ich bisher nicht gesehen habe, öffnet die Tür. Er bedeutet mir, ihm zu folgen. Wieder gehen wir durch den Hof ins Verwaltungsgebäude. Die Palme sieht traurig aus. Der kleine Papierdrachen ist verschwunden. Eine weitere Flucht ist also nicht geplant.

Im Verhörraum begrüßt mich außer Ganesha an der Wand, dem ich jetzt ein wenig Schadenfreude unterstelle, der Direktor, mein Anwalt und ein Mann in Zivil. Der Zivile ist von irgendeiner Polizeieinheit, die für Vergehen im Justizvollzug zuständig ist. Ich kann mir denken, wieso die hier mitmischen. Offensichtlich hat ja nicht irgendwer mit brutaler Gewalt, sondern einer der Beamten den Terroristen befreit. Mit Hilfe des Wächters ist Krishna einfach hinausmarschiert. Ob es der Flachmannwärter war? Ich bin mir inzwischen fast sicher, denn seitdem ist er nicht wieder aufgetaucht. ‚Genosse' hat er Krishna genannt. Er war wahrscheinlich einer von ihnen.

Das Verhör dauert fast drei Stunden. Appa Rao tut sein Bestes. Die anderen zwei gehen davon aus, dass ich von der Flucht wusste. Allerdings tappe ich in keine ihrer Fallen. Am Ende kann ich sogar einen Teilsieg erringen. Ich kann in meine alte Zelle zurückkehren.

Der Constabler bringt mich hin. Dann geht er und holt meine wenigen persönlichen Sachen aus der Einzelzelle. Schade, ich kann mich nicht mehr von Shiva verabschieden. Ich bitte den Beamten auf Deutsch, Shiva zu grüßen. Er sieht mich nur verständnislos an und seine Knopfaugen ähneln dabei denen des Geckos.

In meiner Zelle erwartet mich eine riesige Überraschung. Ashok ist dort. Er liegt auf seinem Bett, als wäre er nie woanders gewesen. Als ich die Zelle betrete, steht er auf und umarmt mich. Er riecht nach Sandelseife. Ich bin berührt. Ashok freut sich, mich zu sehen. Ich kann mir nicht vorstellen, dass er mir etwas angehängt hat, also begrüße auch ich ihn fröhlich.

»Ashok! Na so was! Haben sie dich also auch wieder freigelassen. Du kannst ja wirklich nichts für seine Flucht!«

Schade, dass Ashok kein Englisch versteht und nicht weiß, worauf er antworten soll. Er lacht und drückt meine Hand.

An diesem Abend müsste ich meine Geschichten nicht einer Eidechse erzählen. Ich könnte mit Ashok reden. Der verstände allerdings auch nichts und würde wenn überhaupt, nur in Telugu antworten. Es wäre mir natürlich peinlich, ihn voll zu quatschen. Also lasse ich es. Allerdings stärkt mich schon seine Anwesenheit. Er ist da, das ist schon etwas! Wohin sollte er auch gehen, da ja die Zellentür verschlossen bleibt.

Plötzlich entdecke ich ganz oben an der Lampe einen grauen Gecko. Shiva ist also doch überall.

Wiedergeburt

36 Die zweite Chance

»Wir freuen uns riesig auf sie!«

Lea strahlte, als sie gelbe Blumengirlanden aus einer großen Plastiktüte nahm und diese in die ausgestreckten Hände der Gemeindeglieder legte.

»Endlich können sie wieder sicher in unsere Region kommen!«

Sie sprach vom Besuch der deutschen Gäste. Seit gestern war sie hier und half bei den Vorbereitungen des großen Empfanges mit anschließender Delegiertenversammlung.

Über den Hügeln im Westen hingen dicke Wolken. Es war warm und feucht.

Hier hatte die Revolution begonnen, hier sollte ein weiteres Kapitel der Segensgeschichte der Kirche geschrieben werden. Sie waren in Chakkaripalli, jenem Ort, wo Silas Rao das große Kinderheim leitete und wo die Resolution gegen den Ayyagaru beschlossen wurde. Die Kinder waren bei ihren Familien. Viele von ihnen würden in den Ferien arbeiten müssen. Trotzdem war es wichtig, dass die Kinder den Kontakt zu ihren Angehörigen hielten. Wenn sie erwachsen sein würden, müssten sie Verantwortung übernehmen. Als Kinder brauchten sie zumindest gelegentlich die Nähe zu Eltern und Geschwistern. Deshalb sollten sie, soweit möglich, den Kontakt halten.

Um Lea herum standen hunderte wartende Menschen. Viele hatten kleine Blumensträuße mit roten Blüten in der Hand, andere gelbe oder rötliche Girlanden aus wunderschönen Blüten. Vor dem Tor zum Grundstück stand ein Trecker mit geschmücktem Anhänger bereit. Silas Rao hatte ihn besorgt. Er gehörte einem befreundeten Landwirt.

»Ich glaube, sie kommen bald!« rief Silas Rao.

»Ihr könnt ruhig schon auf die Straße gehen. Und du solltest den Trecker klar machen!«

Letzteres rief er einem jungen Mann zu, der an einem der großen Räder der Zugmaschine stand und nun sofort auf den Führerstand kletterte.

Auch Lea ging auf die Straße. Sie hatte inzwischen all ihre Girlanden, die sie aus Arukuru mitgebracht hatte, in an Gemeindemitglieder verteilt. Sie konnte die Zahl der Wartenden hier nur schwer einschätzen. Es mussten etwa eintausend Menschen sein. Alle hatten sie sich gekleidet wie an hohen Festtagen. Die meisten Männer trugen dunkle Hosen und helle Hemden, die Frauen ihre besten Saris. Sie waren es, die Farbe ins Bild brachten. Wenn es die Frauen nicht gäbe, dachte Lea, würde Indien fehlen, was es so faszinierend machte.

Silas Rao hielt sein Mobiltelefon ans Ohr. Lea konnte nicht hören, was er sagte. Doch nun kam er auf sie zu. Er musste sich durch die Menge drängeln. Die Stimmung war schon jetzt sehr gut. Einige der Frauen formierten sich, legten sich gegenseitig die Hände auf die Schultern und stellten sich zum Tanz auf. Sie begannen zu singen. Als dann drei junge Männer mit flachen Trommeln, die sie mit dünnen Stöcken schlugen, den Takt angaben, wurde schnell ein Tanz daraus.

Dies war die Kirche, die Lea liebte. Wenn auch die Leitung oder damals der Ayyagaru den Kopf der Kirche bildete - ihr Herz waren die jungen Frauen und Männer, deren Freude über Gott und den Glauben in die Stimme und in die Füße ging. Nun brachten kleine und große tanzende Gruppen die Menge an mehreren Stellen auf der immer volleren Straße in Bewegung.

Schon jetzt war auf der Straße kein Durchkommen mehr. Ein Linienbus fuhr im Schneckentempo durch die Menge. Lea erinnerte die Szene an das Durchfahren einer sich träge vorwärts bewegenden Rinderherde. Die Leute gingen erst zur Seite, wenn der Bus sie beinahe berührte.

»Sie kommen!«

Silas Rao gab die telefonische Nachricht weiter. Er warf noch einen Blick auf die Willkommensschilder. Waren sie in Ordnung? In großen Buchstaben standen die Namen der Gäste auf Bannern aus hellem Stoff, die an Bambusgestellen und am Zaun befestigt waren. Olivers Name war diesmal richtig geschrieben worden. Dafür war das allgemeine Willkommen etwas irreführend. »Welcome friends from Germoney!« stand auf einem dieser Schilder. ‚Germany' war eines der wenigen englischen Worte, die Lea kannte. Sie wusste, dass es mit ‚a' und nicht mit ‚o' geschrieben wurde. Peinlich. Sie machte Silas Rao darauf aufmerksam und der schickte schnell jemanden los, aus dem ‚o' ein ‚a' zu machen. Es ging ihnen nun wirklich nicht nur um ‚money'. Es ging ihnen um Freundschaft, Anerkennung und den gemeinsamen Glauben! Außerdem wäre es peinlich, wenn sich schon wieder ein Fehler eingeschlichen hätte. Beim letzten Jugendtreffen in Kukunuru hatte Oliver darauf aufmerksam gemacht, dass es ‚Youthmeeting' und nicht ‚Youth meating' heißen musste, ‚Jugendfleisch'. Wenn doch nur mehr Leute bei uns gut Englisch könnten, dachte Lea jetzt, dann wäre manches leichter. Doch der Ayyagaru hatte systematisch verhindert, dass neue Leitungskräfte heranwuchsen und immer, wenn jemand direkt mit den Partnern kommunizieren konnte, wurde er nervös.

Jetzt endlich kamen sie. Etwa fünfhundert Meter vor dem Kinderheim hielt ein Geländewagen. Der Trecker war schon auf dem Weg zu ihm. Kurz darauf waren die deutschen Gäste auf den Anhänger des Traktors geklettert. Nun kamen sie langsam und winkend herangefahren. Die Menschen jubelten. Sie stürzten auf die Gäste zu und überreichten mit weit ausgestreckten Armen kleine Blumensträuße, Girlanden und einzelne Blumen.

Die vier Deutschen auf dem schaukelnden Anhänger sahen aus, als konnten sie sich nicht entscheiden, ob sie sich freuen oder ärgern sollten. Lea wusste, dass sie den in Indien so beliebten Rummel um Personen nicht besonders mochten. Doch hier mussten diese Vier nun mal durch. Alle Gemeinden freuten sich überschwenglich, dass endlich wieder Gäste kamen.

Trecker und Hänger wurden von jubelnden, singenden und tanzenden Menschen umringt. Johannes filmte das Ganze, Oliver machte Fotos. Helmut und Thies schüttelten hunderte Hände. Als sie am Eingang zum Kirchengrundstück ankamen und abstiegen, waren sie innerhalb weniger Minuten über und über mit Girlanden behängt und konnten die Blumen kaum halten. Mädchen warfen Blütenblätter über die Gäste. Lea sah nur lachende und fröhliche Gesichter!

Sie fand diesen Empfang sensationell. Er zeigte, dass eine neue Zeit angebrochen war. Eine Zeit der Freiheit und Freude.

Wie immer bei Besuch wurden die Füße der Gäste gewaschen. Dann bekamen sie Tee und Gebäck. Im mit Planen und Matten ausgelegten Innenhof des Kinderheimes setzten sich die Leute auf den Boden und warteten auf den Beginn des Gottesdienstes. Die Kirche war viel zu klein für diese Massen. Deshalb hatte Silas Rao entschieden, das Treffen hier draußen zu machen.

Allerdings gab es eine kleine Verzögerung.

Es war Oktober. Die Wolken aus dem Westen waren inzwischen über ihnen. Und plötzlich regnete es. Die Leute nahmen es gelassen. Dann schüttete es. Es blieb kaum Zeit, die Unterlagen zusammenzurollen und in die Kirche zu laufen oder sich in die Hütten des Kinderheimes oder unter das Vordach der Klassenräume zu flüchten. Einige suchten zunächst Schutz unter dem Hühnerbaum, flüchteten dann jedoch in eine der Unterkünfte für die Kinder.

Lea wertete diesen Schauer als Segenszeichen. In ihrem Land wurde Regen als Segen Gottes verstanden – auch das musste für die Gäste aus dem feucht-kalten Norden Europas ziemlich fremd sein. Oliver hatte einmal in einem Kinderheim gefragt, was die Kinder mehr mochten: Regen oder Sonne. Die Antwort kam wie aus der Pistole geschossen: Regen! Lea konnte das nur bestätigen.

Das Wasser lief schnell wieder ab. Die Sonne, die inzwischen schon recht tief stand, kam heraus und bald breiteten die Leute wieder Planen und Matten aus und setzten sich zum zweiten Mal. Inzwischen hatten die Gäste Tee, Gebäck und Bananen bekommen und ihr Gepäck war in Silas Raos Haus gebracht worden, wo sie übernachten sollten. Also konnte die Veranstaltung beginnen.

Als gewählter Präsident hieß Elias die Gäste willkommen. Helmut und Oliver brachten ihre tiefe Bewegung und große Freude zum Ausdruck. Als sie sprachen, kämpfte Lea mit den Tränen. Ja, es war ein wirkliches Geschenk! Gott hatte die Kirche durch die Krise geführt. Nun ging es wieder bergauf. Die Gemeinden waren lebendig und voller Optimismus, was die Zukunft anging. Die Mitarbeiterinnen und Mitarbeiter waren voller Tatkraft. Und nun waren auch die Freunde wieder da. Es war wie eine Wiedergeburt nach vielen Jahren des Leidens und Sterbens.

*

Schon am nächsten Tag wurde ihre Freude ein wenig gedämpft. Sie alle mussten sich den neuen Herausforderungen stellen.

Noch am späten Abend waren die meisten der Leute zurück in ihre Dörfer gefahren. Nur die Mitarbeiterschaft der Kirche und die Delegierten der Gemeinden waren am nächsten Morgen noch da. Die Sitzungen und Beratungen hatten begonnen.

Am Vormittag ging es vor allem um die Kinderheime. Am Nachmittag machte Oliver dann auf die Probleme aufmerksam, die sich wegen des Staudammprojektes abzeichneten. Er hatte inzwischen viel darüber herausgefunden. Nun fragte er die Delegierten, was sie zu tun gedachten. Sie waren ratlos. Oliver riet, mit allen anderen Betroffenen und den Nichtregierungsorganisationen der Region gemeinsam und mit legalen Mitteln gegen das Projekt zu kämpfen. Es würde den Lebensraum tausender Menschen vernichten, erklärte er. Die meisten der Delegierten hatten bereits von den Vorhaben der Regierung gehört, wussten jedoch kaum etwas darüber. Lea musste zugeben, dass auch sie selbst nur wenig über das Projekt wusste. In Arukuru war die CPI, die Kommunistische Partei, sehr stark. Sie hatte am Ortseingang ein Schild angebracht. Darauf wurde offiziellen Regierungsvertretern Prügel angedroht, falls sie es wagen würden, den Ort zu betreten. Lea fand das nicht gut, zumal auf diese Weise auch keinerlei Informationen über die Entschädigungen und näheren Umstände des Projektes ins Dorf kamen und die Bewohner nur auf die parteipolitisch eingefärbten Informationen der CPI Funktionäre angewiesen waren.

Oliver sagte in der Versammlung, dass er wegen des Projektes beten und Gott bitten würde, es zu verhindern. Viel mehr könne er als Ausländer leider nicht tun. Er verwies auf die Kraft Gottes und erzählte ein Beispiel dafür, dass Gebet wirklich etwas verändern konnte. Lea musste lachen, denn sie selbst war Zeugin dessen, was Oliver jetzt erzählte.

Vor vielen Jahren, es war etwa zwei Jahre nach der großen Überschwemmung, war Oliver in Arukuru gewesen. Er hatte in der Abendandacht von der größten deutschen Stadt erzählt, von Berlin. Er berichtete von einer Mauer, die die Stadt in zwei Teile trennte. Alle anwesenden Gemeindemitglieder waren sehr verwundert und geradezu entsetzt.

»Das kann doch nicht sein!« hatte Mariama gesagt. »Da muss man doch etwas machen!«

Und dann hatte Leas Freundin die geniale Idee gehabt, dafür zu beten, dass die Mauer wegkommt.

»Wir werden dafür beten, dass Gott diese Mauer einreißt wie damals die Mauern von Jericho!«, hatte sie Oliver in ihrer unmissverständlichen Art mitgeteilt und Jacob hatte ihren Vorschlag übersetzt. »Diese schreckliche Mauer muss verschwinden und Berlin und Deutschland wieder eins werden!«

Oliver hatte damals irgendetwas gesagt, was ironisch klang. Er konnte sich offenbar nicht vorstellen, dass Gott dieses Gebet erhören würde oder könnte. Lea hatte damals gedacht, sein Glaube sei doch recht schwach.

»Wir werden für euch beten!« hatte Mariama noch einmal und sehr bestimmt gesagt.

Ein Jahr später, Anfang Oktober, war Oliver wieder in Arukuru. Wieder saßen sie abends zum Gebetstreffen im Schein der Öllampe in einer der Hütten. Kaum hatte er Gelegenheit, etwas zu sagen, berichtete Oliver mit bewegter Stimme, was sich in Deutschland in den letzten Wochen zugetragen hatte.

»Ich kann es nicht fassen«, erzählte er. »Die Mauer wurde geöffnet und der eiserne Vorhang ist gefallen!«

Mariamas Antwort war genauso kurz wie das anerkennende Nicken aller Anwesenden, das ihr folgte.

»Dann lasst uns unserem Gott danken! Er hat unsere Gebete erhört!«

»Ich war damals sehr beschämt!« sagte Oliver jetzt vor der Delegiertenversammlung. »Ich habe nicht gedacht, dass Gott auch solche Gebete erhören würde. Nun aber bitte ich euch, mit mir zusammen gegen diesen Staudamm zu beten. Das ist auch eine Mauer mit schlimmen Konsequenzen. Aber Gott kann verhindern, dass sie kommt!«

Noch lange ging Lea dieses Bekenntnis und der Aufruf zum Gebet nach. Sie sprach darüber mit anderen Pastoren. Einige fanden, Oliver habe Recht, andere wollten außerdem bei den Komitees mitmachen, die sich in vielen Dörfern als Widerstand formierten und einige zuckten einfach nur mit den Achseln, weil sie nicht betroffen waren.

Lea war deshalb verärgert. Elias und die anderen in der Kirchenleitung waren mit allem Möglichen befasst, nur nicht damit, die Pastoren für die Lösung wirklich wichtiger Fragen zusammenzuhalten. Im Moment waren sie mit dem Streit mit dem Ayyagaru befasst, mit Finanzproblemen und dem Gerangel um Posten und Positionen. Für die wichtige Frage nach dem Überleben einer ganzen Region war offensichtlich keine Kraft mehr.

Lea fand das schade, ließ sich selbst aber auch immer wieder von den aktuellen Tagesangelegenheiten der Kirche gefangen nehmen. Am Ende tröstete sie sich damit, dass sie immer nur die Aufgaben erledigen konnte, die ihr vor den Füßen lagen.

*

Etwas mehr als ein Jahr später begann für Lea ein neuer Lebensabschnitt. Diesmal gab es keine dunklen Wolken am Horizont. Es war warm und trocken. Wieder sollte Chakkaripalli zum Ort einer Veränderung werden und diesmal würde das, was die Synode hier entschied, vor allem für Lea selbst große Konsequenzen haben. Auch Helmut und Oliver waren wieder dabei.

Die Verabschiedung der Kirchenleitung nach Ablauf der ersten Wahlperiode wurde angemessen begangen. Girlanden, Schals, Reden. Lea stand zwischen den Pastoren, die als Kirchenleitung der ‚Revolutionszeit' in die Geschichte der Kirche eingehen würden. Auch sie wurde mit viel Lob und Dank überschüttet.

Doch für sie war es anders als für Elias, Silas Rao und die anderen. Sie war am Vormittag wiedergewählt worden.

Nach vielen Diskussionen und vielem Hin und Her hatte die Mitarbeiterschaft sie der Synode zur Wahl vorgeschlagen und zusammen mit einem Team zur Wahl gestellt.

Allen voran habe sie das Vertrauen der Gemeinden, sie sei offen und ehrlich, sie sei von allen anerkannt, sie sei weder korrupt noch manipulierbar. Lea war berührt, dass man ihr soviel Vertrauen entgegenbrachte. Noch letzte Woche hatte sie Helmut und Oliver gegenüber eingestanden, dass sie sich zu alt für ein solches Amt fühlte. Oft fühlte sie sich müde, den Herausforderungen nicht mehr gewachsen. Beide hatten ihr jedoch Mut gemacht und garantiert, dass sie die volle Unterstützung der Partner bekäme, wenn sie gewählt würde.

Und nun war sie gewählt worden. Einstimmig!

Ab sofort war sie die neue Präsidentin der Kirche! Präsidentin zum zweiten Mal, mit einer zweiten Chance. Die letzte Kirchenleitung, also jene der Befreiung, war komplett abgewählt worden – bis auf Lea Rani, die ehemalige Stammespriesterin. Die war einstimmig wieder gewählt worden und sollte nun Präsidentin werden, was dem Bischofsamt gleichkam.

Die Zeremonie ihrer Einsetzung würde sie so schnell nicht vergessen. Die alte Kirchenleitung legte der neuen die Hände zum Segen auf und ehrte sie mit Blumenkränzen. Elias segnete sie und betete für seine Nachfolgerin. Auch Helmut sprach noch ein Gebet und Oliver übernahm in der kleinen Feier den Schlusssegen. Er konnte ihn, wenn auch mit merkwürdigem Akzent, in Telugu sprechen. Und dann, direkt nach der Zeremonie, begann die Arbeit.

Auf der Tagesordnung der ersten Sitzung der neuen Leitung standen wichtige Punkte. Lea merkte sofort, dass sie für diesen Bereich ihrer Präsidentschaft viel Unterstützung brauchte. Pastor David leitete die Sitzung. Er sammelte die Anliegen für die Tagesordnung: Berufung von Vertretern der Frauen und der Jugendarbeit in die Kirchenleitung; Kinderheime; Einkommen der Gemeinden; Versetzung von Pastoren; Prozesse gegen die Kirche; Strukturreform der Kirche; rechtliche Absicherung aller Grundstücke; Schulungen für Pastoren, Jugendmitarbeiter und Betreuer der Kinder...

Schon bevor die Beratungen begonnen hatten, wusste Lea, dass sie die Punkte im besten Fall nur kurz andenken konnten. Die nötigen Entscheidungen mussten auf die nächsten Sitzungen der Kirchenleitung verschoben werden.

Lea erwischte sich dabei, dass sie während der Gespräche zeitweise abschaltete. Ihre Gedanken wanderten in die Zukunft. Würde sie helfen können, die Kirche neu zu ordnen und die Spaltung zu überwinden? Würden der Ayyagaru und seine Gruppe noch viel Ärger machen? Auch zwischen ihnen stand ja nun eine hohe und dicke Mauer, die immer unüberwindlicher schien. Aber vielleicht galt ja auch hier, dass Gott Mauern überwand und Gebete erhörte.

Würde sie, zum Glück mit der Unterstützung durch Jacob, den indischen Kirchenbund und die deutschen Partner, die Rechtsangelegenheiten klären können? Würde sie die Machtkämpfe unter den Pastoren kontrollieren können? Würde sie die Einheit zwischen den Tribals und Nontribals unter den Christen bewahren können? Würde sie die Sozial- und Bildungsarbeit weiter voranbringen?

»Lea, bitte sprich du doch das Schlussgebet!«

Lea zuckte zusammen, als David sie ansprach. Sie hoffte, dass niemand ihre Gedankenreise bemerkt hatte. Sie stand auf und forderte alle zum Gebet auf. Und dann formulierte sie all ihre Fragen als Bitte an Gott. Was sonst sollte sie tun? Sie war keine Organisatorin, keine Strategin und keine Verwaltungskraft. Sie war Bischöfin ihrer Kirche und hatte einen geistlichen Auftrag. Und den, das wusste sie, würde sie mit all ihrer Kraft wahrnehmen.

Den Abend dieses Tages verbrachte sie mit Silas Rao und seiner Frau. Die deutschen Gäste waren in das neue Kirchenbüro gefahren. Es lag eine knappe Stunde weiter südlich und weit entfernt von Bhadrachalam. Es war in einem gemieteten Mehrfamilienhaus untergebracht. Sie hatten bisher noch keines der Gebäude in Bhadrachalam zurückbekommen, da die Prozesse noch liefen und der Ayyagaru die Gebäude selbst nutzte oder sie der anderen Gruppe übergeben hatte. Also mussten sie sich behelfen.

Jetzt, nachdem zuerst die Delegierten, dann die Pastoren und zuletzt die Partner das Gelände verlassen hatten, saßen die drei vor Silas Raos Haus und tranken einen Tee. Dazu brachte die Hausherrin etwas Roti, Fladenbrot. Eine Glühbirne schnitt aus der Dunkelheit einen behaglichen Raum heraus. Es war still, mal abgesehen von einem gelegentlich vorbeifahrenden Motorrad oder Traktor.

»Du kannst noch einige Vadas haben, wenn du willst!« bot die Gastgeberin Lea an. »Leider habe ich sonst nichts gekocht, da wir ja während der Synode von unserem Koch versorgt wurden.«

Lea mochte Paru. Diese Frau war ebenso klein wie sie selbst, hatte eine sehr feine Art, war aber gleichzeitig sehr stark und selbstbewußt. Nicht umsonst war Paru in den Gemeinderat gewählt worden.

»Wie geht es dir inzwischen?« wollte Lea von Silas Rao wissen.

»Ganz gut«, antwortete der. »Ich würde sagen, ich bin zu achtzig Prozent wieder hergestellt. Der Arzt kommt jeden Tag und sieht nach mir. Und was meine Mitarbeit angeht: Ich habe beschlossen, alle Ämter für ein Jahr niederzulegen und mich richtig zu erholen. In diesem Jahr werde ich überall herumziehen und erzählen, dass Gott mir das Leben noch einmal geschenkt hat.«

Lea hatte sich vorgestern bei ihrer Ankunft in Chakkaripalli riesig gefreut, Silas Rao zu treffen. Er war ihr, bekleidet mit einem weißen Hemd und weißem Lunghi, lachend entgegen gekommen, gestützt auf einem langen Stock. Er trug eine Strickmütze und zeigte ihr später den kahlen Schädel. Auch Helmut und Oliver hatten gestrahlt, als sie ihn sahen und begrüßten. Als Helmut ihn drückte, hatte sie schon Angst, er würde den noch gebrechlichen Silas Rao zerquetschen, so intensiv und lange lagen sie sich in den Armen.

»Das ist eine gute Entscheidung!« sagte Lea nun. »Lass dir Zeit. Wir werden schon klarkommen und wenn du wieder die Kraft hast, kannst du wichtige Aufgaben übernehmen.«

Lea meinte das ernst. Sie wollte auf keinen Fall auf Silas Rao verzichten. Er war ein sehr guter Organisator und Manager. Zwar hatte er keine Ausbildung abgeschlossen, hatte jedoch der Kirche über all die Jahre als zuverlässiger Leiter und Geschäftsführer zur Seite gestanden.

Dann aber hatte es ihn erwischt. Er bekam Fieber und wurde immer schwächer. Auf der Krankenstation in Elerupadu hatte man ihm Tabletten gegeben. Doch die halfen nicht. Zum Glück war Johannes aus Deutschland in jenen Tagen zu Besuch. Er unterstützte die Kirche beim erneuten Aufbau des Büros und der Finanzverwaltung. Fast alles mussten sie ja nun, da sie zum Kirchenbüro in Bhadrachalam keinen Zugang mehr hatten, wieder ganz von vorne beginnen. Auch die für all diese Dinge erforderlichen Kenntnisse hatten sie nicht. Wenn Leute wie Jacob, Johannes oder die Mitarbeiter im Kirchenbund nicht wären, könnten sie es niemals schaffen.

Also, Johannes war gerade da. Er überredete Silas Rao, in ein besseres Krankenhaus zu gehen. Er brachte ihn ins Apollo Hospital nach Hyderabad. Als Silas Rao dort ankam, war er bereits nicht mehr ansprechbar. ‚Malaria tropica' war die Diagnose, im weit fortgeschrittenen Stadium. Diese Art war jene Malaria, die lebensgefährlich war, wenn man sie nicht innerhalb der ersten Woche behandelte. Silas Rao hatte sich viel zu spät ins Krankenhaus begeben und lag dann mehrere Wochen im Koma. Johannes und deutsche Freunde zahlten Aufenthalt und Behandlung. Wäre das nicht geschehen, würde Silas Rao heute nicht mehr leben. Der Ayyagaru hatte Oliver, wie der später erzählte, am Telefon empfohlen, die Zahlungen einzustellen. Er meinte, es wäre rausgeschmissenes Geld, den Mann noch länger künstlich am Leben zu halten. Aber die Deutschen hörten nicht auf den entmachteten Diktator. Also lebte Silas Rao weiter. Er erholte sich wieder. Weitere Wochen musste er im Hospital verbringen. Seine Frau und einer seiner Söhne nahmen sich ein Zimmer gegenüber dem Krankenhaus. So konnten sie ihren Mann und Vater jederzeit besuchen. Und der erholte sich.

Da er einige Medikamente nicht vertrug, verlor er seine Haare. Doch sonst ging es ihm immer besser und nach vielen Wochen konnte er das Krankenhaus verlassen.

»Ich habe von Gott eine zweite Chance bekommen«, sagte Silas Rao jetzt, »und ich habe mir fest vorgenommen, sie zu nutzen!«

Lea gingen diese Worte noch nach, als sie sich an diesem Abend auf eine der Pritschen in der Kirche zum Schlafen niederlegte. Auch sie wollte ihre zweite Chance als Präsidentin nutzen. Beim ersten Mal hatte sie wegen des autoritären Ayyagaru keine eigenen Akzente setzen können. Dieses Mal wollte sie es nachholen. Sie dachte an Ramanammas Aktion ‚Baum für Taufe und Kind' und daran, dass sie selbst ganz für die Gemeinden und die

Mitarbeiter da sein wollte. Vor allem das Wachstum im Glauben würde sie fördern und natürlich die Mission unter jenen, die noch nie etwas von Jesus gehört hatten.

Neben der Kirche stand jener Baum, den Hühner und Hähne sich als Quartier erwählt hatten. Jetzt schwiegen die Hähne. Am Morgen aber würden sie wieder krähen.

37 Ohne Netz

Seit Tagen ohne Netz.

Jacob war zusammen mit einem örtlichen Pastor in einer einsamen Gebirgsregion Orissas unterwegs. Dieses Gebiet gehörte zu einem für Ausländer gesperrten Teil des Bundesstaates. Es war Stammesgebiet und eine Hochburg der Naxaliten. Sie hatten eine Konferenz der Pastoren und eine riesige Missionsversammlung durchgeführt. Jacob war als Redner eingeladen worden. Ihm war etwas mulmig zumute, war doch in Orissa ein Gesetz in Kraft, das den Leuten verbot, die Religion zu wechseln. Das Gesetz kam einem Missionsverbot gleich. Die fundamentalistische BJP hatte es durch das Parlament gebracht und öffnete damit Tor und Tür für Übergriffe auf Christen. Willkürliche Verhaftungen wurden vorgenommen und Gewalttaten gegen kirchliche Gebäude, Sachen und Personen von der Polizei geduldet. Ein norwegischer Missionar wurde zusammen mit seinen Söhnen in seinem Jeep verbrannt, katholische Ordensschwestern verprügelt und vergewaltigt und Kirchen angesteckt. Ein offenbar von langer Hand geplanter Überfall auf über hundert Christen war bisher nicht aufgeklärt worden. Es war immer noch unklar, ob sich die Leute vor ihren Verfolgern in den Dschungel retten konnten oder irgendwo ermordet und verscharrt worden waren. Dabei waren diese Vorfälle nichts im Vergleich zu den Übergriffen in einem anderen Distrikt. Dort sollten über dreihundert Christen ermordet worden sein.

Kein Wunder, dass Jacob während der gesamten Reise unruhig war. Sie hatten an diesem Tag noch zwei kleine Gemeinden besucht und waren nun auf dem Weg in die Stadt, wo Jacob mit dem Zug angekommen war und nun zurückfahren wollte.

Plötzlich bremste der Fahrer. Mitten auf der Straße standen Soldaten. Sie hielten kurzläufige Maschinenpistolen im Anschlag. Der Fahrer stoppte den Jeep.

Das Fenster war wegen der Wärme geöffnet. Ein Soldat inspizierte mit finsterem Blick das Innere des Fahrzeuges. Jacob und der Pastor mussten ihre Ausweise zeigen. Dann sollten sie aussteigen. Der Soldat inspizierte das Innere des Wagens, die MP im Anschlag.

Alles in Ordnung. Ohne dass sich seine Mine aufhellte, gab der Soldat mit dem Lauf seiner Waffe das Zeichen, wieder einzusteigen und nickte dem Fahrer zu. Sie konnten weiterfahren.

Jacob war erleichtert. Die Soldaten hatten ihn zum einen nicht als Ausländer eingestuft. Er kam zwar lediglich aus einem anderen Bundesstaat, dennoch hätten die überaus schlecht bezahlten Staatsdiener diese Tatsache für eine kleine Gehaltsaufbesserung nützen können. Wer in diesem Teil der Welt als ‚Ausländer' eingestuft wurde, entschied hier nicht der Pass, sondern jene, die buchstäblich ‚am Drücker' der Macht saßen. Zum anderen deutete die Anwesenheit des Militärs darauf hin, dass diese Gegend zurzeit unsicher war. Jacob wusste, dass vor allem zwei Gruppen für Unsicherheit sorgten: Marxistische Widerstandskämpfer, also Naxaliten und fundamentalistische Hindus, die es auf Christen und Moslems abgesehen hatte.

Er war froh, als sie endlich am Bahnhof ankamen. Er hatte noch etwas Zeit, bis sein Zug fuhr. Also verabschiedete er sich von seinem Begleiter, kaufte sich ein Mineralwasser und suchte sich ein Telefon. Vor etwa einer Stunde hatte er bemerkt, dass sein Handy zwar wieder ein Netzsignal empfing, mit Schrecken jedoch festgestellt, dass der Akku so gut wie leer war. Musste denn alles schief gehen?

Nun aber war es endlich soweit. Er konnte mit seiner Frau und mit Pradana telefonieren.

Sofort bekam er Anschluss. Das Telefon in seinem Haus klingelte. Er saß auf einer schmalen Holzbank in einer winzigen Telefonzelle. STD/ISD stand in großen gelben Buchstaben draußen an der rot gestrichenen Bude.

Eines der Mädchen nahm den Hörer ab.

»Hallo Bhanu«, sagte Jacob, »bitte gib mir doch Deepa!«

Sofort rief Bhanu, die Jacob und seine Frau bei sich aufgenommen hatte, mit heller Stimme nach Deepa.

»Jacob! Wo steckst du denn? Endlich rufst du an!«

Deepa ließ ihn kaum zu Wort kommen. Sie war aufgeregt.

»Ich konnte nicht«, antwortete Jacob. »Es gab kein Netz und nun ist mein Akku leer.«

»Jacob, du musst sofort kommen! Sie haben Oliver abgeholt!«

Jacob verstand nicht.

»Was hat wer? Wo ist Oliver?«

Er wusste, dass Oliver zum Schluss seines Aufenthaltes noch ein paar Tage bei ihnen in Kovvur ausspannen wollte, bevor er nach Hyderabad und dann nach Deutschland reiste. Seit das Hauptquartier der Kirche nicht mehr in Bhadrachalam war, sondern in einem südlichen Dorf, kam Oliver gerne zu ihm und seiner Familie, um dort Station zu machen und zu entspannen. Er war immer herzlich willkommen.

»Die Polizei hat Oliver gleich, nachdem du weg warst, abgeholt!« sagte Deepa, immer noch sehr aufgeregt.

»Ich wusste nicht, was ich machen sollte. Ich habe versucht, Helmut zu erreichen. Aber er hat nicht abgenommen. Dann habe ich im Büro angerufen und weil auch dort niemand war, die Präsidentin direkt angewählt. Lea war gerade im Bus unterwegs, als ich sie erreichte. Die Verbindung war schlecht, doch sie hat die Pastoren informiert. Aber wir brauchen dich!«

Jacob war geschockt. Nun also hatten sie doch zugeschlagen, mit zwei Jahren Verspätung. Was ging da vor sich?

»Weißt du, wer genau ihn abgeholt hat und wo sie ihn hingebracht haben!«

»Es waren zwei Männer in Zivil, die sich als Leute vom Innenministerium auswiesen. Sie haben ihn bei uns ins Gefängnis gebracht. Nagesh hat mich auf dem Laufenden gehalten. Er hat es Oliver so bequem wie möglich gemacht. Der war jedoch nur eine Nacht hier. Dann haben sie ihn nach Hyderabad in die zentrale Haftanstalt gebracht, wo alle Ausländer und auch die Politischen hinkommen.«

»Deepa, ich werde mich sofort darum kümmern. Ich steige gleich in den Zug. Vom Bahnhof nehme ich mir ein Taxi. Du kannst schon schlafen gehen, mach dir keine Sorgen!«

Er legte auf und atmete tief durch. Nun war also doch eingetreten, wovor er seit jener Anzeige Angst hatte. Sie hatten einen der Freunde festgesetzt. Er musste sofort versuchen, Helmut zu erreichen. Da es mit dem Handy nicht funktionierte, entnahm der dort die Nummer und wählte am ISD Telefon. Es klingelte. Keine Verbindung. Dann probierte er die Handynummer von Helmut. Jetzt hatte er Erfolg. Fast ohne Einleitung sagte er, und man konnte die Aufregung in seiner Stimme sicher spüren:

»Helmut, es ist etwas sehr Schlimmes passiert! Sie haben Oliver verhaftet!«

Helmut musste offensichtlich erst einmal begreifen, was er da hörte. Es entstand eine Pause.

»Wann und Wo?«

Jacob bewunderte, wie sachlich Helmut blieb.

»Und wo ist er jetzt?«

Jacob erzählte ihm, was er wusste.

»Ich werde umgehend alles tun, was ich von hier aus machen kann!« sagte Helmut und nach zwei, drei kurzen Absprachen legten sie beide auf.

Jacob überlegte. Was konnte er noch tun? Welche Beziehungen hatte er, die Oliver helfen könnten?

Er rief seinen Schwager in Vizag an. Der kannte wichtige Politiker im Ministerium. Dann versuchte er, das ACTC zu erreichen, das Theologische College in Hyderabad, wo er seine Ausbildung gemacht hatte und nach vielen Jahren Zwangspause nun wieder Absolventen der Kirche studierten. Er erreichte niemanden. Auch ein Anruf bei einem Freund von früher in New Delhi war erfolglos. Auf ihn setzte Jacob noch die größten Hoffnungen. Er hatte Beziehungen ins Innenministerium. Über ihn hatte er vor zwei Jahren von jener Anzeige gehört, die soviel Staub aufgewirbelt hatte.

Jacob versuchte es bei jenem Anwalt in Bhadrachalam, mit dem er befreundet war und der die Rechtsvertretungen gegen den Ayyagaru machte. Er erreichte ihn und der Anwalt versprach, alles zu tun, was möglich war.

Dann musste er sich beeilen, um den Zug nicht zu verpassen. Er schwitzte und der Schweiß lief ihm in Strömen über den Körper. In der kleinen Zelle hatte er die Tür schließen müssen, da der Straßenlärm beim Telefonieren störte. Es gab zwar einen kleinen Ventilator, trotzdem war es heiß, von außen und vor Aufregung auch von innen.

Jacob zahlte und wunderte sich darüber, wie günstig das Telefonieren in Indien inzwischen geworden war. Selbst das Telefonat nach Deutschland war nicht teuer.

Schnell eilte er zum Bahnsteig. Der Zug war gerade eingefahren. Auf der Plattform stapelten sich Kisten, Ballen und Gepäckstücke und wurden Stück für Stück mittels einer kleinen Luftreise in den Gepäckwagen befördert. Kein Wunder, dass soviel Bruch entsteht, dachte Jacob, als er am Zug entlang eilte und seinen Waggon mit der Nummer S2 suchte. Die meisten Leute waren bereits im Zug. Trotzdem gab es noch drängelnde Reisende vor den Türen. Jacob drängelte mit. Zwar hatte jeder in Indien einen reservierten Platz und deshalb musste niemand Angst haben, nicht mitzukommen, doch drängeln waren sie gewöhnt. In Bussen, in Bahnen und sogar im Flugzeug, sobald es landete.

Auf einer Liste, die draußen neben der Tür zum Schlafwagen Nummer 2 angebracht war, fand Jacob seinen Namen. Also war alles klar, die Reservierung hatte geklappt. Er schob sich, seine Reisetasche vor den Bauch haltend, durch den engen Gang. Dieses Mal hatte er ein oberes Bett am Gang gebucht. Eigentlich schlief es sich besser im Abteil, wo vier Betten waren. Die Liegeflächen waren breiter und es streiften nicht ständig Leute vorbei. Doch Jacob war froh, überhaupt einen Schlafplatz bekommen zu haben. Die indischen Züge waren häufig überfüllt.

Der Zug fuhr an. Langsam aber stetig kam er auf Touren und bald mussten jene, die in den geöffneten Türen standen, wegen des starken Fahrtwindes zurücktreten. Ein Mann vom Speisewagen nahm Bestellungen für das Abendessen auf. Jacob bestellte sich ein Menü. Als ein Teeverkäufer durchkam, gönnte er sich noch einen süßen Tee. Dann lehnte er sich zurück, nun ein wenig entspannter als vorhin. Plötzlich fiel ihm ein, dass er Deepa gar nicht gebeten hatte, Pradana ans Telefon zu holen. Wie aufgeregt musste er sein, wenn er sogar seine Tochter vergessen hatte? Was war zu tun? Was hatte die Verhaftung Olivers zu bedeuten? Seit der Anzeige waren Oliver, Helmut und Johannes mehrfach in Indien gewesen. Nichts war passiert. Selbst als Oliver in Zeitungen und im Fernsehen abgebildet war und noch die ersten, wirklich aufregenden Monate nach der Revolution liefen, war Derartiges nicht geschehen. Warum jetzt?

Jacob vermutete, nein, er war sich sicher, dass Samuel Raj seine Finger im Spiel hatte. Ob der allerdings noch über solchen Einfluss verfügte? Jacob dachte eher, der Ayyagaru hätte sich seine Sympathien auch in der Politik verspielt und stände wegen seiner Arbeitsverweigerung, des Alkoholkonsums und eines Finanzskandals total unter Druck.

Oder hatte die Akte mit der Anzeige so lange ohne Beachtung irgendwo im Ministerium gelegen, war jedoch nicht als ‚erledigt' eingestuft worden? Relativ schnell war damals ein Beamter aus dem Bezirk gekommen und hatte Jacob wegen seiner deutschen Freunde befragt. Danach war es ruhig geblieben und Jacob hatte von seinem Bekannten in Delhi gehört, dass die Anzeige erledigt sei. War sie aber wohl doch nicht.

Am wahrscheinlichsten war, dass wegen der politischen Brisanz des Polavaram-Projektes alle möglichen Unruheherde für die Region nochmals unter die Lupe genommen wurden. Dann war es umso wichtiger, dass Olivers Engagement gegen das Projekt nicht zur Sprache kam. Er hatte zwar nichts Verbotenes getan, jene Kräfte jedoch, die den Deutschen oder den Christen eines auswischen wollten, hätten hier einen Hebel, ihnen Probleme zu machen.

Das Essen kam. Aus einem Topf aus Weißblech füllte der Kellner ihm eine riesige Kelle Reis auf die zum runden Teller zusammengenähten Blätter. Daneben legte er zwei kleine Päckchen und einige Plastiktütchen. Jacob zerbröselte die Reisklumpen, zerriss die Zwirnsfäden und öffnete die Päckchen aus Zeitungspapier. Gemüse und Hühnchen dufteten köstlich. Die Sauce und später auch Joghurt kamen aus den Plastiktütchen.

Jacob ließ es sich schmecken und warf dann die Reste durch die geöffnete Tür nach draußen. Wie alle hier. Er musste lachen. Oliver hatte bei der letzten Konferenz versucht, den Pastoren beizubringen, die Pappteller und Plastikgläser einzusammeln und entweder zu verbrennen oder zu vergraben. Solange Oliver in der Nähe war, klappte es sogar halbwegs, nachdem er mehrfach losgezogen war und den Müll selbst aufsammeln wollte. Das wollten sie ihrem Gast nicht zumuten. Also achteten sie darauf, den Müll einzusammeln – solange er in der Nähe war. Wann immer sie jedoch allein waren, machten sie es wie immer: Sie schmissen alles über den Zaun oder auf den Boden. Es würde sich schon irgendwie von allein regeln. Zum Scherz rief dann manchmal jemand:

»Hey, Oliver sieht das!«

Alle lachten, wussten sie doch, dass Oliver zehntausend Kilometer weit weg war – na ja, wenn er nicht gerade in einem indischen Gefängnis saß. Jacob fragte sich, ob Oliver auch seiner jetzigen Lage noch seinen ironischen Humor bewahren konnte. Hoffentlich.

Die Nacht verlief ohne Störungen. Er hatte allerdings einen unruhigen Schlaf. Immer wieder musste er an Oliver denken. Ob der tatsächlich noch im Gefängnis saß? Gut, dass Nagesh in Kovvur war und sich dort um ihn gekümmert hatte. Aber in Hyderabad hatte Oliver niemanden, der ihm direkt helfen konnte.

Jacob zog sich das von der Bahn gestellte weiße Bettlaken über das Gesicht. Was hülfe es Oliver, wenn er sich jetzt Sorgen machte. Besser, er schlief endlich ein, dann hatte er wenigstens morgen die Kraft, etwas zu tun.

*

Als der Zug über die Brücke bei Rajamundhri rollte, wachte Jacob vom hohlen Klang der Räder auf. Gerade noch rechtzeitig. Eigentlich hätte der Schaffner ihn längst wecken wollen. Schnell zog er nun seine Schuhe an, schnappte sich seine Tasche und eilte zum Ausgang. Frische Morgenluft blies ihm ins Gesicht, als er durch die geöffnete Tür nach vorn sah. Unter sich sah er den aufgestauten Fluss träge dahinfließen. Südlich zerteilte er sich in mehrere Arme. Dort floss er über die Staumauer und an einer Stelle erzeugten Turbinen Strom. Rechts leuchteten die Türme des Gaskraftwerkes.

Jacob sah über grüne Felder. Bananen, Kokospalmen, Zuckerrohr, Tabak – wie viel fruchtbarer war diese Gegend als jene Berge, aus denen er gerade kam!

Am Bahnsteig von Kovvur, von Bahnhof konnte man hier, gleich auf der anderen Seite des Flusses, eigentlich nicht sprechen, nahm Jacob eine der wartenden Fahrradrikschas. Ein alter, dürrer Mann chauffierte ihn zunächst über eine breite Straße, dann in der Siedlung durch schmale Gassen und zum Schluss über ein abgeerntetes und jetzt trockenes Reisfeld bis zu seinem Haus. Endlich war er wieder zu Hause. Bhanu entdeckte ihn zuerst. Sie öffnete das schmiedeeiserne Tor in der Mauer, die das gesamte Grundstück umgab. Jacob bezahlte den Fahrer. Er gab ihm etwas mehr, als der Mann verlangte, denn er fand, dass diese Arbeit überaus anstrengend war. Eigentlich nahm er lieber Motorrikschas, doch für kleine Stre-cken wie jetzt hatte er kein schlechtes Gewissen, die Kraft eines Fahrradkulis auszunutzen.

Deepa kam aus der Küche. Er gab ihr einen kurzen Kuss auf die Wange. Pradana stürzte auf ihn zu und fiel ihm um den Hals. Jacob drückte und küsste sie.

Zum Frühstück hatte Deepa Idlis gemacht, dazu gab es Vadas. Jacob hatte nicht vor, lange zu bleiben.

»Deepa«, sagte er, »ich werde jetzt gleich zu Nagesh gehen. Vielleicht kann der etwas über Oliver herausfinden.«

»Mir hat er gesagt, dass er nichts weiter weiß«

»Aber vielleicht kennt er jemanden, den ich im Gefängnis von Hyderabad anrufen kann.«

Jacob spülte die trockenen Idlis mit etwas Wasser hinunter, wusch sich die Hände und fuhr dann los. Nagesh wohnte in der Nachbarschaft. Trotzdem nahm Jacob das Motorrad. Oft genug hatte er erlebt, dass sich ein zweiter aus einem vergeblichen ersten Weg ergeben hatte. Genauso kam es. Vom Balkon des Hauses im ersten Stock informierte ihn die Schwester Nageshs, dass der schon im Gefängnis sei. Er hatte Dienst. Also fuhr Jacob, vorbei an der Polizeistation, zum kleinen Gefängnis von Kovvur. In einem Gebäude rechts von der großen, blaugrau gestrichenen Eingangstür, war die Verwaltung mit dem Büro des Inspektors untergebracht. Jacob stellte sein Motorrad ab und ging hinein. Hinter einem großen Schreibtisch saß der Subinspektor, erkennbar an den zwei Sternen an der Schulterklappe. Jacob grüßte.

»Ich wollte zu Nagesh«, sagte er, »hat der Dienst?«

»Hat er«, antwortete der Beamte, »er kann dich allerdings nicht empfangen, da sie gerade zwei Neue einweisen. Sag mal, warst du nicht auch schon ‚Gast' hier? Worum geht es denn?«

Auch Jacob hatte den Subinspektor wiedererkannt.

»Ja, ich war auch schon mal hier, wegen einer bösen Verleumdung!«

Da er sein Gegenüber in positiver Erinnerung hatte, fragte er nun direkt.

»Bei euch war vor ein paar Tagen ein Deutscher, der aus politischen Gründen verhaftet worden wurde. Weißt du, was weiter mit ihm passiert ist?«

»Der Deutsche, ja, der war hier. Nagesh hat ihn gemocht und behauptet, dass er schuldlos hier saß. Der Parteivorsitzende der Congresspartei im Distrikt hat uns angekündigt, dass ein Ausländer kommen würde. Wir sollten bei ihm keine Sonderbehandlung zulassen. Allerdings hat Nagesh sich nicht daran gehalten. Er hat den Mann ganz schön verwöhnt.«

Jacob konnte sich jetzt einiges zusammenreimen.

»Der Parteivorsitzende? Was hat denn der damit zu tun?«

Der Beamte wusste es auch nicht genau.

»Keine Ahnung. Ich vermute, er war von den beiden Beamten, die den Deutschen mit Papieren des Innenministeriums hier eingewiesen hatten, informiert worden.«

Jacob vermutete eher die umgekehrte Richtung. Der Partei vorsitzende hatte die Beamten mobilisiert und die Untersuchung wieder aufleben lassen. Warum? Es lag auf der Hand, dass der Ayyagaru seine Finger im Spiel hatte. Es war seine Partei und sein Parteigenosse.

Auch der Inspektor schien nun gewisse Zusammenhänge herzustellen.

»Du bist doch Pastor Jacob!« sagte er. »Jener Jacob, gegen den vor Jahren Recherchen aus Delhi liefen. Irgendwie hing das doch auch mit Ausländern zusammen, oder?«

Jacob bestätigte ihm das und gab ihm eine kurze Information über die Intrigen des Ayyagaru.

»Verstehe«, sagte der Inspektor, »da habt ihr euch einen mächtigen Feind gemacht.«

»Allerdings, aber zwei Jahre lang ist kaum etwas passiert. Nun scheint er nervös zu werden und wird wieder aktiv. Kannst du vielleicht herausfinden, was mit Oliver ist?«

»Okay, ich kann es versuchen.«

Der Beamte blätterte in einem Verzeichnis und griff dann zum Telefon. Er rief offenbar direkt in Hyderabad an. Zweimal wurde er weiter verbunden und mehrmals stellte er Fragen nach Oliver, sagte dann »Ja« und »verstehe« und legte endlich auf.

Jacob war gespannt.

»Was haben sie gesagt?«

»Sie haben ihn noch dort«, antwortete der Inspektor. »Er sitzt jetzt in einer Einzelzelle. Er hat einem Naxaliten zur Flucht verholfen!«

Jacob glaubte, seinen Ohren nicht zu trauen.

»Was hat er?!«

»Er wird verdächtigt, gestern Nacht einem seiner Zellengenossen zur Flucht verholfen zu haben – oder zumindest von der Flucht gewusst zu haben, ohne den Beamten etwas zu melden.«

Die Sache wurde immer komplizierter.

»Wie kann ich ihn erreichen?«

Der Subinspektor dachte einen Moment nach, zuckte dann jedoch mit den Schultern.

»Das wird schwierig. Du kannst nach Hyderabad fahren und es direkt beim Gefängnis versuchen. Am besten, du schaltest einen Anwalt ein.«

Jacob bedankte sich und verließ das Büro. Während er zurück zu seinem Haus fuhr, überlegte er, was er machen könnte. Vielleicht sollte er sich umgehend auf den Weg nach Hyderabad machen. Dann wäre er am Abend dort und könnte gleich morgen versuchen, eine Besuchserlaubnis im Gefängnis zu bekommen. Für den Tagzug würde er wahrscheinlich auch im Zug eine Fahrkarte bekommen. Soweit er sich erinnerte, ging ein Zug noch vor Mittag. Aber auch dann hatte er noch eine Stunde Zeit.

Zu Hause angekommen, setzte er sich zuerst an den Computer. Erst seit ein paar Wochen hatte er einen schnellen Internetzugang. Er schrieb Helmut eine E-Mail mit Kopie an das Kirchenbüro. Dort wurden die Mails zwar unregelmäßig abgerufen, aber auch die Geschwister der Kirchenleitung sollten informiert sein. Er informierte über das, was er erfahren hatte und versicherte, dass er alles tun würde, was nötig wäre.

Dann versuchte er erneut, seinen Freund in New Delhi zu erreichen. Diesmal hatte er Glück. Sein Freund wusste nichts von einer neuen Recherche wegen der Anzeige und schon gar nichts von einer Verhaftung. Aber er wollte sich darum kümmern und Jacob sofort anrufen.

Mit einem weiteren Anruf erreichte Jacob den Anwalt.

»Ich habe noch nichts erreichen können!« sagte der. »Dein deutscher Freund hat offensichtlich richtig Mist gemacht und ist irgendwie in die Flucht eines Terroristen verwickelt. Aber immerhin hat er einen Pflichtanwalt bekommen. Mein Kollege heißt Appa Rao. Ich habe versucht, ihn zu erreichen, bisher jedoch ohne Erfolg.«

Der Anwalt gab Jacob die Telefonnummer von seinem Kollegen in Hyderabad, jenem Appa Rao.

Jacob schaltete den Computer aus und machte sich noch etwas frisch. Schade, dass er seine gerade wieder getroffene Familie jetzt gleich wieder verlassen musste.

Deepa packte ihm einige frische Hemden und andere Kleidung in einen kleinen Koffer, während er mit Pradana scherzte und schmuste. Sie war sichtlich traurig, dass ihr Vater gleich wieder los musste.

Telefonisch bestellte Jacob Babu mit dem alten Ambassador und ließ sich von ihm das kleine Stück zum Bahnhof fahren. Schon kurz darauf kam der Zug.

Anders als in den Schlafwagen der zweiten Klasse war die zweite Klasse mit Sitzplätzen ziemlich voll. Familien, Pilger, Geschäftsreisende und Pendler, es gab sicher viele Gründe zu reisen. Jacobs Grund jedoch war in diesem Zug wahrscheinlich einmalig. Er wollte jemanden aus dem Gefängnis holen! Zu dritt, manchmal zu viert quetschten sich die Leute auf die Bänke. An der Decke wirbelten kleine Ventilatoren die Luft durch den Waggon. So wurde es immerhin nicht zu heiß. Die meisten Fenster, gesichert mit waagerechten Eisenstangen, waren geöffnet. Wie immer, wenn Jacob mit dem Zug fuhr, hoffte er, dass nichts passieren würde. Es gab in diesen Waggons außer den Türen hinten und vorne nur zwei Fenster, aus denen man im Notfall fliehen konnte. Wenn es einmal brennen würde... da hatte es bei Unfällen in Indien schon viele Toten gegeben.

Jacob fand einen Platz in der Nähe der Außentür. Leider kam jedesmal, wenn sich die Gangtür öffnete, ein Schwall nach Urin riechender Luft herein. Die Toiletten waren offenbar, wie in fast allen Zügen, lange nicht gereinigt worden. Eine der Türen schloss nicht richtig, sondern klapperte im Takt der Fahrgeräusche, wenn der

Zug über die Schweissnähte der Schienen rollte. Jacob war froh, einen halbwegs komfortablen Platz zu haben. Den Geruch ignorierte er. Auch der Schaffner machte keine Probleme und stellte ihm nachträglich ein Ticket aus. Zwanzig Rupien halfen dabei und vermieden lange Diskussionen.

Nun hatte Jacob Zeit, viel Zeit.

Unterwegs führte er noch drei Telefonate. Mit dem College, dem ACTC, wo er eine Unterkunft bekam und erfuhr, dass die Präsidentin bereits dort war. Außerdem bat er einen der Dozenten, von dem er wusste, dass er ein Freund Olivers war, um Unterstützung. Der wusste von Lea bereits von Olivers Verhaftung, war jedoch geschockt, als er die Geschichte mit der Fluchthilfe hörte. Er versprach, Jacob am späten Abend vom Bahnhof abzuholen. Am nächsten Morgen könnten sie dann zusammen überlegen, was zu tun sei.

Das dritte Telefonat führte Jacob wieder mit dem Anwalt. Es gab nichts Neues.

Er lehnte sich zurück.

Was könnte er noch tun? Sein Freund in Delhi und auch sein Schwager würden ihn anrufen, sobald sie wüssten, was zur Klärung beitragen könnte. Helmut setzte sicher bereits in Deutschland alle Hebel in Bewegung. Während er im letzten Zug schlief, hatte Helmut wegen der Zeitverschiebung noch einige Stunden gehabt, Leute anzurufen. Er versuchte, diesen Pflichtanwalt, Appa Rao, zu erreichen. Ohne Erfolg. Beim ersten Versuch kam die Nachricht, dass der Empfänger sein Handy ausgeschaltet hatte und beim zweiten gab es keine Netzverbindung.

Nicht nur telefonisch, dachte Jacob, auch sonst war jeder Kontakt zu Oliver abgerissen. Wie mochte es ihm bloß gehen?

Jacob hatte eine lange Reise vor sich. Gut, dass er der letzten, schlechten Nacht noch ein paar Stunden Schlaf hinzufügen konnte, wenn auch diesmal im Sitzen.

38 Befreiungsstrategien

Lea war geschockt. Oliver im Gefängnis? Sie hatte gedacht, er sei längst zurück in Deutschland.

Deepa erreichte sie auf dem Weg ins Kirchenbüro. Seit einigen Monaten besaß auch sie ein mobiles Telefon. Als Präsidentin der Kirche musste sie erreichbar sein.

»Weißt du Näheres?«

Deepa verneinte.

»Wo ist dein Mann jetzt? Wir brauchen unbedingt Jacobs Hilfe!«

»Er ist noch in Orissa. Noch hat er sich nicht gemeldet und ich erreiche ihn nicht!«

»Das ist übel. Wenn er anruft, bitte richte ihm aus, dass ich im Kirchenbüro bin.«

Lea legte auf, zumal die Verbindung schlecht war. Der Bus holperte über die nur dürftig reparierte Asphaltstraße durch Kukunuru. Sie hatte vorgehabt, hier nach dem Rechten zu sehen, das große Kinderheim zu besuchen, mit dem Ortspastoren über Landfragen zu sprechen und in Kukunuru zu übernachten. Morgen wollte sie dann auf dem Weg ins Büro noch zwei ähnliche Besuche machen. Doch das musste warten.

Stattdessen rief sie die Kirchenleitung zusammen. Drei der wichtigsten Leute, Generalsekratär David und zwei andere, hatten Handys. Die würden die anderen über Festnetzverbindungen erreichen und alle ins Kirchenbüro beordern. Morgen früh konnten sie sich dort versammeln und am Abend konnte jemand mit dem Nachtbus nach Hyderabad fahren. Auch wenn sie mit der modernen Technik manchmal ihre Probleme hatte, im Grunde freute Lea sich darüber, dass der Kontakt untereinander durch die immer besser funktionierenden Mobilfunknetze deutlich erleichtert wurde. Vor wenigen Jahren noch hätten sie alles per Boten erledigen müssen und vor morgen Nachmittag wäre es nichts mit einem Treffen geworden.

Lea verließ den Bus im Zentrum des südlich vom Kirchengebiet gelegenen Ashwaropeta. Hier hatten sie seit der Revolution ihr Kirchenbüro in angemieteten Räumen untergebracht. Wenn der Stausee tatsächlich käme, wäre diese Kleinstadt eines der Zentren, zumal die Schnellstraße von Vijayavada nach Khammam hier durchging. Der Kassenwart, ein gehbehinderter Pastor, holte sie mit dem Motorroller von der Bushaltestelle ab. Sie hatte ihn telefonisch herbestellt.

Schlaf fand sie in dieser Nacht kaum. Zum einen dröhnten die Lastwagen auf der Straße vorbei. Lea hatte die Wahl des gemieteten Hauses kritisiert, sich jedoch gegen den Willen der anderen nicht durchgesetzt. Irgendwie waren auch verwandtschaftliche Beziehungen zum Besitzer des Gebäudes im Spiel gewesen. Zum anderen dröhnten, nicht minder laut, Sorgen um Oliver und Gedanken, wie man ihm helfen könnte, durch ihren Kopf. Also war die Nacht diesmal zu Ende, bevor es hell wurde.

Die Frau des Kassenführers servierte Lea einen Tee und ein paar süße Bananen zum Frühstück. Auch einige Vadas von gestern waren noch da. Und dann hieß es Warten.

Erst spät am Vormittag war die Kirchenleitung mit zehn Mitarbeitern fast komplett. Jedem von ihnen hatte sie die bisher bekannten Einzelheiten berichtet. Sie fand, dass die Sitzung zu spät begann. Es fehlten immer noch zwei Pastoren, doch wenn heute noch jemand nach Hyderabad fahren sollte, mussten sie mit den Beratungen beginnen.

Auch jetzt, unter Druck, starteten sie ihre Sitzung mit Gebet und Gesang. Das tat gut.

Dann erzählte Lea ein weiteres Mal, was sie wusste. Am Schluss teilte sie den Mitarbeitern ihren Verdacht mit, dass wahrscheinlich wieder einmal Samuel Raj seine Krallen ausgefahren hatte.

»Das sehe ich genauso!« bestätigte David, als sie das Gehörte diskutierten. »Die Frage ist nur, was den Ayyagaru so nervös macht, dass er gerade jetzt wieder aktiv geworden ist.«

»Ich ahne schon, was es sein könnte!« Sai Raju leitete das Kirchenbüro und meldete sich jetzt zu Wort. »Wir haben unmißverständich erklärt, dass alle kirchlichen Grundstücke umgehend auch auf den Namen der Kirche eingetragen werden müssen, und das macht ihn nervös.«

David und einige andere sahen Sai Raju unverständig an. Deshalb erklärte er es genauer.

»Wenn die Grundstücke der von uns neu gegründeten Gesellschaft gehören, kann er keine Spielchen mehr treiben. Er merkt jetzt, dass wir es ernst meinen. Solange alles über verschiedene Privatpersonen lief, die er damals als Strohmänner für den Kauf des Stammeslandes eingesetzt hatte, konnte er uns gegeneinander ausspielen. Das hat er ja auch kräftig getan. Und einige von uns haben ja auch Angst bekommen, dass ihnen das Land weggenommen wird und sie dann ohne Sicherheiten dastehen.«

Lea stimmte ihm zu.

»Du hast Recht. Samuel ist nicht nur dabei, die Prozesse zu verlieren, sondern je stärker wir werden und je konsequenter wir auftreten, desto weniger kann er seine Intrigen spinnen. Wenn die Deutschen ausgeschaltet werden, erhofft er sich vermutlich leichtes Spiel.«

»Das wird er nicht haben!«

David klang überaus entschlossen und Lea freute sich über ihren Generalsekretär.

»Auch wenn die Partner Probleme bekommen, werden wir konsequent auf unserem Kurs bleiben. Sogar wenn noch weitere Leute abspringen, und mögen sie noch so wichtig und bedeutsam für die Revolution gewesen sein, wir bleiben bei den Verabredungen. Aller Besitz, der für die Kirche gekauft wurde, wird nun auch an die Kirche überschrieben!«

Alle wussten, worauf David anspielte.

Beim letzten Delegiertentreffen, das auch Helmut und Oliver miterlebt hatten, waren Elias, Silas Rao und noch ein Pastor der 'Revolution' nicht erschienen. Sie hatten das Treffen trotz eindringlicher Appelle boykottiert, weil sie Angst hatten, ihre großen Kinderheime und das Land auf denen sie standen, hergeben zu müssen. Genau das mussten sie, wollten sie weiter Pastoren der Kirche sein. Während des Treffens war allen klar geworden, dass die Probleme noch längst nicht bewältigt waren.

»Aber was können wir für Oliver tun?«

David war es gewohnt, die Aufgaben, die vor Füßen lagen, anzupacken. Lea erklärte, was inzwischen alles lief, um ihn so schnell wie möglich zu befreien.

»Vielleicht sollten wir etwas nachhelfen!«

Ein kräftiger Pastor, der für sein überschäumendes Temperament bekannt war, machte ein ernstes Gesicht, als er das Wort ergriff.

»Warum sollen wir das, wovon man immer wieder in der Zeitung liest, nicht auch hinkriegen?!«

»Du meinst doch nicht ernst, was ich jetzt denke!« sagte David und runzelte die Stirn.

»Warum nicht! Warum sollen wir nicht Geld sammeln und dann etwas nachhelfen, damit Oliver aus dem Knast kommt?«

»Bruder! Woher sollen wir soviel Geld nehmen? Und wenn sie uns erwischen, sitzen wir auch.« David hatte offenbar keine moralischen, sondern vor allem praktische Bedenken.

Lea hatte den Eindruck, sie musste die Diskussion in angemessene Bahnen lenken.

»Ihr seid ja verrückt!« sagte sie. »Wenn Oliver nicht legal freikommt, wird er nie wieder nach Indien reisen können und kann Indien auch nicht verlassen, weil er sofort erwischt wird.«

Einige sahen enttäuscht aus, schienen das Argument jedoch zu akzeptieren, jedenfalls machte niemand erneut den Vorschlag einer Befreiung durch Bestechung.

»Im Moment können wir nichts weiter tun. Jemand von uns sollte nach Hyderabad fahren, heute Nacht noch. Auf Jacob können wir nicht warten. Ansonsten bleibt nur eines: Beten!«

Lea meinte es ernst.

»Oliver selbst hat uns das mit der Berliner Mauer erzählt, als es um den Staudamm ging. Was für solche Mauern gilt, müsste doch auch für Gefängnismauern gelten – oder?«

Alle nickten.

»Also werden wir eine Gebetskampagne starten. In allen Gemeinden soll um Gerechtigkeit gebetet werden und dafür, dass Oliver frei kommt.«

Sie waren sich einig. David sah Lea an und wandte sich dann an alle.

»Am besten, Lea fährt! Wenn die Präsidentin persönlich auftritt, könnte das mehr Gewicht haben, als wenn irgendjemand sich einsetzt.«

Alle stimmten zu und auch Lea hatte das bereits erwartet. Zwar fühlte sie sich nicht gerade fit, war jedoch bereit, die sieben Stunden Reise auf sich zu nehmen. Also beendete sie die Sitzung. Sie beteten, diesmal vor allem um Oliver. Dann verließen die Pastoren das Büro. Die meisten fuhren mit ihrem Motorrad zurück in ihre Dörfer, einige ließen sich zur Bushaltestelle bringen.

Lea verzichtete darauf, sich in Hyderabad anzumelden. Sie vertraute darauf, dass sie bei den beiden Studentinnen aus der Kirche Unterschlupf finden würde. Also packte sie einige Sachen in eine kleine Tasche. Sie hatte auch hier, im Büro, etwas Kleidung, da sie nun häufiger hier übernachten musste. Sie aß noch etwas, steckte sich einige Bananen ein, sah nach, ob sie genug Geld bei sich hatte und ließ sich mit dem Motorroller zur Bushaltestelle bringen.

Der Nachtbus aus Vijayavada hatte eine halbe Stunde Verspätung. Zum Glück bekam sie noch einen Platz, allerdings in der letzten Reihe. An Schlafen war also kaum zu denken. Der Bus fuhr durch die Dunkelheit. Gelegentlich hielt er. Lichter schauten herein. Nach kurzem Stopp ging es weiter. Obwohl es eine Schnellstraße war, auf der sie fuhren, gab es viele Schlaglöcher und Bodenwellen. Besonders hinten wurden die Passagiere kräftig durchgeschüttelt. Neben Lea saß ein dicker Mann, der sie enorm einengte und extrem nach Schweiß roch. Er rauchte zwar nicht, trotzdem hätte Lea ihn am liebsten kräftig in die Seite gestoßen. Doch nun war sie nicht mehr die junge Wilde, jetzt war sie Präsidentin und designierte Bischöfin einer christlichen Kirche. Also riss sie sich zusammen.

Sie dachte an Oliver. Wie würde es ihm jetzt gehen? Würde er gut versorgt werden? Würde er Hoffnung haben? Lea konnte sich ein Gefängnis von innen kaum vorstellen. Allein bei dem Gedanken, in einer Zelle zu sitzen, schnürte sich ihr Herz zusammen. Sie war ein Kind vom Fluss, liebte die Weite, brauchte Luft zum Atmen und Raum zum Leben. Ob es den Europäern auch so ging? Sie waren feste Räume gewohnt und lebten hinter Mauern. Während man in Leas Dorf, wie überall in Indiens Dörfern, mehr draußen als in den Hütten lebte, brauchten die Menschen in Europa ihre Häuser, ihre Wände, ihre Heizungen und ihre Schlösser. Es war wirklich die Frage, wer freier und unabhängiger war und wer die höhere Lebensqualität hatte.

Wieder wurde sie fast an die Decke geschleudert.

Irgendwann musste sie doch weggedämmert sein. Jedenfalls sah sie plötzlich Bilder, die mit dem Bus und ihrer Umgebung nichts zu tun hatten. Da war eine Mauer. Davor stand eine Palme, die traurig aussah und sich - als wolle sie sich etwas ausruhen - an die Mauer lehnte. Irgendetwas flatterte an der Palme im Wind. War es ein kleiner Drachen, wie Kinder ihn bastelten? Auf einer steinernen Bank unter der Mauer saß Oliver. Auch er sah traurig aus. Oder war es ein Inder, den sie dort sitzen sah? Irgendwie wechselten die Farben. Dann war die Palme dunkel, wie in der Nacht. Und plötzlich ging ein Tor auf, direkt neben der dunklen Palme in der Mauer. Gleißendes Licht fiel ihr in die Augen. Da begriff sie, dass sie wach war.

Im Bus leuchtete das Innenlicht. Draußen standen Masten mit Lampen. Es war hell. Sie hielten an einem riesigen Busterminal. Sie waren in Hyderabad.

Lea war noch ein wenig benommen, als sie ausstieg. Sie nahm sich eine Autorikscha zum ACTC und hoffte insgeheim, dass Jacob sich bei den Studenten gemeldet hatte oder sogar schon dort war. Letzteres war allerdings kaum möglich. Der Rikschafahrer forderte einen überaus hohen Fahrpreis. Angeblich streikten die über zwanzigtausend Rikschafahrer der Stadt für höhere Fahrpreise und benutzten die Taxameter deshalb nicht. Lea bestand auf dem eingeschalteten Preisanzeiger. Für den zweiten Fahrer, den sie fragte, war das kein Problem.

Bald kannte Lea sich aus. Früher war sie nie, seit ihrer ersten Amtszeit als Präsidentin jedoch häufig in der Hauptstadt des Bundesstaates gewesen. Mit Samuel Raj war sie mehrfach hier, dann hatte sie Silas Rao während seiner lebensgefährlichen Malaria im Krankenhaus besucht und einige Male war sie im ACTC, der theologischen Ausbildungsstätte, mit der sie zusammenarbeiteten. Inzwischen dämmerte es und Lea erkannte einige der Bauten, an denen sie vorbeikamen. Sie fuhren am Hauptquartier der Polizei vorbei. Hier irgendwo musste das Gefängnis sein, in dem Oliver jetzt saß. Dann lag oberhalb der Straße das weiße Birla Mandir, ein weißer Marmortempel. Es ging am künstlichen See entlang, der Hyderabad von seiner Schwesterstadt Secundarabad trennte. Links stand die riesige Buddha-Statue, die beim Aufrichten ins Wasser gefallen war, jetzt aber wieder stolz inmitten der weiten, stillen und etwas bräunlichen Wasserfläche stand. Rechts waren wichtige Personen aus Indiens Geschichte als Statuen dargestellt und standen aufgereiht wie Bäume in einer Allee. Sie fuhren rechts ab. An der Ecke gab es einen riesigen Kuhstall. Im Zentrum der Stadt war das Halten von Rindern inzwischen nicht mehr erlaubt. Also gab es keine der angeblich ‚heiligen Kühe' mehr auf den Straßen. Lea empfand diesen innerstädtischen Kuhstall als äußerst merkwürdig und deplaziert. Unterhalb der Prachtstraße kamen sie an einem Slum vorbei. Wäscherfamilien trockneten am Rand eines Abwasserkanals ihre Wäsche. Dann waren sie am Ziel.

Das Grundstück des Theologischen Kollegs war sehr groß. Links gab es einige Wohnhäuser für Dozenten, vor sich sah Lea die Studentenwohnungen und Wohnheime und rechts war der Unterrichtskomplex mit Büroräumen, Bücherei und Klassenzimmern. Die Wege waren gut gepflegt, einige Grasflächen zwischen den Häusern allerdings verwahrlost und zum Teil mit Disteln überwuchert. Schlangen liebten solche Gärten!

Lea ging geradeaus. Sie wusste, wo die beiden Studentinnen ihrer Kirche wohnten.

*

Es dauerte, bis etwas ins Rollen kam. Lea dachte schon, sie könne gar nichts bewegen und vermisste Jacob, der sich noch nicht einmal gemeldet hatte. Die Mädels hatten sie überrascht, jedoch sehr freundlich aufgenommen. Lea freute sich über die beiden, denn offensichtlich hatten sie viel Erfolg mit ihren Studien. Die nächste Generation ausgebildeter Theologen und Leitungspersönlichkeiten war im Kommen! Wenn man bedenkt, dachte Lea, was der Ayyagaru alles blockiert hatte, könnte man heulen! Seit vielen Jahren hatte er niemanden mehr durch Stipendien und dergleichen unterstützt.

Am Tag ihrer Ankunft hatte Lea lange Gespräche mit dem Direktor des Kollegs geführt und mit Dr. Jaykumar, einem Freund Olivers, der hier Dozent war. Beide waren natürlich über die Informationen erschrocken, sicherten jedoch ihre volle Unterstützung zu. Die bestand zunächst darin, dass Dr. Jaykumar einen hochrangigen Beamten anrief, der eines seiner Gemeindeglieder war. Ohne Erfolg. Dann telefonierten sie mit dem Gefängnis. Kein Kommentar. Sie sollten über einen Anwalt eine Besuchserlaubnis beantragen.

Also versuchten sie, den Anwalt des Kollegs einzuschalten. Der war nicht erreichbar.

So verging der Tag ohne sichtbare Ergebnisse. Sie hatten immerhin herausgefunden, was nicht ging.

»Morgen sollten wir versuchen, mit dem Deutschen Konsulat Kontakt aufzunehmen!« schlug Dr. Jaykumar vor. »Die müssten eigentlich längst Kontakt mit Oliver haben. Außerdem sollten wir mal direkt zum Gefängnis fahren.«

Lea war froh, all diese Kontakte nicht allein machen zu müssen. Sie hätte ihren Generalsekretär mitnehmen sollen, dann müsste sie jetzt nicht den Dozenten bemühen. Doch Dr. Jaykumar schien es gerne zu machen und der Direktor schien ihm für diese Tage freizugeben. Er war ein kleiner, stämmiger Mann, der immer ein Lächeln im Gesicht hatte.

Leider kamen sie mit ihren Bemühungen nicht weiter.

In der Haftanstalt kamen sie nur bis zu einem Besucherzimmer in der Verwaltung. Zwar wurden sie informiert, dass Oliver hier sei, jedoch behauptete der Inspektor, mit dem sie sprachen, dass sie ohne verwandtschaftliche Beziehung zu dem Gefangenen kaum Chancen hätten, ihn zu besuchen. Er sei eben kein gewöhnlicher Gefangener, sondern ein ‚Politischer'. Doch sie könnten es ja mal über den Anwalt von Oliver versuchen, einem gewissen Herrn Appa Rao.

Lea war überrascht und erleichtert zugleich, dass Oliver einen Anwalt hatte. Der Inspektor gab ihnen die Telefonnummer. Als sie die Mobilnummer anriefen, hatte der Anwalt sein Handy ausgeschaltet.

Wieder zurück auf der Straße warf Lea einen Blick zurück zum Gefängnis. Plötzlich entdeckte sie links neben dem Verwaltungsgebäude oben über der Mauer die Krone einer Palme. Sofort dachte sie an ihren Traum. Leider blieb das große, dunkle Tor verschlossen.

»Wir sollten es bei der Deutschen Botschaft versuchen!« Lea wunderte sich über einen jetzt so tatkräftigen Jaykumar. Bisher hatte sie den Dozenten eher als weltfremden und zerstreuten Professor kennengelernt.

Sie nahmen sich eine Motorrikscha.

»Bitte bringen Sie uns zum Deutschen Konsulat.«

Der Fahrer fuhr sofort los. Er schien zu wissen, wo das Konsulat war und kurvte über Highways und durch enge Gassen. Einmal zeigte er ihnen, mitten in einem Einkaufsviertel, einen Gebäudekomplex, der total ausgebrannt war.

»Dort ist jenes Restaurant«, informierte er sie, »wo es im August geknallt hat. 42 Personen starben bei Bombenattentaten hier und während einer Lasershow im Vergnügungspark ‚Lumbini'. Weitere Bomben konnten am gleichen Abend noch entschärft werden. Eine davon sollte in einem Kino explodieren.«

Während sie weiterfuhren, erklärte Dr. Jaykumar ihr, was er darüber wusste. Es kam schon im Mai zu einem terroristischen Attentat auf die Mekka Moschee. Elf Muslime starben während des Freitagsgebetes. Erste Vermutungen, es handele sich bei den Attentätern um extremistische Hindus, bestätigten sich nicht. Der Verdacht fiel daraufhin vielmehr auf eine fundamentalistische Gruppierung des Islams, die sich gegen die verhältnismäßig ‚freie' Auslegung des Islams durch die Mekka Moscheebesucher richtet. Man vermutete, die letzten Anschläge waren durch dieselben Täter verübt worden und die sollten einer fundamentalistischen Gruppe aus Pakistan angehören.

»Geht es denn nur mit Gewalt? Müssen sie sich immerzu zerfetzen wie die Hähne an Pongal?«

Dr. Jaykumar sah sie etwas irritiert an. Eigentlich hatte sie nur laut gedacht.

Langsam wurden sie beide unruhig.

»Weißt du wirklich, wo das Konsulat ist?« fragte Dr. Jaykumar den Fahrer.

»Ja, ja!« antwortete der. »Vertraut mir. Ihr wollt Visa für Deutschland, ich bringe euch hin!«

Die Route war inzwischen derart verwirrend, dass Lea nicht mehr wusste, wo sie waren. Dr. Jaykumar jedoch schien voller Vertrauen zu sein.

Plötzlich stoppte der Fahrer sein motorisiertes Dreirad.

»Hier ist es!« Er wies auf eine Häuserfront in einer der Geschäftsstraßen. »Ich glaube, es ist im 1. Stock!«

Lea war überaus skeptisch. Dort oben, zwischen all den von Werbetafeln überladenen Läden, sollte das Generalkonsulat für Deutschland sein? Das konnte sie sich nicht vorstellen. Auch Dr. Jaykumar blickte den Fahrer ungläubig an.

»Ich gehe rauf«, sagte er. »Du wartest hier. Wenn es nicht stimmt, bekommt der Fahrer kein Geld!«

Die Miene des Fahrers schien unerschütterlich. Der Dozent verließ das Taxi und ging über die Außentreppe nach oben, wo er irgendwo zwischen oder in den Läden verschwand. Nun war Lea allein. Allein in einer riesigen Stadt und unbekannter Umgebung. Irgendwie fand sie das plötzlich beklemmend und sehnte sich zurück in ihr Dorf, in ihre Hütte und an den Fluss.

Schon nach wenigen Minuten kam ihr Unterstützer zurück und wandte sich an den Fahrer.

»Du Schlitzohr!« Lea wunderte sich, dass der sonst so sanfte Professor derart ärgerlich werden konnte. »Das ist natürlich nicht das Konsulat! Aber ich habe hier die Adresse. Das Deutsche Generalkonsulat befindet sich im Stadtteil RA Puram, in der Boat Club Road!«

Der Fahrer tat unschuldig.

»Ich dachte, ihr wollt ein Visum!«

Er nahm den Zettel, fädelte sich ohne nach rechts und links zu schauen in den Gegenverkehr ein und strebte zielsicher quer durch die Millionenstadt.

Dr. Jaykumar erklärte Lea das Missverständnis oder präziser, den Kilometersammeltrick.

»Seit wenigen Jahren werden Visa für Deutschland nicht mehr direkt im Konsulat beantragt. Die Deutschen haben indische Reisebüros damit beauftragt. Das Reisebüro sammelt alle Unterlagen, macht sie fertig, legt sie dem Konsulat vor und gibt die Bescheide an die Antragsteller weiter. Ohne dieses Reisebüro kommt man nicht mehr an ein Visum heran.«

Lea hatte für einen früheren Deutschlandbesuch bereits ein Visum von Deutschland erhalten. Damals war es relativ einfach gewesen, den begehrten Eintrag im Pass zu bekommen. Sie sagte David das. Der meinte dann, jetzt, nach den Anschlägen des 11. September und der Gefahr des Terrorismus sei alles sehr erschwert worden. Offenbar waren außerdem viele Menschen aus ärmeren Ländern nach Europa gekommen und hatten sich auf der Suche nach Sicherheit und gutem Einkommen dorthin abgesetzt.

Inzwischen waren sie in Randgebiete der Stadt gekommen.

»Bist du sicher, dass es hier ist?«

Wieder fragte Lea den Fahrer.

»Ja, ja, so steht es auf dem Zettel!« antwortete der. »Früher waren die Deutschen woanders, aber sie sind letztes Jahr umgezogen.«

Also wusste der Mann doch besser Bescheid, als er zugab. Sie fuhren in eine Sackgasse hinein. Auf der einen Seite der Straße war ein parkähnliches Gelände ohne Häuser, auf der anderen standen einige durch Mauern abgeschottete Büro- und Geschäftshäuser. Der Fahrer hielt. Beide Passagiere stiegen aus. Lea hatte jetzt, obwohl der Fahrer seinen Motor ausgemacht hatte, immer noch das Fahrgeräusch im Ohr und ihr kam es vor, als bewege sich der Boden unter ihren Füßen. Mehrere Stunden im ‚Auto', das war eine echte Leistung. Wie hielten es nur die Fahrer aus, den ganzen Tag durch den Verkehr, über die Holperstraßen und durch den Smog zu kurven?! Lea wunderte es nicht, dass diese Leute keine besonders hohe Lebenserwartung hatten.

An der Mauer stand: ‚Consulate General of the Federal Republic of Germany'. Sie waren also richtig.

Neben einem geschlossenen Drehkreuz war ein Fenster, darunter eine Klingel. Sie klingelten. Eine Sprechanlage wurde betätigt. Dr. Jaykumar sprach auf Englisch mit der Stimme aus dem Lautsprecher. Er machte ein enttäuschtes Gesicht. Dann wandte er sich an Lea.

»Sie haben schon geschlossen!« sagte er.

»Wir sollen morgen wiederkommen!«

Lea war zu müde, um zornig zu sein. Sie war nur enttäuscht. Hätte der Fahrer nicht sein Spiel mit ihnen gespielt, sie wären vielleicht noch rechtzeitig hier gewesen. Für die Rückfahrt zahlten sie ihm, obwohl er laut protestierte, nur die Hälfte.

39 Wenn es Dreizehn schlägt

Wie lange noch? Zwei Tage passiert nichts. Alles ist wieder normal. Ashok schnarcht oder redet im Schlaf und liest Zeitung, wenn er wach ist. Wir dürfen in den Hof. Das Essen wiederholt sich und ich merke, dass es nicht mehr als sechs verschiedene Gerichte sind. Die Palme bleibt traurig, obwohl sie doch eine Flucht ermöglicht hat. Appa Rao macht sich dünn und lässt sich nicht sehen. Der Flachmannwärter bleibt verschwunden. Er sitzt wahrscheinlich mit Krishna irgendwo in einem Dschungelcamp und brütet Pläne aus, wie man Löcher in Staudammmauern bekommt. Herr Schröder erscheint mir inzwischen wie jener Däne, der wie ein Traumbild verschwand, kurz nachdem er aufgetaucht war.

Nichts passiert. Bis es Dreizehn schlägt.

Am dreizehnten Tag überschlagen sich die Ereignisse.

Später frage ich: Warum gerade am 13.? Die Zahl meidet man besser, lehren uns Fluggesellschaften, Hotels und abergläubische Verwandte. Dabei ist die Dreizehn doch Symbolzahl für das Unerwartete, die Überraschung, das Einbrechen der göttlichen Dimension. Sie ist also nicht nur für Unglück, sondern auch für Glück zuständig. Und für göttliches Handeln.

Gegen sechs Uhr öffnet sich unsere Zellentür, ohne dass es an der Sichtluke geschabt hat. Appa Rao steht vor uns.

»Kommen Sie mit!« sagt er, ohne Ashok anzusehen.

Im Glauben, dass er mit mir reden will oder mir einen Besucher gebracht hat, will ich ihm folgen.

»Nein, nicht so. Nehmen sie alle Ihre Sachen mit!«

Das wundert mich nun wirklich. Ashok schaut erstaunt hoch, als ich mein Waschzeug einpacke.

»Wieso?« frage ich Appara.

»Sie werden entlassen!«

Ich bin perplex und kann es nicht fassen.

»Entlassen? Wieso denn das so plötzlich? Kein Verhör, keine Verhandlung? Einfach entlassen?«

Ashok reagiert nicht.

»Machen Sie schon«, sagt er, »ich habe nicht den ganzen Tag Zeit.«

Dann sagt er etwas zu Ashok. Offenbar erklärt er ihm, dass wir uns nun trennen müssen. Ich verabschiede mich von dem mir sehr sympatischen Bürgerrechtler. Mir fällt ein, dass der dauernd Probleme mit den Klingen seines Nassrasierers hatte. Also schenke ich ihm meinen Rasierapparat zum Abschied. Wir umarmen uns. Er hat Tränen in den Augen und ich muss mich zusammenreißen. Dieser Mann ist alles andere als ein Giftmörder. Er ist ein aufrechter Staatsbürger, der von seinem Recht auf Meinungsfreiheit Gebrauch gemacht hat und dabei von der Staatsmacht misshandelt wurde.

Appara sagt nichts, seinem Blick entnehme ich jedoch Überraschung, als ich Ashok den Rasierapparat gebe. Ich vermute, das gute Stück hat den Anwalt eine ansehnliche Summe Bestechungsgeld gekostet, als er es für mich zurückerobert hat.

Draußen vor der Zellentür steht mein Koffer. Appara nimmt ihn auf.

»Kommen Sie«, sagt er, »wir sollten uns beeilen.«

Unterwegs begegnen wir niemandem, nur jenen vier Wächtern, die uns jeweils eine Gittertür aufschließen. Appara zeigt ihnen ein Papier und ohne Kommentar lassen sie uns durch. Der fünfte Schließer schiebt Dienst am Haupttor. Er liest das Papier gewissenhaft durch, lässt sich Apparas Ausweis zeigen und öffnet dann die ins große Stahltor eingelassene Pforte. Plötzlich stehen wir auf der Straße.

Hinter uns schließt sich das Tor und vor mir steht, mit breitem Grinsen im Gesicht, mein Freund Jacob, daneben Dr. Jaykumar vom College und Lea Rani, die Präsidentin. Ich fühle mich benommen, fast wie im Traum.

»Hast du schon gefrühstückt? Sonst gehen wir in ein Hotel und suchen uns was Feines aus.«

Jacobs Frage klingt so banal und passt hervorragend ins Traum-Gefühl. Nein, ich habe noch nicht gefrühstückt. Und in einem Hotel habe ich seit Wochen nicht mehr gefrühstückt. Und aussuchen konnte ich mir seit dreizehn Tagen auch nichts mehr, weder zum Frühstück noch zu einer anderen Mahlzeit.

Wir umarmen uns. Obwohl es ein fröhlicher Anlass ist, fließen Tränen. Auch meine.

Die drei haben eine Autorikscha mitgebracht. Dr. Jaykumar schiebt uns hinein.

»Ich nehme mir eine andere!« sagt er. »Am besten, wir treffen uns im Central Court Hotel. Dort gibt es ein hervorragendes Frühstücksbüffet.«

Es ist ‚mein' Hotel, das ich bei An- und Abreise gerne benutze. Den Namen sehe ich jetzt allerdings mit anderen Augen – und das köstliche Frühstück sicherlich auch.

Kaum komme ich dazu, mich von Appa Rao zu verabschieden. Er reicht mir seine etwas fleischige Hand und wünscht mir alles Gute. Dabei überreicht er mir meine Entlassungsbescheinigung und einen Umschlag mit meinen Papieren. Endlich habe ich meinen Pass wieder!

»Sie haben Glück«, sagt er. »Als Pflichtanwalt bekomme ich mein Honorar vom Staat. Hätten Sie mich privat engagiert, wäre ich unbezahlbar!«

Ich bedanke mich bei ihm.

»Sie haben wirklich Glück gehabt!« wiederholt er, als ich schon in der Rikscha sitze. »Ich hoffe, Sie legen ein gutes Wort für Indien und seine Beamten ein, wenn Sie in Deutschland von ihren Abenteuern berichten. So schlimm sind wir gar nicht!«

Wir fahren los. Ich werfe einen Blick auf das Dokument. Es bestätigt, dass ich entlassen bin und mich frei bewegen kann. Das Verfahren gegen mich ist eingestellt. Ein Richter und der Gefängnisdirektor haben das Papier unterschrieben.

Nach kurzer Fahrt steigen wir vor der Einfahrt zum High Court Hotel aus. Der uniformierte Türsteher grüßt militärisch mit Hand an der Mütze. Wir gehen durch einen Metalldetektor, ich nicke Frau Kalani an der Rezeption zu - und dann sind wir am Ziel aller Träume.

Omlette, Spiegelei, Toast mit Schinken, Marmelade, Cornflakes, Honig, Filterkaffee, Orangensaft... jetzt weiß ich, was mir so lange gefehlt hat und ich greife kräftig zu. Im Hintergrund zeigt ein Flachbildschirm irgendwelche Kricketspiele. Verstanden habe ich den Reiz dieses sportlichen Nachlasses der Engländer bis heute nicht. Kellner laufen geschäftig herum und versuchen, den Gästen die Wünsche von den Lippen zu lesen. Ein Tischtuch liegt auf dem Tisch, es gibt Messer und Gabel, Servietten und einen Nachschlag, wenn gewünscht. Wie gut wir es doch haben! Zwar ist das High Court Hotel nur Mittelklasse, für mich bekommt es heute jedoch mindestens sechs Sterne.

Meine indischen Freunde schauen mir beim Essen wohlwollend zu. Im Vergleich zu mir nippen sie nur an ihrem typisch indischen Frühstück: Vada, Doshai, Idli, Sambar, Cutney.

Als wir halbwegs satt sind, beginnt der Austausch. Wir bestellen uns Tee.

Ich muss zuerst erzählen.

Dann stellen sie Fragen. Wie war das Essen? Was war das mit der Fluchthilfe? Hatte ich Kontakt zu anderen Häftlingen? Wie war das Wachpersonal?

Als ich das Wichtigste erzählt habe, sind die meisten Tische um uns herum schon leer. Trotzdem ist es kein Problem, hier zu bleiben, da das Restaurant rund um die Uhr geöffnet hat.

Nun erzählen die drei, wie es ihnen ergangen ist.

Lea, von Jacob übersetzt, erzählt, dass sie von den Pastoren nach Hyderabad geschickt wurde. Die wollten erst selbst kommen und mich a' la Terroristenmanier aus dem Knast holen. Ich muss lachen und an Krishna denken. Lea ist schon länger hier in Hyderabad. Zusammen mit Dr. Jaykumar hat sie manches versucht, um mich zu erreichen. Der erste Besuch im Konsulat ist gescheitert. Der zweite Besuch führte immerhin bis zu Herrn Schröder. Der hat ihnen versichert, dass die Deutsche Regierung alles tut, um ihren Staatsbürger frei zu bekommen. Ich glaube das inzwischen auch, weiß allerdings leider nicht, was sie eigentlich konkret getan haben.

Alle Versuche meiner Freunde, eine Besuchserlaubnis zu bekommen, sind gescheitert. Sie haben Appa Rao angerufen, dessen Nummer sie in der Gefängnisverwaltung bekommen haben. Der hat sie abgewimmelt und versichert, dass er alles tun würde, sie jedoch nichts tun könnten.

Alles in allem: Trotz größter Anstrengungen hatten Lea und Dr. Jaykumar keinen Erfolg.

Vorgestern hat Lea dann einen Anruf von Jacob bekommen, der ihr wieder Mut gemacht hat. Die Nachricht allerdings, dass ich wegen Fluchthilfe in einer Einzelzelle saß, muss sie wieder ganz schön umgeworfen haben.

Dann berichtet Jacob. Er hat von nichts erfahren, weil er während seiner Reise in Orissa ohne Kontakt zur Außenwelt war. Als er dann jedoch von meiner Verhaftung erfuhr, zog er alle Register. Sein Anwalt, ein Vertrauter in New Delhi, Politiker in Hyderabad und viele mehr - Jacob hat wohl die halbe Welt verrückt gemacht. Auch Helmut hat er angerufen und der dann wieder viele, viele andere.

Ich bin gerührt. Sie haben sich wirklich enorm für mich ins Zeug gelegt und ich habe ein schlechtes Gewissen, da ich das während meiner Haft immer wieder angezweifelt habe.

»Ich danke euch!« sage ich und umarme alle drei noch einmal. »Ich freue mich riesig, dass ich solche Freunde habe! Aber ich werde dafür sorgen, dass ihr die Auslagen für die Kaution oder was sonst so war, wiederbekommt. Danke, danke!!«

Irgendwie irritiert schauen die drei sich gegenseitig an.

Dann sagt Jacob, an mich gewandt:

»Wieso Kaution? Wir haben keine Kaution bezahlt. Wir haben dich hier nicht herausgeholt. Das muss irgendjemand anders gewesen sein.«

Nun bin ich es, der irritiert ist und auch wohl so aussieht.

»Nicht ihr? Wer denn sonst?!«

»Nein, wir haben gestern Abend einen Anruf von deinem Anwalt bekommen. Er hat meine mobile Nummer von urnserem Anwalt bekommen«, erklärt Jacob. »Und Mr. Appa Rao hat uns für heute morgen hierher bestellt. Sonst hat er nichts gesagt, nur, dass wir pünktlich sein sollen.«

Ich bin mehr als erstaunt. Was ist das? Wer hat mich aus dem Gefängnis geholt? Und wie?

Meine drei Freunde teilen mein Erstaunen.

Lea ist still, während wir Männer die Sache von allen Seiten betrachten und diskutieren.

Plötzlich aber mischt sich die Präsidentin doch noch ein.

»Vielleicht ist mein Traum die Erklärung!« sagt sie.

»Welcher Traum?«

Unausgesprochen steht die Frage im Raum.

Und dann erzählt Lea ihren Traum.

»... und nun frage ich mich«, sagt sie, »ob dieser Traum vielleicht bedeutet, dass Gott das Tor für dich geöffnet hat.«

Ich bin erschüttert. Woher weiß Lea von der Palme, dem Drachen und der Bank im Hof? Sie war doch niemals innerhalb der Mauern gewesen? Ich erzähle, wie ich Palme, Bank und Papierdrachen mit Krishnas Flucht verbinde. Und von der Palme, die sich an die Mauer lehnt.

»Ich habe sie von außen gesehen!« sagt Lea. »Und ich habe sofort gewusst, dass es die Palme aus meinem Traum ist.«

Wir kommen nicht weiter. Es bleibt unklar, wie ich freigekommen bin. Aber ich bin frei und das ist vorerst das Wichtigste.

»Was ist denn in der Kirche gelaufen, seit Helmut und ich euch nach der Synode verlassen haben?«

Ich bin gespannt zu hören, wie sich die Pastoren verhalten, die ihr Land nicht der Kirche überschreiben wollen.

»Es geht weiter«, sagt Lea und Jacob übersetzt sie. »Die Gemeinden diskutieren unsere Beschlüsse. Sie alle wissen, dass es kein Zurück gibt. Die Kirche muss geordnet werden und aller Besitz aus den Händen einzelner Mitarbeiter in die der Kirche gelangen. Doch für manche es ist hart!«

»Allerdings«, ergänzt Jacob. »Unsere drei Revolutionäre haben sogar wieder Kontakte mit dem Ayyagaru aufgenommen - wie damals das Volk Israel, das auch gerne an die Fleischtöpfe Ägyptens zurück wollte. Aber Samuel hat sie abblitzen lassen. Drei jüngere Pastoren haben mit dem Gegenpräsidenten Israel Rao eine Flasche Whisky getrunken und sich verbrüdert. Als sie dann allerdings wieder nüchtern waren, haben sie alles abgestritten.«

»Nicht nur sie, sondern auch andere bekommen Ärger«, sagt Lea jetzt. »Es geht so weit, dass eine Ehefrau Mordpläne geschmiedet hat. Sie wollte zusammen mit ihrer Schwiegertochter ihren Mann vergiften, um das Land zu erben, bevor er es an die Kirche überschreibt.«

Ich bin wieder einmal geschockt. Die Giftmörder sitzen offenbar nicht drinnen, sondern draußen. Und sie sind nicht heidnische Götzenanbeter, sondern Mitglieder einer christlichen Gemeinde. Ich will es nicht glauben, kenne jedoch den Überbringer dieser Information gut und bin mir mit Lea und Jacob einig, dass man diesem Mann trauen kann.

»Dann sollte der Pastor schnellstens sein Land überschreiben!«

Auch darin sind wir uns einig.

Wir beenden unser Frühstück und beschließen, auf ein Mittagessen zu verzichten. Ich will mich frisch machen, noch einkaufen und versuchen, ein Ticket für den

Rückflug zu bekommen. Dann will ich Jacob im College anrufen und ein neues Treffen vereinbaren.

Die Dusche ist köstlich. Ich fühle mich wie neugeboren. Meine Sachen im Koffer sind vollständig. Nun vermisse ich allerdings meinen Rasierapparat. Doch in meinem Bad liegt ein Nassrasierer und Rasierschaum.

Ich lasse mich direkt zum Büro der Emirates bringen, das in der Nähe vom City Centre liegt, einem hochmodernen Einkaufszentrum. Es klappt tatsächlich sogar noch für heute Nacht. Ich bekomme, nachdem ich die Verzögerung um dreizehn Tage erklärt und eine Gebühr bezahlt habe, einen Flug über Dubai nach Hamburg. Um zwei Uhr nachts muss ich am Flughafen sein, um vier geht der Flieger. Ich habe also nur noch diesen Nachmittag. Ich beschließe, meine Freunde am Abend zum Essen einzuladen und rufe deshalb Jacob an. Wir verabreden uns.

Ich kaufe ein paar Sachen im Einkaufszentrum und überquere dann die Straße, um in ein Schuhgeschäft auf der anderen Seite zu kommen. Der Feierabendverkehr hat bereits eingesetzt. Wie ein Schwimmer in einen reißenden Fluss werfe ich mich mutig in den Verkehrsstrom. Dass ich das andere Ufer erreiche, erscheint mir wundersamer als manche Heilung, von der ich höre und deren Zeuge ich werden durfte.

Der Rest des Nachmittags verläuft weniger aufregend. Ich werde nachher zusammen mit meinen Freunden noch einmal echt indisch Essen gehen, mich dann von ihnen verabschieden, vielleicht zwei oder drei Stunden schlafen und irgendwann am Morgen, wenn die Hähne schreien, mit der Sonne im Rücken nach Hause fliegen. Und, all meinen Sorgen zum Trotz, in meinem Pass ist ein Visum, das mir erlaubt, innerhalb eines halben Jahres sogar mehrfach nach Indien einzureisen.

40 Zwischen den Welten

Der Rückweg mit dem »Luxury Bus« erscheint ihm kurz. Am Bus liegt es nicht, denn der schaukelt wie alle Busse. Der Name ist mehr Schein als Sein.

Es liegt wahrscheinlich daran, dass sie nun gemeinsam reisen. Sie sind sehr früh am Morgen losgefahren. Lea sitzt neben ihm. Sie besprechen noch einmal, was in den letzten Wochen geschehen ist.

»Mir ist es ein totales Rätsel«, sagt Jacob, »wie Oliver letztlich freigekommen ist.«

»Mir auch«, bestätigt Lea, »aber ich glaube nicht an Zufälle. Und egal, wer die Kaution gezahlt hat oder die Beteiligten mit oder ohne Geld überzeugt hat, ich glaube dass unsere Gebete erhört wurden und unser Herr ihm geholfen hat.«

»Das sehe ich genauso.« Jacob nickt.

In Kürze würde Johannes nach Indien kommen. Die folgenden Gespräche der beiden kreisen um seinen Besuch und was zu bedenken damit verbunden ist.

»Auf jeden Fall sollte Kumari wieder für ihn sorgen«, meint Jacob. »Die beiden haben sich sehr gut verstanden und Kumari hat familiär die Freiheit, ein paar Wochen im Kirchenbüro zu wohnen«.

Lea ist einverstanden, auch wenn sie manchmal eifersüchtig auf Kumari ist. Manchmal hat sie das Gefühl, Johannes geht mit seiner Köchin vertrauter um, als mit ihr, der Präsidentin. Aber sie schluckt ihr Unbehagen runter. Sie sprechen über die Bücher.

»Sai Raju hat sich ohne Zweifel bewährt!« meint Jacob. »Er wacht mit Argusaugen über die Finanzen. Er verweigert Pastoren sogar die Auszahlung des Gehaltes, wenn sie die Absprachen nicht einhalten.«

»Deshalb haben sich ja einige von ihnen auch dagegen gestellt, als er den Job bekommen sollte.«

Lea kann sich noch gut an den Nachmittag erinnern, als sie beim letzten Aufenthalt von Johannes überlegt hatten, wer als Büroassistent arbeiten sollte. Gegen Sai Raju hatten sich zwei oder drei der Pastoren deshalb ausgesprochen, weil sie Angst hatten, dass er durch eine solche herausgehobene Position zuviel Macht bekommen würde. Inzwischen wird er allerdings respektiert und da Johannes seine Arbeit sehr lobt, vertraut man dem neuen Kassenwart.

»Was steht denn bei Johannes' Besuch noch auf dem Programm?«

Jacob ist die wichtigste Kontaktperson zu den Deutschen und als Übersetzer auch in alle gegenseitigen Besuche einbezogen. Deshalb hat er auch bei diesem Besuch Programm gemacht.

»Er wird außer der Sache mit den Finanzen vor allem sehen, dass wir die Grundstücke der Kirche überschreiben. Da muss es noch viele, viele Gespräche geben. Du weißt ja selbst, wie zäh manche unserer Brüder sind, wenn es um Geld oder Land geht.«

Jacob muss sich festhalten, weil sie wieder einmal durch ein Schlagloch fahren. Lea wird gegen ihn geschleudert.

»Ich hoffe, dass Johannes auch noch Zeit findet, die Gemeinden zu besuchen«, sagte Lea. »Sein Aufenthalt fällt diesmal direkt in die Osterzeit. Da interessiert uns die Botschaft von der Auferstehung und vom Leben mehr als Geld und Grundstücke. Ich hoffe, Johannes wird auch in einige Gemeinden fahren und mit ihnen Ostergottesdienste feiern.«

Jacob hat natürlich nichts dagegen. Johannes würde außerdem Strukturen entwickeln helfen, wie Anteile der Kollekten und anderer Einnahmen von den Ortsgemeinden zur Kirchenzentrale abgeführt werden. Er wollte die Kinderheime inspizieren und vieles mehr.

»Wie lange ist er hier?« fragt Lea.

»Ich glaube, fast vier Wochen.«

Jacob weiß es nicht ganz genau.

»Hoffentlich ist der nicht als Nächster dran!«

Lea seufzt und Jacob weiß, dass sie an Olivers Zwangsaufenthalt denkt.

In Khamman hält der Bus etwas länger. Beide steigen aus, vertreten sich die Füße und trinken einen heißen Tee. Nun sind es nur noch drei Stunden bis Ashwaropeta. Plötzlich hat Lea eine Idee.

»Warum fahre ich jetzt eigentlich mit zum Büro?« fragt sie. »Wenn du dort alles vorbereitest, kann ich doch auch nach Arukuru fahren und erst ins Büro kommen, wenn Johannes da ist. Meine Gemeinde wird mich inzwischen sehr vermissen.«

»Meine Gemeinde in Kovvur wartet auch auf mich. Aber es ist schon okay: Ich fahre ins Büro und du kannst von hier aus direkt nach Bhadrachalam und dann weiter nach Arukuru fahren. Wir sehen uns dann, wenn Johannes ankommt.«

Lea sieht man an, wie erleichtert sie ist. Sie holt ihre Reisetasche aus dem Luxusbus und geht an eine andere Haltestation, um einen Bus in die Tempelstadt an der Godavari zu bekommen.

Jacob hat nun mehr Platz auf dem Sitz und streckt sich aus. Die Straße ist jetzt viel besser und so kann er auf dem Doppelsitz sogar etwas schlafen. Als er aufwacht, sind sie kurz vor Ashwaropeta. Er bittet den Fahrer des Busses, direkt am Büro zu halten. Für zwanzig Rupien ist eine Extra-Haltestelle kein Problem.

Jacob steigt aus und geht direkt zum Büro. Sai Raju wartet schon. Er begrüsst Jacob stürmisch.

»Was ist mit Oliver?!« fragt er aufgeregt. »Meine Frau hat angerufen und erzählt, er sei frei!«

Die junge Ehefrau des Bürovorstehers ist eine der beiden Studentinnen am theologischen College in Hyderabad. So weiß Sai Raju immer recht gut Bescheid über das, was in Hyderabad läuft.

Jacob erzählt, was passiert ist und wie es jetzt weitergehen soll.

»Jetzt ist erst einmal der Besuch von Johannes wichtig! Ich hoffe, du hast die Bücher auf dem Laufenden. Lass uns die nachher zusammen ansehen. Jetzt habe ich aber erst mal Hunger!«

Sai Raju bittet seinen Mitarbeiter, mit dem Roller in ein Restaurant zu fahren und Doshai oder auch eine andere Abendmahlzeit zu bringen. Jacob sortiert seine Kleidung.

Er checkt die E-Mails und freut sich, dass Sai Raju dies bereits am Morgen gemacht hat. So langsam klappt es auch mit der Kommunikation.

Etwas später ruft Helmut aus Deutschland an. Dort ist es Nachmittag, hier in Indien schon später Abend. Helmut will wissen, wie die Lage ist und vor allem, wie es Oliver geht. Oliver selbst hat ihn bereits angerufen und so ist die erste Freude bereits verweht.

Jacob ruft zu Hause an. Pradana hat sich bereits hingelegt und schläft. Schade! Deepa ist erleichtert. Jacob hat sie bereits gestern aus Hyderabad angerufen und über Olivers Freilassung informiert.

»Du glaubst nicht«, sagt sie, »was hier heute los war. Mich haben mehrere Pastoren angerufen und mich fröhlich gefragt, ob ich schon weiß, dass Oliver frei ist. Auch viele von unseren Leuten hier sind vorbeigekommen und haben nach Oliver gefragt.«

Das konnte Jacob sich gut vorstellen. Sein deutscher Freund war mit ihm mehrmals in seiner Gemeinde in Kovvur unterwegs gewesen. Sie haben Familien besucht und Oliver hat für viele Leute gebetet. Außerdem hat er bei seinen Besuchen regelmäßig im Gottesdienst gepredigt. Einmal war er mit einer Gruppe über Weihnachten in Kovvur. Auch seinen Sohn hatte er da mitgebracht und besonders der hat bei den Mädels im Ort einen bleibenden Eindruck hinterlassen.

»Aber es gibt nicht nur gute Nachrichten!« Deepas Stimme bekommt einen traurigen Klang. »Sanjeeva ist gestorben.«

Jacob ist geschockt. Sanjeeva war ein Freund der Gemeinde, ein junger Mann im Alter von knapp vierzig. Er war an Aids erkrankt. Diese furchtbare Krankheit ist in Indien enorm auf dem Vormarsch. Sie wird aber noch weitgehend tabuisiert. Zwar gibt es inzwischen Aufklärungskampagnen, trotzdem wird kaum über Vermeidung und Behandlung von Aids gesprochen. Obwohl sich Indien in den westlichen Ländern mit Kamasutra-Liebeskunst einen Namen gemacht hat, ist im Land selbst alles, was mit Sexualität zu tun hat, tabu. Man redet nicht darüber.

Sanjeeva war ans Bett gebunden, als Jacob ihn kennenlernte. Er betete mehrmals für ihn. Als Oliver dann letztes Mal im Gottesdienst war, hat Sanjeeva vor versammelter Gemeinde davon berichtet, dass Gott ihn geheilt hatte. Es sah auch wirklich so aus. Alle Ärzte und Aidskenner waren überrascht und erstaunt. So etwas hatten sie noch niemals erlebt.

Mehrere Monate ging es Sanjeeva richtig gut. Er war in jedem Gottesdienst und bei fast allen Gebetsabenden. Er war für viele Hindus ein Anlass, sich mit dem christlichen Glauben zu beschäftigen und die Veranstaltungen der kleinen Gemeinde auf dem Dach des Pastorenhauses zu besuchen. Doch plötzlich war es ihm schlechter gegangen. Bevor Jacob nach Orissa aufbrach, hat er Sanjeeva noch einmal besucht. Der muss geahnt haben, dass die Krankheit ihn nun doch töten würde.

»Du kannst für mich beten!« sagte Sanjeeva zu Jacob. »Aber bete nicht für meine Genesung, sondern danke für mein großartiges Leben und die Monate, die ich jetzt noch als Zugabe bekommen habe!«

Jacob war beeindruckt. Für ihn war Sanjeeva ein Vorbild des Glaubens, auch wenn er weder getauft war noch offiziell zu einer christlichen Kirche gehörte.

»Du solltest so schnell es geht, zurückkommen. Er soll übermorgen von seiner Familie beigesetzt werden. Wenigsten dabei sein sollten wir.«

Jacob verspricht seiner Frau, den Bus morgen Nachmittag zu nehmen.

»Ich muss noch einiges erledigen, aber auch ich will unbedingt zur Beerdigung. Eigentlich müsste Sanjeeva christlich begraben und nicht als Hindu verbrannt werden.«

»Das lässt sich leider wohl nicht machen«, erwidert Deepa. »Ich habe bereits mit der Familie geredet. Sie respektieren die Haltung Sanjeevas, berufen sich jedoch auf die Familientradition und darauf, dass ihr Sohn ja nicht übergetreten ist.«

Jacob weiß, dass jede Intervention in dieser Familie zwecklos ist. Es gibt darin einige fundamentalistische Hindus, die den Christen jede Berechtigung, in Indien ihre Religion auszuüben absprechen. ‚Indien den Hindus!' ist ihre Devise und damit gehören sie zu jenen, die Hass und Gewalt säen.

Jacob will schon auflegen, da sagt Deepa, nun mit fröhlicherer Stimme:

»Aber es gibt auch gute Nachrichten!«

»Na, da bin ich aber gespannt, im Moment durchlaufe ich da regelrechte Wechselbäder und weiß nicht, ob ich lachen oder weinen soll.«

»Mein Bruder ist wieder verliebt!«

»Prasad? Na, das ist ja toll!«

Jacob gönnt es ihm von Herzen. Vielleicht bringt ihn das wieder auf die Beine, gibt ihm neuen Lebensmut und er lässt das Trinken.

»In wen ist er denn verliebt?«

»Ach, du kennst sie nicht. Es ist die Tochter eines Kaufmanns. Prasad hat sogar schon wieder einen Auftrag für den Entwurf eines Hauses angenommen!«

»Das ist ja großartig!«

Jacob ist wirklich froh. Er hat oft ein schlechtes Gewissen, dass sie das Geschenk seines Schwagers bewohnen und genießen, während der immer weiter verkommt. Nun aber scheint sich das Blatt ja endlich zu wenden und Gott hat die vielen Gebete erhört.

»Und es gibt noch etwas Schönes!« ergänzt Deepa. »Wir haben die erste größere Spende für unser geplante Kirche bekommen: 2.000 Rupien! Sie lagen vorgestern in unserem Postfach. Anonym.«

Jacob vermag im ersten Moment nichts zu sagen. Ein Traum beginnt, Gestalt anzunehmen. Ein Betrag, nicht mehr als ein Samenkorn. Aber ein Anfang, und Jacob ist sich sicher, dass Gott daraus eines Tages ein solides Kirchengebäude wachsen lassen würde.

An diesem Abend, als er auf seinem Bett im Gästezimmer des Kirchenbüros liegt, gehen ihm noch viele Gedanken durch den Kopf. Er überlegt, ob er morgen die Liste mit den Grundstücken, die überschrieben werden sollen, vorab an Johannes schickt. Auch die Auseinandersetzungen mit der Opposition in den eigenen Reihen machen ihm noch Sorgen. Sie empfindet er als bedrohlicher als die Anfeindungen des Ayyagarus. Dann ziehen Bilder aus Orissa an ihm vorüber. Er spricht zu vielen Leuten. Die saugen das Evangelium auf wie dürres Land den ersten Regen. Die kleine, provisorische Kirche auf dem Dach seines Wohnhauses sieht er im Geiste vor sich, überfüllt mit Menschen. Es wird wirklich Zeit, dass sie für die wachsende Gemeinde angemessene Räume bekommen. Wieder fällt ihm Johannes ein. Hat er für ihn alles vorbereitet? Vielleicht sollte er auch mit der Polizei und wichtigen Leuten reden, den Besucher anmelden und schon im Vorfeld verhindern, dass so etwas passiert wie mit Oliver. Ihm wird immer wieder klar, dass er als Kontaktperson zwischen deutschen Partnern und Stammeskirche noch unentbehrlich ist. Aber auch die Pastoren brauchen seinen Rat. Klar, er ist umstritten. Er war damals mit dem Ayyagaru in der Kirchenleitung, vor der Revolution. Nun fürchten einige, er wolle an dessen Stelle die Macht übernehmen. Weit gefehlt! Um Macht ist es mir noch nie gegangen, denkt er. Ich wollte immer nur Power für Jesus! Und Zu Hause bin ich jetzt in Kovvur, wo Pradana und Deepa auf mich warten. Ein wohliges Gefühl durchzieht ihn. Er weiß, wohin er gehört, auch wenn er jetzt zwischen den Welten unterwegs ist.

Der Tod Sanjeevas macht ihn traurig.

Aber, denkt er, bevor ihm die Augen zufallen, Olivers Befreiung zeigt, wie überraschend sich Ohnmacht und Hilflosigkeit in Freude verwandeln kann.

41 Die große Liebe

Das Linienboot steuert auf die Sandbank am rechten Ufer zu. Nur noch zehn Minuten länger und sie könnte die riesige Tamariske am Steilufer des Ashrams Perentapalli sehen. Aber auch hier steht ein ähnlicher Baum mit gewaltiger Krone und fast so langen Wurzeln, wie jene an ihrem Lieblingsplatz unterhalb des Ashrams.

Sie trägt heute einen grünen Sari mit weißen Blumen. An ihrer Schulter hängt eine Umhängetasche, in der sie neben einer Flasche Wasser, der Taschenlampe, einem Handtuch, Kamm und anderen kleinen Utensilien ihre schwere Bibel mit sich herumträgt. Über ein Brett gehen sie und vier andere Passagiere ans Ufer. Da auf dem Brett kleine Querleisten angebracht sind, haben sie guten Halt und rutschen nicht ab. Außerdem unterstützt der Helfer des Schiffers sie, indem er eine Bambusstange wie ein Geländer parallel zur Gangway bis auf den Sand legt.

Zusammen mit den anderen stapft Lea durch den heißen Sand. Mehr als die Hälfte des Flussbettes ist jetzt bis auf den Grund freigelegt. Es ist wie in einer Wüste, heiß und sandig. Zum Glück gibt es inzwischen eine breite Treppe für den Aufstieg zum Dorf. Vor einigen Jahren, als die BJP, die fundamentalen Hindus, an der Macht waren, haben sie überall in der Gegend kleine Dorftempel bauen lassen.

Dazu gehören oft auch Treppen, die zum Fluss hinunter führen.

»Immerhin«, denkt sie, »wenn auch die Tempel kaum genutzt werden und die Koyas lieber ihre alte Naturreligion ausüben oder Christen werden, so hat immerhin diese Treppe ihre Vorteile!«

Oben angekommen, dreht sie sich noch einmal um und sieht hinunter ins tiefe und weite Flusstal. Das Linienboot hat bereits wieder abgelegt und tuckert flussabwärts Richtung Rajamundhri. Ein anderes Boot kommt ihm entgegen und fährt gerade unter der Hochspannung hindurch, die den Fluss kreuzt. Es ist voller Menschen. Lea hört Musik und Stimmen, die lauter werden, je näher sie kommen. Es ist eines jener Touristen- und Pilgerboote, die von Rajamundhri kommen und vor allem den Ashram Perentapalli und den Tempel am heiligen Berg Sriramagiri besuchen. Als Lea mit dem Linienboot vorhin an der Anlegestelle unterhalb jenes markanten spitzen Berges vorbeifuhr, lagen dort vier oder fünf solcher Ausflugsboote am Anleger. Lea stöhnt innerlich. Der Fluss wird seit dem letzten Jahr ganz offiziell von der Regierung für den Tourismus erschlossen. Vielleicht läuft es unter dem Motto: ‚Besuchen Sie Landschaft und Tempel, solange es sie noch gibt!' Jedenfalls findet Lea das angesichts der Pläne der Regierung, hier alles durch den Stausee des Polavaramprojektes zu überschwemmen, geradezu beleidigend. Als ob jemand stirbt und alle, die vorher nichts mit ihm zu tun haben wollten, kommen an sein Sterbelager und genießen dort ein paar schöne Tage. Jedenfalls, wo sonst nur Fischer und Einheimische unterwegs waren, tummeln sich nun immer mehr Städter und Hindupilger von der Küste. Das bedeutet nicht nur Betrieb und Lärm, es lässt auch die Preise für Lebensmittel, etwa für Fisch, steigen. Wo Bootsladungen von Menschen rasten, häufen sich außerdem die Müllberge. Lea hat sogar ein Boot gesehen, von dem hunderte Luftballons in die Strömung geworfen wurden. Das sah zwar schön bunt aus, doch was würde mit den Ballons passieren, wenn sie zerplatzt waren und nur noch als Gummireste herumtrieben?

‚Gerade hat', denkt Lea, ‚die Papierfabrik neue Kläranlagen gebaut um den Fluss zu schonen – und nun kommen die Touristen!' Lea stößt einen tiefen Seufzer aus. Trotzdem, es ist hier unglaublich schön!

Sie steigt die letzten Meter zum Dorf empor. Jene, die mit ihr ausgestiegen sind, es sind zwei Frauen mit dicken Bündeln unter dem Arm und zwei Männer, die aussehen, als kämen sie gerade vom Frisör, wenden sich nach rechts in Richtung Schule und Ortsausgang. Vielleicht wollen sie in eine der kleinen Siedlungen weiter oben im Tal. Lea wendet sich nach links. Sie durchquert das Dorf an der Straße parallel zum Fluss. Auf beiden Seiten stehen Hütten im traditionellen Baustil, umgeben mit kleinen Höfen. Sie sieht frische Ornamente vor einigen der Häuser und muss an Pongal denken. Als sie in einem der Höfe einen stolzen Hahn entdeckt, der am Vorderfuß angebunden ist, ziehen wieder die Bilder aus ihrer Kindheit an ihr vorbei. Ist es wirklich nötig, dass Hähne sich bekämpfen? Schreien, ja! Aber kämpfen? Muss es wirklich immer Sieger und Verlierer, Täter und Opfer geben?

An einem der Hüttendächer arbeiten zwei Männer mit freiem Oberkörper. Es sind wohl Vater und Sohn. Der Vater steht auf dem Dach und der Sohn reicht ihm trockene Palmenblätter. Gekonnt und mit sicherem Griff befestigt der Vater sie überlappend wie Dachziegel an den Sparren. Dazu zieht er mit Hilfe eines dicken Drahtes stabile Bambusbänder um Holz und Blatt. Die Arbeit wird vor den ersten Regenschauern beendet sein.

Lea betritt das Gelände von Pfarrhaus und Kirche. Beides liegt direkt an der Steilküste zum Fluss. Etwas weiter, am Ende des Ortes liegt das Kinderheim. Sie wird es später besuchen.

»Wir haben sie für den späten Nachmittag bestellt«, informiert Saresh sie. Er ist Pastor dieser abseits gelegenen Gemeinde, ein junger, sehr engagierter Mann. »Diesmal sind es knapp vierzig.«

Lea ist glücklich. Sie hat es sich auf einer Pritsche vor der Hüttenkirche bequem gemacht.

»Wie habt ihr sie vorbereitet?«

»Sie sind alle länger als ein Jahr dabei«, antwortet Saresh. »Sie haben regelmäßig die Gottesdienste besucht, an den Fastengebeten am Freitag teilgenommen und ich habe sie unterrichtet. Alle können das Vater Unser auswendig und wir haben einen Bibelkurs mit ihnen gemacht. Inzwischen gibt es ja das Neue Testament sogar in der Koyasprache und das haben wir benutzt.«

Lea will noch wissen, wie viele aus der Gruppe lesen können. Saresh schätzt, dass es etwas mehr als die Hälfte sind.

»Viele von ihnen sind Jugendliche und ältere Kinder. Die haben dann oft zumindest einige Klassen der Grundschule besucht. Aber auch ganz alte Leute sind dabei. Die haben hier früher noch vom Wald gelebt.«

Lea weiß, wovon Saresh redet. Dieses Dorf ist wie viele in der Region: Als freie Jäger, Sammler und Kleinbauern lebten die Leute früher von den Erträgen des Waldes. Irgendwann kamen Großbauern aus dem Osten. Hier in Koyda waren es drei Familien. Sie rodeten den Wald, bestellten das Land in den Tälern und stellten die Koyas als Kulis an. Was ehemals ihr Eigen war, durften sie jetzt für Andere bewirtschaften. Zu Hungerlöhnen. Und nun sollte der Stausee dem Ganzen ein staatlich verordnetes Ende bereiten. Sieger würden jene sein, die ohnehin das Geld und die Macht hatten. Ihren Stammesgeschwistern würde die Rolle der Verlierer zukommen.

Lea wehrt sich gegen aufkommende Bitterkeit.

»Wo werden wir es machen?«

»Gleich hier unten. Wir gehen in einer langen Prozession durch das Dorf, vorbei am Tempel und dann die Treppen hinunter zum Fluss. Du taufst, ich assistiere.«

»Dann haben wir jetzt noch Zeit und ich sollte mir noch das Kinderheim ansehen!«

»Es ist schöner als je zuvor!«

Sie stellen die Teegläser zur Seite, an denen sie genippt haben und gehen die wenigen Schritte hinüber zum Kinderheim. Dreißig fröhliche Kinder stehen wie auf Kommando auf, als sie das Gelände betreten. Ganz am Ende des Dorfes, mit wunderschönem Blick über das weite Flusstal, hat die Gemeinde zwei Hütten und einen eingezäunten Hof errichtet. Tomaten und andere Gemüsesorten werden angebaut, viele Blumen lassen das Gelände freundlich erscheinen.

Die Gebäude sind neu, wie man an den Materialien schnell erkennen kann. Die Dachblätter sind noch hell, die Pfosten und Bambusbindungen frisch und der Fußboden glatt und hellbraun. Vor wenigen Monaten ist das ganze Kinderheim abgebrannt. Verursacht wurde das Feuer durch einen Kurzschluss in der Elektrik. Die Kinder waren zu der Zeit zum Glück in der Dorfschule und die Betreuer beim Einkauf auf dem Markt. Also war niemandem etwas passiert. Trotzdem, nicht nur die Gebäude, auch alle Kleidung, Decken, Vorräte und persönlichen Sachen waren verbrannt. Wie gut, dass in solchen Fällen die Kirche dank der Partner in Übersee schnell helfen kann.

Lea lässt die Kinder eines ihrer fröhlichen Lieder singen und befragt sie dann. Wie ist das Essen? Was macht die Schule? Hast du Zeit zum Spielen? Hast du genug Decken? Wieviele Garnituren Schulkleidung hast du bekommen?

Eigentlich ist die Überprüfung der Kinderheime nicht ihre Sache. Trotzdem fühlt sie sich als Präsidentin der Kirche verantwortlich. Hier ist alles in Ordnung.

Eine Familie lädt sie zum Mittagessen ein. Fast ein Drittel der Leute in diesem Dorf sind Christen. Einige haben ihr Haus mit einer weißen Fahne mit rotem Kreuz gekennzeichnet.

Nach dem Essen, es gibt Hähnchencurry, Reis und Gemüse, setzt Lea sich an den Zaun hinter der Kirche. Hier hat sie einen wunderbaren Ausblick über den Fluss. Es ist wie unter jenem Baum beim Ashram. Der Blick weitet sich, die Seele wandert.

Knapp vierzig Menschen werden sie nachher taufen. Viele von ihnen haben schon lange auf diesen Tag gewartet. In anderen Dörfern ist es nicht anders. Lea schickt ein Gebet zum Himmel. Die Kirche hat so viel durchgemacht. Doch der Geist Gottes lässt sich nicht bremsen. Sie haben so viele Fehler gemacht, sich in Schuld verstrickt und sind manch falsche Wege gegangen. Aber offensichtlich schreibt Gott auch auf krummen Linien gerade.

Ja, es lohnt sich, sich für diese Menschen einzusetzen, und für Christus. Wieder denkt sie an den Fisch. Und an jenen jungen Mann aus ihrer Jugend.

Nein, sie hat keinen Mann gefunden. Aber die große Liebe, die hat sie dennoch erlebt. Es ist die Liebe zu Christus, zu diesen Menschen und zur Kirche. Dafür lohnt es sich zu leben! Lea fühlt sich rundum wohl.

Ja, es gibt viele Fragen und ungelöste Probleme.

Podian Dora, ihr Bruder, verweigert sich nach wie vor dem christlichen Glauben. Jetzt ist er Ortsvorsteher in Chatti. Er meint, dazu würde es nicht passen, Christ zu sein.

Die Landfragen, das Staudammprojekt, die Anfeindungen des Ayyagaru, Ärger unter den Mitarbeitern – all das sind echte Herausforderungen. Aber Gott wird helfen, da ist sie sich sicher! Er hat sie bisher nicht im Stich gelassen und wird es auch in Zukunft nicht tun.

Sie wird sich für ihre große Liebe einsetzen. Sie wird das Spiel um Macht und Geld nicht mitspielen, sondern für die Liebe kämpfen. Sie wird ihre zweite Chance als

Bischöfin der von ihr so geliebten Kirche im Stammesgebiet ergreifen.

Als man sie ruft, hat sie ihre Tasche schon über die Schulter geworfen. Die Täuflinge, ein wirklich bunter Haufen von jung und alt, klein und groß, Männern und Frauen, arm und etwas besser gestellt, haben sich auf der Dorfstraße versammelt. Sie singen zum Klang der Trommeln. Und dann, mit Lea an der Spitze, setzt sich der Zug der Christen in Bewegung.

42 Engel gesucht!

Bis heute weiß ich nicht genau, wer der Engel war, der mir damals die Tür zur Freiheit öffnete.

Nur wenige Tage nach meiner Rückkehr nach Deutschland empfange ich eine E-Mail ohne Absender. Fast wäre sie in meinem Ordner für unerwünschte Werbung gelandet. Der englische Text ist kurz:

»Danke für alles! Mir geht es gut und ich kämpfe für das, was ich liebe. Ich hoffe, auch dir geht es gut. Wenn du das nächste Mal nach Indien kommst, lass es mich wissen. Es freut mich, dir geholfen zu haben. K.«

Ich öffne den beigefügten Anhang. Er enthält eine gescannte Postkarte. Sie zeigt eine einzelne Palme. Jemand hat nachträglich einen kleinen roten Papierdrachen hinein gezeichnet. Wieso Krishna mir geholfen haben will, verstehe ich nicht. Es sei denn... nein, dass ein gesuchter Terrorist für mich die Kaution hinterlegt oder gar einen hochrangigen Beamten bestochen hatte, kann ich mir nicht vorstellen. Und wenn, dürfte das niemals herauskommen!

In der Woche nach meiner Ankunft in Deutschland treffen wir uns im Indien-Arbeitskreis. Ich berichte ausführlich von meinem Aufenthalt. Für die unfreiwillige Verlängerung bekomme ich viel Mitgefühl, aber auch ein paar witzig-ironische Bemerkungen zu hören. Wie ich die

Verpflegung und Unterkunft in meinem B-Klasse Hotel in Hyderabad denn so fand? Wie ich sie eigentlich abrechnen wolle und ob ich Quittungen dafür habe?

Ich lache gerne mit! Meine Kollegen berichten, was sie alles getan haben, um mich frei zu bekommen. Helmut hat das Auswärtige Amt eingeschaltet, hat Abgeordnete des Bundestages auf meinen ‚Fall' angesetzt und auch die Bischöfin unserer Kirche mobilisiert. Außerdem hat er einen bekannten Schuhproduzenten, der in Indien hohes Ansehen genießt, gebeten, sich für mich einzusetzen. Johannes und Helmut haben über den indischen Kirchenbund zu intervenieren versucht. Außerdem haben sie einen unserer Freunde, einen erfolgreichen Bauunternehmer, gebeten, seine indischen Wirtschaftskontakte für eine Befreiung zu nutzen.

»Und am Ende«, sagt Helmut zum Schluss der Sitzung, »hat es ja auch geholfen!«

Ich bin mir nicht so sicher wie er.

Am gleichen Morgen, ich bin wieder sehr früh aufgewacht, weil mir die indische Zeit noch in den Knochen sitzt, bekomme ich einen Anruf aus Indien. Es ist der Ayyagaru. In Indien ist es jetzt erst gegen zehn Uhr morgens. Trotzdem habe ich den Eindruck, er ist betrunken. Er fragt, wie es mir geht. Dann will er wissen, wie es in Indien war. Zum wiederholten Mal behauptet er, dass er alles für das Wohl der Kirche tun würde. Nein, er wäre nicht unser Feind. Ja, er würde niemals etwas gegen uns unternehmen und wir würden noch Partner und Freunde der indischen Kirche sein, wenn er bereits nicht mehr lebe. Ja, er würde all seinen Einfluss einsetzen, dass alles ein gutes Ende nimmt.

Wie auch bei früheren Anrufen von ihm verstehe ich nicht genau, wieso er mich eigentlich wirklich anruft. Vielleicht will er mich aushorchen. Oder er drückt so sein Leiden an sich selbst und seiner Isolation aus. Vielleicht spielt er auch wieder eines seiner Spielchen und versorgt die Gerüchteküche. Dieses Mal habe ich den

Eindruck, er wolle mir signalisieren, dass er über alles, was passiert ist, Bescheid weiß. Oder will er mir verschlüsselt zu verstehen geben, dass er selbst seine Finger im Spiel hat? Er als Abgeordneter hätte jedenfalls die Macht, jemanden ins Gefängnis und auch wieder hinaus zu befördern.

Zwei Briefe liegen nach etwa vier Wochen in meinem Briefkasten.

Einer ist vom Deutschen Konsulat in Chennai. Er wurde auf dem edlen Briefpapier der Auslandsvertretung der Bundesrepublik Deutschland sorgfältig getippt und in einem blau gestreiften Luftpostkuvert verschickt. Herr Schröder freut sich, dass ich aus der Haft entlassen wurde und darüber, dass alle Anklagepunkte fallen gelassen wurden. Sie hätten getan, was sie konnten und das hätte am Ende ja auch Erfolg gehabt.

Hatte es das wirklich? Es ist schon merkwürdig, dass so viele die Verantwortung für meine Freilassung übernehmen.

Der zweite Brief kommt aus Hyderabad. Er sieht ziemlich ramponiert aus. Geschrieben ist er mit Kugelschreiber auf einem der typischen zum Umschlag faltbaren Briefbögen, die man in Indien in jedem Schreibwarengeschäft bekommt. Die Briefmarke verschwindet fast unter den vielen Stempeln. Der Brief ist von Ashok. Er ist wieder frei. Nachdem weder ihm noch mir Fluchthilfe nachgewiesen wurde, bekam er schnell seinen Prozess. Er wurde freigesprochen, allerdings mit Auflagen. Würde er noch einmal bei Demonstrationen auffallen, müsste er mit entsprechenden Strafen rechnen. Ashok schreibt, dass der Widerstand gegen den Staudamm weitergeht. Zwar habe die Regierung schon Millionen für Kanäle, Pipelines und andere Baumaßnahmen ausgegeben, doch jetzt stünde sie unter Druck, weil wichtige Gutachten nicht vorliegen und sehr viele Gerichtsverfahren laufen. Außerdem würde immer wahrscheinlicher, dass die Gründung eines neuen Bundesstaates wieder zum Thema wird. Telangana. Und wenn Telangana käme, würde der Staudamm zumindest nicht gebaut wie bisher geplant.

Ashok habe also zwar wenig, aber immerhin noch ein bisschen Hoffnung, dass der Staudamm noch verhindert wird. Auch er schreibt, dass er mich gerne treffen würde, wenn ich wieder nach Indien komme. Immerhin steht in seinem Brief keine Bemerkung darüber, dass er alles für mich getan habe. Wie auch, er saß ja hilflos neben mir in der Zelle.

Immer wieder geht mir jener Engel durch den Kopf, der Petrus aus dem Gefängnis befreit hat. War es nicht auch in meinem Fall eine Art Befreiung? Nicht nur Krishna, auch ich selbst bin letztlich auf seltsame und bis jetzt nicht aufgeklärte Weise freigekommen. Ja, es könnte auch bei meiner Entlassung Schmiergeld eine Rolle gespielt haben. Doch wer hat es bezahlt? Die Gemeinde? Da wäre jener Bauunternehmer aus unserem Freundeskreis mein erster Kandidat. Oder doch, entgegen der Absprachen in der Kirchenleitung, die Pastorenschaft unserer indischen Partner. Aber woher sollten die das Geld haben?

Auch Beziehungen und Macht könnten ‚die Augen halten', wie es in der Apostelgeschichte heißt. Das wäre Jacob zuzutrauen. Er hat vielfältige Kontakte. Oder hatte doch das Konsulat oder jemand von den benachrichtigten Politikern des Landtages oder gar unsere Bischöfin meine Freilassung bewirkt?

Und was, wenn doch der Ayyagaru selbst all das inszeniert hätte. Immerhin lagen Kovvur und Hyderabad in seinem politischen Einflussbereich. Mir wird ganz heiß bei dem Gedanken. Das wäre Samuel zuzutrauen: Er bringt mich in den Knast, lässt mich ein wenig zappeln und dann sorgt er dafür, dass ich wieder frei komme. So würde er uns allen einen gehörigen Schrecken einjagen.

Oder hatte Sri Ramulu Raj aus New Dehli nicht nur auf die Entscheidung des Richters, sondern auch auf die des Direktors Einfluss genommen? Das war eher unwahrscheinlich.

Vielleicht hieß der Engel aber auch ganz schlicht Appa Rao, von mir ja fast zärtlich Appara genannt. Er war mit Sicherheit zu großen Teilen an meiner Entlassung beteiligt. Ich muss zugeben, ich habe ihn unterschätzt und ihm wirklich Unrecht getan. Vorurteile zeichnen sich eben oft dadurch aus, dass sie nicht stimmen! Schade, dass ich von Appara keine Adresse habe. Gern hätte ich ihm geschrieben und meinen Dank ausgedrückt.

Von Lea Rani habe ich gehört, dass in allen Gemeinden für mich gebetet wurde. Gott sollte die Gefängnismauern beseitigen. Was natürlich im übertragenen Sinn gemeint war. Oder auch nicht. Jedenfalls hatte ich es hier mit richtigen Experten in Sachen ‚gegen Mauern beten' zu tun.

Wie dem auch sei und wer es auch sei. Ich weiß zwar nicht, wer der Engel war, der mich befreit hat. Doch ich weiß, wer ihn geschickt hat. Gott sein Dank!

Epilog

Wer als Sieger geht, ist ungewiss. Hahnenkämpfe hinterlassen Spuren. Verletzungen, blutende Leiber und verwundete Herzen. Wunden werden geleckt und müde schließen sich Augen zu erholsamem Schlaf. Oder für immer.

Niemand weiß, ob der Kampf zu Ende ist. Diese Schlacht jedenfalls ist vorbei.

Wer jedoch meint, sie alle seien im Kampf gefallen, hat sich getäuscht.

Am nächsten Morgen krähen die Hähne. Sie sind nicht tot. Sie kündigen den neuen Tag an. Und ihre Macht über jene, die ihnen folgen. Verrat, Machtkampf und Rückzug werden vermutlich weitergehen. Es wird weiterhin Gewinner und Verlierer geben, Täter und Opfer. Und niemand wird ohne Schuld sein.

Doch nach dem zweiten Hahnenschrei setzt sich das Licht des Tages durch. Dann schweigen die Hähne.

Und es zeigt sich, wer wirklich die Macht hat.

Glossar

Adivasis	Ureinwohner Indiens
Arukuru	Kleines Dorf im Stammesgebiet, Lea Ranis Heimat
Ashwaropeta	Kleinstadt mit Kirchenbüro im Süden
Bhadra-chalam	Tempelstadt und ehemaliges Kirchenzentrum
Bhoomi-Ponduga	Stammesfest der Koyas zu Beginn der Regenzeit und ersten Aussaat.
Chennai	Ehemals Madras, Hauptstadt des südindischen Bundesstaates Tamil Nadu
Dhoti	traditionelles weißes indisches Männer Beinkleid
Doshai	gebackener Fladen, mit Zwiebeln oder Kartoffelgemüse gefüllt, Frühstück
Godavari	Mit 1.465 km Länge einer der längsten Flüsse Indiens (»die«, weil Flüsse in Indien weibliche Namen haben)
Hyderabad	Hauptstadt des südindischen Bundesstaates Andhra Pradesh
Kukunuru und Koyda	Vom Polavaram Projekt bedrohte Dörfer im Stammesgebiet.
Koya	Volksstamm der Adivasi
Kovvur	Kleinstadt Nähe Rajamundhri, Jacobs Heimatort
Lunghi	Von Männern beliebtes Kleidungsstück für den Feierabend. Ein Tuch um die Hüften.
Naxaliten	Maoistisch orientierte Extremisten und Widerstandsgruppen
Perentapalli	Hinduistisch synkretistischer Tempel an der Godavari. Hier wurde Adama zur Priesterin ausgebildet.
Polavaram	Stadt am Unterlauf der Godavari. Hier ist der Indira Saga–Staudamm geplant, durch den 272 Dörfer umsiedeln müssen.
Rajamudhri	Stadt vor dem Delta der Godavari

Sabari	Nebenfluss der Godavari, an dem Lea Rani aufgewachsen ist.
Sari	Oft farbintensives, aus einer 7 m langen Stoffbahn bestehendes Kleid indischer Frauen.
Tribal	Stammesmitglied

Hauptpersonen

So wie die Orte und Landschaften, so existieren auch die im Roman genannten Personen wirklich. Allerdings hat der Autor, der übrigens auch selbst (als Oliver) »mitspielt«, ihre Namen verändert oder angepasst.

Lea Rani
Als Stammespriesterin hieß sie Adama,
dann wurde sie Präsidentin einer lutherischen Kirche.

Chinnamma
Leas Tante, die Shiva diente und bei der Adama aufwuchs.

Kumari
Leas beste Freundin. Nach ihrer Taufe wird sie Mariama genannt.

Abudas, Jesudos und Baburatnam
Gemeindegründer und singende Prediger mit viel Humor und Liebe zu den Menschen.

Jacob
Ein junger Pastor, der alles einsetzt, alles verliert und doch gewinnt.

Deepa
Jacobs Frau, Mutter von Pradana und zwei Söhnen.

Elias, David, Silas Rao und Sai Raju
Jene, die zuerst revoltieren und dann einen Weg aus der Krise suchen.

Samuel Raj
Der Ayyagaru.
Bei ihm laufen alle Fäden zusammen und reißen dann.

Ramanamma und Ranja
Samuels verstorbene Frau und seine lebendige Geliebte.

Israel Rao und Benjamin
Gegenpräsident und Finanzchef der Gegenseite.

Oliver
Seine Reise verläuft diesmal anders als erwartet.

Helmut, Johannes und Thies
Zusammen mit Oliver begleiten sie die junge Kirche im Stammesgebiet.

Rama Krishna Rao
Ein überaus gebildeter Terrorist.

Ashok
Er teilt mit Oliver Zelle und politische Ansichten.

Appa Rao
Ist Anwalt und überzeugt von Indiens Unbestechlichkeit.

Sri Ramulu Raj
Der Mann vom Geheimdienst.

Wie es weitergeht...

Wenn es je weitergeht, dann treffen die deutschen und indischen Protagonisten aus »Der Abstecher« und »Mit dem Hahnenschrei« irgendwann zusammen. Sie geraten in Auseinandersetzungen mit fundamentalistischen Hindus. Ob sie auch Rama Krishna Rao wiedertreffen, bleibt abzuwarten.

Der Autor

Hermann Brünjes, geb. 1951, ist Mitarbeiter der Landeskirche Hannovers. Er arbeitet als Prediger und Coach im Reisedienst und in einem Tagungshaus in der Lüneburger Heide. Der Autor ist verheiratet und hat zwei erwachsene Kinder.

Seit fast dreißig Jahren begleitet er, zusammen mit anderen, eine Partnerkirche im südindischen Bundesstaat Andhra Pradesh. Dieser Roman ist weitgehend an den im Buch beschriebenen Schauplätzen entstanden. Der Autor hat ihn teilweise vor Ort geschrieben und so Stimmungen, Bilder und Details eingefangen. Indien hautnah, könnte man sagen. Indien zum Anfassen.

Was wirklich geschieht...

Über Hintergründe und den historischen Rahmen der Erzählung können Sie sich auf folgender Homepage informieren: www.fmd online.de

Was erzählt wird, ist – mit Ausnahme von Olivers Aufenthalt im Gefängnis – wirklich so oder ähnlich passiert. Der Ayyagaru ist im Juni 2011 gestorben. Der Streit um sein Erbe geht weiter. Gott sei Dank lebt und wächst die Kirche allen Widerständen zum Trotz.

Landkarten

Chhattisgarh
Surat
Maharastra
Mumbai
Pune
Orissa
Stammes-
gebiet
Hyderabad
Andhra
Pradesh
Goa
Karnataka
Bengaluru
Chennai
Tamil Nadu
Kerala
Süd- und
Zentral-
INDIEN
Sri Lanka
Colombo
Laccadive
Sea

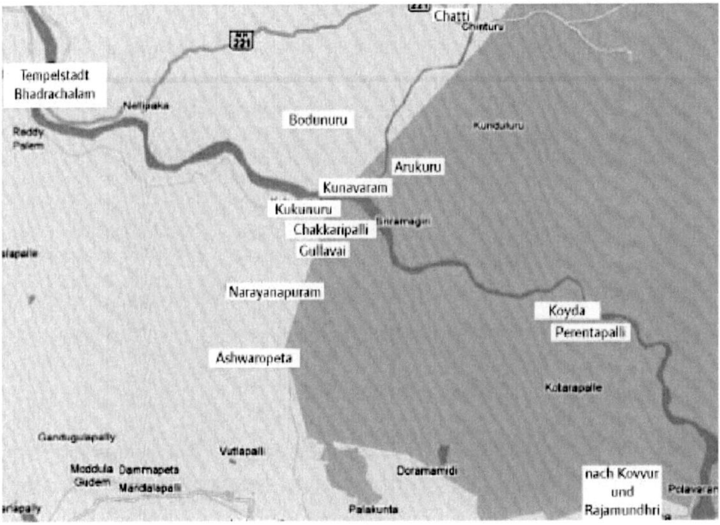
Chatti
Tempelstadt
Bhadrachalam
Bodunuru
Arukuru
Kunavaram
Kukunuru
Chakkaripalli
Gullavai
Narayanapuram
Koyda
Perentapalli
Ashwaropeta
nach Kovvur
und
Rajamundhri